Даниэла СТИЛ

Все только хорошее

РОМАН

МОСКВА

издательство
ЭКСМО

2003

УДК 820(73)
ББК 84(7 США)
С 80

Danielle STEEL
FINE THINGS

Перевод с английского *О. Воейковой* и *А. Чеха*

Стил Д.
С 80   Все только хорошее: Роман / Пер. с англ. О. Воейковой и А. Чеха. — М.: Изд-во Эксмо, 2003. – 416 с.

ISBN 5-04-004039-3

Все складывается удачно в жизни преуспевающего бизнесмена
Берни Файна: стремительная карьера, счастливый брак, очаровательные
дети. Но один поворот неумолимого колеса судьбы — и все беспово-
ротно меняется.
    Берни не сразу находит в себе силы вернуться в привычный
жизненный круг, но все-таки он начинает новый раунд борьбы за
счастье. Всего себя он отдает работе и воспитанию детей и оказывается
вознагражденным: любовь возвращает Берни радость и полноту жизни.

УДК 820(73)
ББК 84(7 США)

ISBN 5-04-004039-3

Глава 1

Добраться до перекрестка Лексингтон-авеню и Шестьдесят третьей улицы было непросто. Ветер выл, заметая снегом машины, стоявшие у обочин. Сдавшиеся автобусы, сошедшиеся замерзшими динозаврами в районе Двадцать третьей, время от времени отваживались покинуть стадо, неуклюже двигаясь по дорожкам, оставленным снегоочистителями, подбирая редких путников, что, размахивая руками, вырывались из теплых парадных, скользили по тротуарам, пробираясь через сугробы, и наконец забирались в автобус — глаза влажные, лица красные, а у Берни так и вовсе вся борода в льдинках.

О такси и речи быть не могло. Простояв на Семьдесят девятой улице минут пятнадцать, Берни направился в южном направлении. Он частенько ходил на работу пешком. Идти всего ничего — восемнадцать кварталов: Мэдисон-авеню, Парк-авеню, а потом по Лексингтон-авеню направо. Он прошел четыре квартала и решил, что на таком ветру гулять все-таки не стоит, тем более что какой-то сердобольный швейцар позволил ему дожидаться автобуса в вестибюле, что Берни и сделал. Таких смельчаков, как он, было немного, здравомыслящая публика почла за лучшее остаться дома, решив, что в такую погоду ни о какой работе речь идти не может. Берни нисколько не сомневался, что пусто будет и в магазине. Однако он был не из тех, кто любит сидеть дома, предаваясь безделью или тупо глядя в телевизор.

Никто не заставлял его целыми днями пропадать на работе. Он проводил на ней шесть дней в неделю, появляясь там и тогда, когда от него этого не требовалось, как было, скажем, сегодня. Просто Берни любил магазин. Восемь этажей «Вольфа» делали его жизнь осмысленной. Этот год был очень важным. Они представляли семь новых серий, четыре из которых велись лучшими европейскими модельерами, — американские магазины готовой одежды ожидало очередное изменение моды. Именно об этом он думал, глядя из окна автобуса на занесенные снегом улицы. Он не видел ни сугробов, ни людей, бегущих к автобусу, ни того, во что они одеты. Его внутреннему взору представлялись весенние коллекции, виденные им в ноябре в Париже, Риме и Милане, ему вспоминались блистательные манекенщицы, выплывавшие на подиум дорогими куклами. Он лишний раз порадовался тому, что решил пойти на работу. Ему хотелось взглянуть на манекенщиц, подготовленных к большому показу, который должен был состояться на следующей неделе. Он принимал участие в обсуждении моделей, теперь же хотел увериться в том, что и манекенщицы подобраны правильно. Бернарду Файну нравилась любая работа — от проведения калькуляций и покупки тканей до подбора моделей и утверждения формы пригласительных билетов, рассылавшихся почетным клиентам. Это были части единого целого. Здесь все имело значение. В каком-то смысле работа у «Вольфа» мало чем отличалась от работы в таких компаниях, как «Юнайтед стейтс стил» или, скажем, «Кодак». Они торговали неким продуктом, точнее, неким набором продуктов, специфика которого определяла специфику работы.

Скажи ему кто-нибудь пятнадцать лет назад, в ту пору, когда он играл в футбол за команду Мичиганского университета, что его будут волновать такие вещи, как нижнее белье манекенщиц и проблемы показа ночных рубашек, он бы долго смеялся или, скорее, дал бы обидчику по зубам. Теперь это казалось ему смешным; сидя на восьмом этаже в своем огромном офисе, Берни порой вспоминал о прошлом, и оно неизменно вызывало в нем улыбку. В течение первых двух лет, проведенных им в Мичигане, его интересовало буквально все, затем он избрал себе нишей русскую литературу. Достоевский был героем первого семестра его юниората, соперничать с ним мог только Толстой, которому, в свою очередь, почти не уступала Шила Борден. Шилу он встретил в первом русском классе, куда его привело стремление научиться читать русских классиков в подлиннике, ибо читать их в переводе означало не знать их. Он прошел интенсивный курс языка по Берлицу и теперь мог спросить по-русски: где находится почта или, скажем, уборная, как ему найти свой поезд и так далее, при этом акцент Берни крайне изумлял его учителя. И все же первый класс русского согрел ему душу. То же произошло и с Шилой Борден. Она сидела в первом ряду, прямые черные волосы романтично (так казалось Берни) ниспадали до пояса, тело ее было упруго и гибко. В русский класс ее привела любовь к балету. Она танцует с пяти лет, сказала она Берни во время первого их разговора, понять же балет, не поняв русских, — невозможно. Она была слабонервной, впечатлительной и наивной, но тело ее, эта поэма соразмерности и грации, очаровало Берни, когда на следующий день он увидел Шилу танцующей.

Она родилась в Хартфорде, штат Коннектикут; отец ее работал на банк, что, по мнению Шилы, было уделом плебеев. Она мечтала о жизни, исполненной терзаний: мать в инвалидной коляске... больной туберкулезом отец, умерший вскоре после ее рождения... Познакомься они годом раньше, Берни смеялся бы над ней. Теперь, когда ему было двадцать, он относился к ней крайне серьезно, ведь она, помимо прочего, была потрясающей танцовщицей. Стоило ему приехать домой на каникулы, он тут же заявил об этом матери.

— Она еврейка? — спросила мать, как только услышала имя Шилы. Это имя казалось ей скорее ирландским, фамилия же и вовсе звучала устрашающе — Борден. Конечно, Борден могло быть производным от Бордмане или Берковича, что было хоть и низко, но все же приемлемо. С подобными вопросами мать приставала к Берни едва ли не с детства и уж, во всяком случае, еще до того, как его стали интересовать девушки. Она интересовалась всеми его знакомыми. «Он еврей?.. А она? Ты не знаешь девичьей фамилии его матери? Бар Митцва он отмечал?.. Так чем, говоришь, занимается его отец? Но разве она не еврейка?» Казалось, евреями были все. По крайней мере, все знакомые Файнов. Родители хотели отправить его в Колумбийский или даже в Нью-Йоркский университет. Нужно как-то переключиться, говорили они. Мать пыталась настоять на этом, но он сумел-таки отбить все ее атаки и поехал не куда-нибудь, а в Мичиганский университет. Он был спасен! Он оказался в Царстве Свободы, населенном сотнями голубоглазых блондинок, никогда не слышавших ни о фаршированной рыбе, ни о кнышах и понятия не имевших о том, когда именно бывает еврейская Пасха. Скарсдейлские девицы, по которым сходила с ума его мамаша, к тому времени успели изрядно поднадоесть ему, и поэтому переезду он был рад вдвойне. Он хотел чего-то нового, неизведанного, может быть, даже запретного. Олицетворением всего этого была Шила, поражавшая его своими черными как смоль косами и огромными черными глазами. Она приносила книги неведомых ему русских писателей, и они читали их вместе — в переводе, разумеется. Во время каникул Берни пытался обсуждать эти книги с родителями, но тема эта их ничуть не интересовала.

— Твоя бабушка была русской. Если уж ты так хотел изучать русский, тебе нужно было учиться у нее.

— Это разные вещи. К тому же она говорила только на идиш...

Здесь Берни обычно замолкал. Что он ненавидел, так это спорить с ними. Мать могла спорить о чем угодно. Спор был основой ее жизни, ее величайшей радостью, ее любимым развлечением.

— Нельзя говорить о покойных неуважительно!

— Разве я говорю неуважительно? Просто я сказал, что она постоянно говорила на идиш...

— Она умела говорить и на прекрасном русском! И вообще — зачем тебе это? Надо посещать научные классы... Сегодня в этой стране нужно изучать... экономику.

Она хотела, чтобы Берни стал доктором, как отец, или, на худой конец, адвокатом. Его отец был хирургом-отоларингологом, одним из известнейших специалистов в своей области. Никогда, даже в детстве, Берни не хотелось последовать примеру отца, хотя он очень любил его. Врачом он становиться не хотел, что бы там ни говорила ему мать.

— Русский? Кто, кроме коммунистов, говорит на русском? Разве что твоя Шила Борден...

Берни в отчаянии посмотрел на мать. Она все еще выглядела интересной. Ему никогда не приходилось краснеть из-за того, что с ней или с отцом что-то было не так. Его отец, высокий, сухощавый седовласый человек, обычно казался рассеянным, взгляд его темных глаз был устремлен в никуда. Он любил свою работу и постоянно думал о своих пациентах. И все же Берни знал: отец готов помочь ему в любую минуту. От матери Берни унаследовал зеленые глаза. Мать вот уже много лет красила волосы в белый цвет, носивший название «осеннее солнце», который очень шел ей. Она следила за своей фигурой и носила внешне неприметные, но дорогие наряды. Синие костюмы и черные платья, которые она покупала в «Лорде», «Тейлоре» и «Саксе», влетали ей в копеечку.

— А для чего русский этой девчушке? Где живут ее родители?

— В Коннектикуте.

— Коннектикут большой.

Берни так и подмывало спросить мать о том, не собирается ли она к ним в гости. Однако он сдержался.

— Хартфорд. Разве это имеет значение?

— Не груби, Бернард.

Мать держала себя подчеркнуто официально. Он сложил салфетку и отодвинулся вместе со стулом. Обед с матерью всегда оборачивался коликами в желудке.

— Куда это ты? Тебя никто не отпускал.

Словно ему пять лет. Порой он ненавидел свой дом

и одновременно стыдился этого чувства, и тогда ненавидел мать, повинную и в том, и в другом.

— Мне нужно позаниматься.

— Слава богу, ты больше не играешь в футбол.

Так было всегда. Сказать напоследок что-нибудь эдакое, против чего нельзя протестовать. Тут же хочется повернуться к ней и сказать, что он, мол, вернулся в команду, или... что он изучает балетные па вместе с Шилой... Так, чтобы позлить ее...

— Решение еще не окончательное, мама.

Руфь Файн пронзила его взглядом.

— Поговори об этом с отцом.

Отец всегда знал, что ему следует делать. Мать наконец смогла поговорить с ним. «Если Берни снова захочет играть в футбол, ты предложишь ему новую машину...» Знай об этом Берни, он поднял бы дикий скандал и действительно тут же вернулся бы в команду. Противно, когда тебя пытаются подкупить. Противно смотреть на то, как она пытается помыкать тобой, считая тебя своей собственностью, пусть отец с ней и не согласен... Быть единственным ребенком очень непросто. Когда он вернулся в Энн-Арбор и увиделся с Шилой, она не стала спорить с ним. Каникулы оказались непростым временем и для нее. Встретиться им так и не удалось, хотя Хартфорд находился отнюдь не на краю света. Шила была поздним ребенком, и родители лелеяли ее как могли. Каждый раз, когда она покидала дом, они страшно волновались, боясь, что их дочь могут обидеть, ограбить или, того хуже, изнасиловать. Она могла оступиться, встретить не того человека, выбрать не тот факультет и так далее. Перспектива ее учебы в Мичиганском университете ужасала их, однако Шила смогла-таки настоять на своем. С родителями разговаривать она умела. Что ее донимало, так это их постоянное присутствие. Берни она понимала, как никто. После того как пасхальные каникулы закончились, Берни и Шила разработали хитроумный план. Они должны были встретиться в Европе и провести там по меньшей мере месяц. О том, что они путешествуют вдвоем, родители не должны были знать. Так оно и вышло.

Они дарили друг другу Венецию, Париж и Рим, и это было прекрасно. Когда, нагие, лежали они на пустынном пляже Искьи, Берни, любуясь черными как смоль локонами Шилы, думал о том, что никогда не встречал девушки красивее ее. Он уже подумывал и о том, чтобы предложить ей руку и сердце, хотя считал, что с предложением спешить не стоит. Он мечтал обручиться с ней на Рождество, а жениться где-нибудь в июне... Тем временем они побывали в Англии и Ирландии и вернулись домой — теперь уже вместе — на самолете, летевшем из Лондона.

Отец, как обычно, был на операции. Мать же встречала его, хотя он и просил ее не делать этого. В новом бежевом костюме от Бена Цукермана, с прической, которая, по ее мнению, приличествовала обстоятельствам, мать выглядела куда моложе своих лет. В душе Берни родилось нечто вроде сыновней благодарности, но тут мать заметила его спутницу.

— Это еще кто?!

— Это Шила Борден, мама.

Госпожа Файн тут же впала в полуобморочное состояние.

— Так вы, выходит, путешествовали вместе? — Денег они ему давали столько, чтобы он мог провести в Европе месяц-другой. Ему исполнился двадцать один. И деньги, и поездка были подарком ко дню рождения. — Вы... вы так бесстыдно путешествовали вместе?

Берни был готов сгореть от стыда. Шила же вела себя так, словно ничего особенного не произошло — она все так же мило улыбалась.

— Все в порядке, Берни... Не волнуйся... Мне ведь нужно на пригородный — до Хартфорда...

Она улыбнулась еще раз, взяла в руки дорожную сумку и тут же исчезла, даже не успев попрощаться. Мать уже вытирала платочком глаза.

— Мама, пожалуйста...

— Как ты мог нас обмануть?!

— Я вас не обманывал. Я тебе говорил по телефону — я встретил там друзей.

Лицо его стало красным, он был готов провалиться сквозь землю, лишь бы не видеть своей матери.

— Это ты называешь друзьями?

Ему вдруг вспомнились пляжи, парки, берега рек, комнаты крошечных отелей — все те места, где они были вместе... С этим мать уже ничего не могла сделать, что бы она ни говорила. Он сердито посмотрел на нее.

— Она мой ближайший друг!

Он схватил свою сумку и быстрым шагом вышел из здания аэропорта. Ему не нужно было оборачиваться, но он обернулся. Мать стояла на том же месте, теперь она плакала открыто. Берни вернулся и извинился перед ней, за что впоследствии не раз корил себя.

Осенью, когда вновь начались занятия, их роман продолжился. В праздник Благодарения он отправился в Хартфорд, чтобы познакомиться с родителями Шилы. Последние были сдержанны, но вежливы. Очевидно, их поразило что-то такое, о чем Шила предпочитала не говорить. Когда они летели назад, Берни спросил:

— Их смутило, что я еврей?

Он был заинтригован. Неужели ее родители могут быть такими же сумасшедшими, как и его мать? Нет, это было невозможно. С Руфь Файн сравниться не мог никто.

— Нет.

Шила рассеянно улыбнулась и, достав из сумочки сигарету с марихуаной, закурила. Они сидели в последнем ряду самолета, летевшего в Мичиган.

— Они просто ничего такого не ждали. Мне никогда не приходило в голову говорить с ними о тебе.

Ему нравилось это ее свойство. Для нее не существовало никаких проблем. Он покурил травку вместе с ней, после чего Шила тщательно затушила сигарету и положила окурок в конверт, лежавший в ее сумочке.

— Они нашли тебя очень милым.

— Я тоже нашел их очень милыми.

Он солгал. На самом деле он нашел их чрезвычайно

занудными и поразился тому, что мать Шилы напрочь лишена вкуса. Все это время они говорили о погоде, мировых новостях и более ни о чем. Жить так — значит жить в вакууме, комментируя то, что происходит с другими... Шила совершенно не походила на своих родителей. То же самое она сказала о Берни, попутно назвав его мать истеричкой, против чего он возражать не стал.

— Они на вручение дипломов не приедут?

— Ты что — издеваешься? — засмеялась Шила. — Мать как об этом подумает, так сразу в слезы.

Он все еще думал жениться на ней, хотя по-прежнему не говорил об этом вслух. В День святого Валентина он сразил ее своим подарком — маленьким колечком с алмазом, купленным на деньги, доставшиеся ему от покойных бабушки с дедушкой. В крохотном, идеальной огранки солитере было всего два карата, но он был безупречен. В день покупки кольца у Берни от возбуждения даже защемило в груди. Он привлек Шилу к себе, поцеловал ее в губы и небрежно бросил красную шкатулку ей на колени.

— Посмотри — подходит оно тебе или нет.

Шила решила, что это какая-то шутка, и смеялась до тех пор, пока не открыла шкатулку. Разинув от изумления рот, она вдруг разрыдалась, после чего молча швырнула шкатулку назад и так же молча вышла из комнаты. Он продолжал изумляться странности такого поведения до самого ее возвращения. Своя комната была и у Шилы, но обычно она жила у Берни — здесь было два стола, да и вообще как-то попросторней. Вернувшись в комнату, Шила уселась на стол Берни и, открыв шкатулку, пробормотала:

— Как ты мог это сделать?

Он так и не мог понять ее. Может быть, она считает, что кольцо ей велико?

— О чем ты? Я хочу жениться на тебе.

Он приблизился к Шиле, нежно глядя ей в глаза, но она тут же отскочила в сторону.

— Я думала, ты все понимаешь... Все это время так думала...

— Объясни, что ты хочешь этим сказать!

— Я думала, что мы общаемся, как равный с равным.

— Так оно и есть. Но как это связано с тем, что происходит?

— Нам не нужен брак... Вся эта ненужная рухлядь, дань традиции... — Она посмотрела на него с таким отвращением, что ему стало как-то не по себе. — Все, что нам нужно, это то, чем мы обладаем ныне. Когда это есть — это есть. Когда этого нет — этого нет. Понимаешь?

Подобное Берни слышал от нее впервые. Он никак не мог понять, что же могло произойти.

— И сколько же это может длиться?

— День... Неделю... — Она пожала плечами. — Какая разница? Какое это может иметь значение? Кольцо с алмазом здесь не поможет.

— Ну что ж, тогда прошу прощения. — Внезапно озлившись, он захлопнул шкатулку и швырнул ее в один из ящиков стола. — Прошу прощения за то, что поступил как истый буржуа. Все Скарсдейл, понимаешь...

Она взглянула на него так, будто видела впервые.

— Я и понятия не имела, что ты придаешь этому такое значение. — Шила озадаченно смотрела на него, словно пытаясь припомнить его имя. — Я думала, ты все понимаешь как надо... — Она уселась на диван. Берни подошел к окну и, вздохнув, повернулся к ней.

— Нет. Сказать честно? Я вообще ничего не понимаю. Мы спим друг с другом вот уже год. По сути, мы живем вместе, и в Европе в прошлом году мы тоже были вместе. Как, по-твоему, — что это? Случайная связь?

Сам он относился к этому иначе, пусть ему и был всего двадцать один год.

— Ой, давай только не будем оперировать устаревшими категориями.

Она встала с дивана и потянулась, всем своим видом показывая, что изнывает от скуки. Берни заметил, что на ней нет бюстгальтера, и понял, что может простить ей все.

— Может быть, я поспешил? — Он с надеждой

смотрел на Шилу, чувствуя непреодолимое влечение к ней и одновременно презирая себя за это. — Может, должно пройти какое-то время?

Она отрицательно покачала головой и без обычного поцелуя направилась к двери.

— Чего я никогда не хотела, так это выходить замуж, Берни. Это не для меня. После того, как мы получим дипломы, я отправлюсь в Калифорнию... Хочу немного развеяться.

Он вдруг представил Шилу... в коммуне хиппи.

— Что значит «развеяться»? Вечно же так жить не будешь.

Улыбнувшись, она пожала плечами.

— И тем не менее сейчас я хочу именно этого. — Взгляды их встретились. — В любом случае, за колечко спасибо.

Она еле слышно прикрыла за собой дверь, оставив его в темной комнате наедине с самим собой. А ведь он так любил ее... По крайней мере, сам он в этом ни минуты не сомневался. На что он никогда не обращал внимания, так это на ее манеру выказывать полнейшее равнодушие к чувствам других. Он вспомнил, как она разговаривала со своими родителями. Ей было глубоко безразлично, что они думают или чувствуют, поэтому она искренне удивлялась тому, что он, Берни, звонит старикам или перед поездкой домой покупает подарок матери. В день рождения Шилы он послал ей цветы, и она подняла его на смех — он вспомнил об этом только сейчас. Может быть, ей плевать на всех, в том числе и на него? Она просто развлекается, делает то, что ей нравится. До этой самой минуты все в их отношениях устраивало ее, когда же он подарил ей обручальное кольцо, она вдруг испугалась. Он лежал в темноте, думая о ней... Сердце его обратилось в камень.

С той поры все пошло как-то наперекосяк. Она стала заниматься в группе расширения сознания, где то и дело проходили коллективные обсуждения ее отношений с Берни. Возвращаясь домой, она едва ли не ежеминутно корила Берни за его ценности и его цели. Теперь ей не нравилось и то, как он говорит с нею.

— Не надо говорить со мной как с ребенком! Черт возьми, я ведь женщина! Вся эта твоя бравада гроша ломаного не стоит! Сплошная показуха! Я такая же сообразительная, как ты, и оценки у меня не хуже твоих — понял? Одного-единственного органа не хватает, чтобы стать такой же, как ты, — ну и что из того?

Он ужаснулся еще больше, когда Шила оставила балет. Она продолжала заниматься русским, но теперь больше всего на свете ее занимала личность Че Гевары. Она ходила в огромных походных ботинках и покупала тряпки в армейской лавке. Больше всего ей нравилось щеголять в надетой на голое тело мужской нижней рубахе, через которую просвечивали ее темные соски. Берни поймал себя на том, что ему стало неудобно ходить по улицам рядом с нею.

— Ты это серьезно? — спросила она изумленно, когда он сообщил ей о своем желании пойти на выпускной вечер, пусть тот и был старомодным дурацким действом. Память о нем следовало сберечь для других времен — этот его аргумент подействовал, и Шила решила пойти вместе с ним. В канун вечера она появилась в его комнате одетой в солдатскую робу, из-под которой виднелась драная красная майка. Ее грубые, под стать армейским, ботинки были выкрашены золотой краской. Шила, смеясь, называла их «своими новыми бальными туфельками». Сам Берни был одет в белый смокинг, купленный отцом в «Брукс бразерс», который как нельзя лучше шел к его рыжеватым волосам, зеленым глазам и смугловатому от легкого загара лицу. Шила же выглядела достаточно нелепо.

— Тем ребятам, которые относятся к этому делу серьезно, твой вид покажется оскорбительным. Если уж туда идти, то надо и одеваться соответственно.

— Бога ради, оставь ты эти свои разговоры. — Она плюхнулась на диван, всем своим видом выражая презрение. — Ты стал похожим на лорда Фаунтлероя. Надо бы рассказать об этом нашей группе. Интересно, что они об этом скажут.

— Плевать я хотел на твою группу!

Впервые за все время общения с Шилой он потерял

контроль над собой. Она лежала на диване, покачивая своими золотыми ботинками и изумленно взирая на него.

— Оторви свой зад от дивана и пойди переоденься!

— Да пошел ты...

— Я серьезно, Шила. В этой одежде ты туда не пойдешь.

— А вот возьму и пойду.

— Нет, не пойдешь.

— Тогда и ты не пойдешь.

Он на мгновение застыл, но тут же решительно направился к двери.

— Нет. Я все же пойду. Но пойду один.

— Счастливо.

Она сделала ему ручкой, и он вне себя от ярости вышел из комнаты. Танцевать ему на вечере было не с кем, он торчал в зале разве что из принципа. Вечер был окончательно испорчен. Нечто подобное случилось и на церемонии вручения дипломов, в довершение всего свидетельницей происходившего там стала мать Берни. После того как Шила поднялась на сцену и ей вручили диплом, она повернулась к залу и обратилась к собравшимся с краткой речью о том, как бессмысленны символические установления истеблишмента в мире, где права женщин попираются. Посему она не может не протестовать против шовинизма, царящего в Мичиганском университете. После этого на глазах пораженной публики она разорвала свой диплом, отчего Берни едва не заплакал. Что он мог сказать матери теперь? С Шилой говорить тоже было не о чем, это он понял тем же вечером, когда они стали собирать вещи. О чувствах, испытанных им в зале, лучше было молчать, он мог наговорить лишнего. Она молча доставала из ящиков свои вещи. Этим вечером его родители ужинали с друзьями в отеле, он собирался присоединиться к ним утром, чтобы отметить факт окончания университета, после чего все они должны были вернуться в Нью-Йорк. Он печально посмотрел на Шилу. Последние полтора года казались прожитыми зря. Вот уже несколько недель они с Шилой не могли найти общего языка. Но он никак не мог свыкнуться с мыслью о том, что у них все кончено, хотя, одновременно с этим, собирался прокатиться по Европе совсем не с ней, а с родителями. Берни никак не мог понять — как она, такая страстная в постели, умудряется быть такой бесчувственной во всем остальном. Эта странность поражала его с первого дня их знакомства. Впрочем, он слишком любил ее для того, чтобы обращать внимание на подобные вещи... Первой молчание нарушила Шила:

— Завтра вечером я улетаю в Калифорнию.

Берни пораженно замер.

— Разве твои родители... не хотят увидеть тебя?

Она улыбнулась и бросила в дорожную сумку связку носков.

— Ясное дело, хотят.

Она пожала плечиками, и ему вдруг захотелось влепить ей пощечину. Он ведь действительно любил ее... хотел жениться на ней... она же все это время думала только о себе. Большего эгоцентрика, чем она, встречать ему еще не доводилось.

— Я куплю билет без места до Лос-Анджелеса, а оттуда автостопом доберусь до Сан-Франциско.

— А что потом?

— Откуда я знаю!

Шила посмотрела на него так, будто они только что познакомились и не были ни друзьями, ни любовниками. Вот уже два года она была чем-то главным в его жизни, и по этой причине Берни чувствовал себя полнейшим идиотом. Он потратил на нее два года своей жизни!

— Почему бы тебе не приехать в Сан-Франциско после того, как ты вернешься из Европы? Было бы неплохо встретиться с тобою там...

Неплохо... И это после двух лет!

— Не знаю. — Впервые за все это время он улыбнулся, хотя его глаза оставались такими же грустными. — Я буду искать работу.

Он знал, что для Шилы подобных проблем не существует. Родители поздравили ее с окончанием университета, подарив ей кругленькую сумму в двадцать тысяч долларов наличными, которые она почему-то рвать не стала. Этих денег хватило бы на то, чтобы прожить в Калифорнии несколько лет. Он же так затянул вопрос со своим трудоустройством опять-таки из-за нее — он не знал ее планов. Теперь он чувствовал себя дураком вдвойне. Ему хотелось одного: найти работу преподавателя русской литературы в одной из школ Новой Англии. Он выслал ряд предложений и теперь ждал ответов.

— Берни, разве не глупо отдаваться в лапы истеблишменту? Исполнять ненавистную работу ради денег, которые тебе особенно не нужны?

— Это тебе не нужны. Родители не собираются содержать меня до скончания века.

— Мои тоже! — хмыкнула Шила в ответ.

— Хочешь подыскать себе работу на Западном побережье?

— Со временем.

— И что же ты собираешься делать? Демонстрировать вот это?

Кивком головы Берни указал на подрезанные, с бахромой джинсы и огромные ботинки. Шиле это явно не понравилось.

— Когда-нибудь ты станешь таким же, как твои родители. — Хуже этого она не знала ничего. Застегнув сумку, Шила протянула ему руку: — Ну что, Берни... Пока?

«Как странно», — подумалось ему...

— Что? После двух этих лет?! — На глаза его навернулись слезы, но ему было уже все равно. — Я до сих пор не могу в это поверить. Мы могли пожениться... У нас могли быть дети...

Шила покачала головой:

— В наши планы это не входило.

— Скажи мне, что в них входило, Шила? Позаниматься парочку лет любовью — так? Я любил тебя, пусть сейчас в это и трудно поверить!

Теперь он искренне не понимал, что же могло привлечь его в ней тогда. На сей раз его мать не ошиблась.

— Наверное... Наверно, я тебя тоже любила...

Ее губы внезапно задрожали. Она подбежала к Берни, и он обнял ее. Так, обнявшись, они и стояли посреди пустой комнаты, что некогда была их домом. И он, и она плакали.

— Ты прости меня, Берни... Просто все стало другим...

Он согласно закивал.

— Я знаю. Ты здесь ни при чем... Это не твоя вина... Голос его стал хриплым. Если во всем повинна не она, то кто же? Он поцеловал ее, и она подняла на него глаза.

— Если сможешь, приезжай в Сан-Франциско.

— Я постараюсь.

Этого, естественно, не произошло. Следующие три года Шила провела в коммуне, расположившейся близ Стинсон-Бич, о чем Берни узнал лишь из присланной ею рождественской открытки, к которой была приложена ее фотография. Они жили возле самого моря в старом школьном автобусе — девятеро взрослых и шестеро детей. Двое детей было и у нее самой. К тому времени, когда Берни получил эту весточку, Шила и все с нею связанное его уже нисколько не интересовало. Он был весьма благодарен матери за то, что та никогда не вспоминала о Шиле, мать же, в свою очередь, была крайне рада тому, что эта наглая девица наконец-таки отстала от ее сына.

Она была первою любовью Берни, мечты же умирают не вдруг... Европа помогла ему развеяться. Он встречался с великим множеством девушек и в Париже, и в Лондоне, и на юге Франции. Его чрезвычайно изумляло то, что путешествие с родителями выходило таким веселым.

В Берлине он встретил троих ребят из университета — они развлекались как могли, зная о том, что в скором времени им предстоит вернуться в реальный мир. Двое из них изучали юриспруденцию, третий готовился к свадьбе, которая должна была состояться осенью — этот гулял, что называется, в последний раз. Впрочем, такая спешка со свадьбой была продиктована желанием избежать призыва в армию. Последнего Берни мог не опасаться, хотя это обстоятельство несколько смущало его. В детстве он перенес астму, и отец документально засвидетельствовал сей факт. На призывном пункте Берни была присвоена классификация «4-Ф», которая могла показаться его сверстникам едва ли не чем-то постыдным. Но, как говорится, нет худа без добра. Берни мог забыть о службе в армии. К несчастью, все школы, в которые он обращался с предложением, отказали ему, мотивируя отказ тем, что Берни не имеет магистерской степени. Он решил пройти ряд курсов в Колумбийском университете, ибо наличие степени означало бы автоматическое трудоустройство. Но до этого он должен был как-то существовать в течение целого года.

Он жил дома, и мать издевалась над ним, как могла. Знакомые же его и товарищи все, как один, разъехались. Кто-то попал в армию, кто-то уехал учиться, кто-то получил работу в другом городе. Поддавшись минутному отчаянию, он вдруг решил поработать в дни предрождественской суматохи в магазине «Вольф» и не стал возражать, когда его направили в мужской отдел, где он должен был торговать обувью. Все лучше, чем сидеть дома — так считал Берни. К тому же ему всегда нравился этот магазин. Большое красивое здание, приятные запахи, хорошо одетые люди, стильные продавцы, замечательные своей обходительностью. В дни рождественской давки здесь было поспокойнее, чем в других местах. Некогда «Вольф» был одним из главных законодателей моды, до какой-то степени он сохранял свои позиции и тогда, когда в нем появился Берни, пусть «Вольфу» и недоставало шика «Блумингдейла», находившегося на расстоянии трех кварталов.

Берни совершенно искренне пытался убедить клиентов в том, что магазин способен создать серьезную конкуренцию «Блумингдейлу», на что клиенты обычно отвечали улыбками. «Вольфу» это было не по силам. Так считал клиент. Но Пол Берман, владелец магазина, считал иначе. Докладная Бернарда крайне заинтересовала его. Покупателю, который пришел с жалобой на продавца из мужского отдела, он пообещал выгнать

Берни в два счета, хотя подлинные намерения Пола Бермана были совершенно иными. Он давно искал молодого человека с интересными идеями. Пол Берман не единожды приглашал Берни на обед, каждый раз поражаясь в нем забавной смеси дерзкой напористости и какой-то изысканной утонченности. Узнав, что Берни собирается преподавать русскую литературу и по этой причине посещает по вечерам Колумбийский университет, Берман долго смеялся.

— Да на это же надо потратить чертову уйму времени!

Последнее замечание несколько шокировало Берни, хотя Берман в общем-то нравился ему. Внешне спокойный и элегантный, он был хватким бизнесменом, внимательно прислушивающимся ко всем возможным мнениям. Берман приходился легендарному Вольфу родным внуком.

— Русская литература — это моя специализация, сэр, — почтительно произнес Берни.

— Надо было идти в школу бизнеса.

Берни улыбнулся:

— Вы считаете так же, как моя мама.

— А кем работает твой отец?

— Он — врач. Хирург-отоларинголог. Лично я всегда ненавидел медицину. Мне от одной мысли обо всех этих делах становится дурно.

Берман согласно закивал. Он прекрасно понимал Берни.

— У меня шурин доктор. Меня тоже от этого мутит. — Он нахмурился и посмотрел в глаза Бернарду Файну. — Ну а ты сам? Чем ты собираешься заниматься в этой жизни?

Берни говорил все как есть. Он чувствовал, что иначе нельзя. Дела магазина были небезразличны ему, иначе бы он не написал докладную, приведшую его сюда. Он любил «Вольф». Это было совершенно замечательное место. Он мог проработать здесь какое-то время, но настоящее его призвание заключалось в ином...

— В будущем году я уже буду иметь степень. Это позволит мне получить работу в каком-нибудь закрытом учебном заведении.

Он заулыбался и от этого стал выглядеть еще моложе. Его наивность трогала, по крайней мере, Полу Берману она пришлась по душе.

— А ты не боишься, что прежде тебя в армию заграбастают?

Берни назвал свой квалификационный разряд.

— Ну, парень! Да ты прямо счастливчик! Все эти вьетнамские дела вот-вот обернутся большими неприятностями. Вспомни, что там с французами произошло. Все потеряли! Нам то же самое грозить будет, если вовремя не остановимся.

Берни согласился.

— Слушай, почему бы тебе не оставить свои вечерние занятия?

— И что тогда?

— Я хочу кое-что предложить. Весь следующий год ты проведешь в магазине. Мы попробуем поднатаскать тебя в самых разных сферах, чтобы ты почувствовал вкус к этой работе, и тогда, если, конечно, ты будешь достоин этого и будешь иметь на то желание, отправим тебя в школу бизнеса. Одновременно ты будешь иметь возможность практиковаться на работе. Как тебе это нравится?

Никогда и никому они не предлагали ничего подобного, но уж очень ему понравился этот парень с широко раскрытыми честными зелеными глазами и интеллигентным лицом. Не какой-нибудь там смазливый мальчик, но привлекательный молодой человек с открытым добрым лицом. Берни было предложено подумать над этим день-другой, да только чересчур не обольщаться и излишне не пугаться. Решение ему предстояло принять по-настоящему серьезное. Ему не очень-то хотелось учиться в школе бизнеса, трудно было расставаться и с мечтой о тихой школе в каком-нибудь сонном городишке, где не слышали ни о Толстом, ни о Достоевском... Впрочем, это была только мечта, не более... Сейчас она не казалась ему такой уж сладостной.

В ту же ночь Берни переговорил с родителями. Поражен был даже его отец. Перед Берни открывались замечательные перспективы. Год стажировки в магазине мог позволить ему определиться в своем отношении к «Вольфу». При этом решение считалось чем-то само собой разумеющимся — отец поздравлял сына с успехом, мать интересовалась тем, сколько детей у Бермана... есть ли у него дочери... и так далее. Она уже представляла себе своего сына женатым на одной из них!

— Оставь его, Руфь!

Отец, Лу, увел ее, и она в конце концов успокоилась. Уже на следующий день Берни дал ответ мистеру Берману. Тот был чрезвычайно рад его решению и тут же посоветовал Берни подать заявления сразу в несколько школ бизнеса. Он назвал Колумбийский и Нью-Йоркский университеты, поскольку те находились в городе, а также Уортон и Гарвард, поскольку те были именно тем, чем они были. Результаты должны были стать известны еще не скоро, пока же ему нужно было поднапрячься.

Год стажировки пролетел незаметно. Он был принят в три школы бизнеса. Отказ пришел только из Уортона, при этом говорилось, что он может быть принят туда через год, что его, конечно же, не устраивало. Он остановил выбор на Колумбийском университете и приступил к занятиям, работая в магазине по нескольку часов в неделю. Он стремился познакомиться с деятельностью самого разного рода, но вскоре понял, что больше всего его интересуют вопросы, связанные с моделированием мужской одежды. Первая его работа, посвященная этой теме, не только получила высокие оценки, но и имела некое практическое воплощение: Берман позволил ему немного поэкспериментировать. Успешно закончив школу бизнеса, Берни с полгода работал в магазине, затем вновь занялся мужской, а впоследствии и женской одеждой. С его подачи в магазине появилась масса нововведений. Со времени поступления в «Вольф» прошло пять лет. Все шло как нельзя лучше, но тут... В один прекрасный весенний денек Пол Берман вызвал Берни к себе и объявил ему, что его на два года переводят в Чикаго. Это прозвучало для Берни как гром среди ясного неба.

— Но почему?

Чикаго для него ничем не отличался от Сибири. Он совершенно не хотел куда-то ехать. Он любил Нью-Йорк и прекрасно справлялся со своей работой.

— Во-первых, ты знаком со Средним Западом. — Берман вздохнул и закурил сигару. — Во-вторых, ты нужен нам там. Дела у нашей фирмы идут не так хорошо, как бы нам того хотелось. Нашим чикагским коллегам нужно придать некий импульс, и этим импульсом станешь ты!

Он, улыбаясь, посмотрел на своего юного друга. Берман относился к нему с уважением, и Берни надеялся сыграть на этом, но у него так ничего и не вышло. Берман настоял на своем, и через два месяца Берни улетел в Чикаго, а еще через год стал управляющим, что задержало его еще на два года, хотя самому Берни этого, естественно, не хотелось. Город вгонял его в тоску, а уж погода — и подавно.

Родители часто навещали его, явно считая, что их сыну есть чем гордиться. Быть в тридцать лет управляющим чикагского «Вольфа» — достижение немалое, им мог тяготиться только такой чудак, как Берни. Домой он вернулся в тридцать один год. По этому случаю мать закатила настоящий пир, а Берман позволил ему обзавестись собственной визиткой. Тем не менее, с предложением Берни поднять уровень женской моды Берман соглашаться не спешил. Берни хотел представить разом дюжину направлений высокой моды, вернув «Вольфу» славу всеамериканского законодателя.

— Ты знаешь, во что нам обойдутся эти твои платьица?

Берман казался расстроенным, Берни же продолжал улыбаться.

— Да. Но для нас могут сделать небольшую скидку. На деле-то одежда будет классом пониже.

— В любом случае стоить она будет практически столько же! Кто придет к нам за такими платьями?

С одной стороны, Берман был поражен безрассудностью Берни, с другой — он был явно заинтригован.

— Я думаю, у нас от посетителей отбоя не будет,

Пол. Особенно в таких городах, как Чикаго, Бостон, Вашингтон и даже Лос-Анджелес, где нет всех этих нью-йоркских магазинов. Мы — а не кто-то другой — будем для них Парижем и Миланом!

— Ох, не оказаться бы нам в богадельне...

Берман был уже не столь категоричным — Берни почувствовал это мгновенно. Идея казалась заманчивой. Перейти к продаже по-настоящему дорогих товаров, продавать платья за пять, шесть, семь тысяч долларов, продолжая торговать готовой одеждой, модели которой, однако, должны разрабатываться лучшими модельерами, — вот в чем она состояла.

— Нам не нужно покупать все! Зачем брать лишнее? Мы устроим показ работ каждого модельера, и женщины сами выберут, что им больше нравится. Это оправдано и экономически!

Берман боялся пошелохнуться. Идея действительно была замечательной.

— Возможно, Бернард, ты и прав...

— Тем не менее, начать надо с перестройки здания. Надо, чтобы демонстрационный зал выглядел по-европейски.

На обсуждение идеи у них ушел не один час. Когда же круг стоявших перед ними задач был очерчен и разговор подошел к концу, Берман удивленно покачал головой. За последние годы Бернард серьезно вырос. Он превратился в зрелого, уверенного в себе человека, отличающегося здравостью суждений в сферах, имеющих отношение к бизнесу. Он и выглядел теперь как взрослый — Берман поспешил сказать ему об этом, указывая на бородку, которую Берни отпустил еще в Чикаго. Ему был тридцать один год. Всего лишь тридцать один.

— И как это ты все смог продумать! — Мужчины обменялись улыбками. Оба были в прекрасном настроении. «Вольф» должен стать иным. — И с чего же ты хочешь начать?

— На этой неделе я переговорю с архитекторами — пусть они представят вам свои предложения. После этого я хочу слетать в Париж. Надо понять, как к этой идее отнесутся модельеры.

— Думаешь, откажутся?

Берни нахмурился, но решительно замотал головой.

— Не должны. Они могут на этом хорошо подзаработать.

Берни не ошибся. Модельеры отказываться не стали. Они тут же уловили суть идеи и без лишних слов заключили с Берни контракты. Всего их было двадцать. Берни ехал в Париж, не слишком-то надеясь на успех своего предприятия, когда же через три недели он вернулся в Нью-Йорк, он чувствовал себя победителем. На подготовку новой программы должно было уйти девять месяцев, фантастическая же серия показов, на которых дамы могли заказать себе осенние гардеробы, начиналась в июне. Для дам все это мало чем отличалось от поездки в Париж к тамошним знаменитостям. Все должно было начаться с приема, во время которого Берни планировал провести головокружительный показ, где были бы представлены все модельеры. Этот непродажный показ должен был стать своеобразной затравкой, предваряющей серию рабочих показов. Все манекенщицы и все модельеры, кроме троих, выписывались из Парижа. Берни с головой ушел в работу. Теперь он был первым вице-президентом фирмы. Ему было всего тридцать два.

Никому из присутствовавших на первом торжественном показе еще никогда не доводилось видеть ничего столь прекрасного. Наряды были просто потрясающими — аудитория непрестанно ахала, охала и разражалась аплодисментами. Все чувствовали, что здесь, в этом зале, творится история моды. Берни чудесным образом удалось увязать четкие законы торговли и прихотливость изменчивой моды в единое целое. Он чувствовал моду нутром. «Вольф» разом оставил позади все магазины Нью-Йорка и Америки. Берни сидел на самом последнем ряду, вполглаза наблюдая за происходящим на сцене и в зале и чувствуя себя едва ли не властелином мира. Мимо проплыл счастливый Пол Берман. В те дни счастливы были все. Берни успокоился и, расслабившись, стал следить за манекенщицами, демонстрировавшими вечерние платья. Его вниманием завладела хрупкая блондинка — прекрасное, похожее на кошечку создание с точеными чертами лица и огромными голубыми глазами. Казалось, она не идет, а парит... Берни ожил и с появлением каждой новой коллекции начинал искать глазами блондинку, зная, что показ рано или поздно закончится, и она исчезнет навеки.

Когда действо закончилось, он, однако, не отправился в свой кабинет, но, с минуту помедлив, скользнул за кулисы, с тем чтобы поздравить заведующую отделом, француженку, которая прежде работала у Диора.

— Прекрасная работа, Марианна.

Он улыбнулся ей, она же ответила ему голодным призывным взглядом. Ей было далеко за сорок, одета она была безупречно — вкус никогда не подводил ее. Стоило Марианне появиться в «Вольфе», как она тут же положила глаз на Берни.

— Показ прошел неплохо... Ты согласен с этим, Бернард?

Она произнесла его имя на французский манер. Она влекла к себе и в то же время казалась совершенно холодной. Пламя и лед... Впрочем, Берни смотрел совсем не на нее. Мимо пробегали девушки в синих джинсах и простеньких повседневных нарядах, меж ними метались продавщицы, собиравшие драгоценные платья, чтобы посетители могли заказать желаемое, — словом, все шло своим чередом. И тут Бернард увидел блондинку — та держала в руках свадебное платье, в котором выходила в конце показа.

— Марианна, что это за девушка? Она из наших или мы нанимали ее на стороне?

Марианна проследила за его взглядом, сразу почувствовав, что вопрос задан неспроста. Девушке было не больше двадцати одного, и она была прехорошенькая.

— Время от времени она с нами сотрудничает. Она француженка.

Больше можно было ничего не говорить. Девушка посмотрела на Бернарда, затем перевела взгляд на Марианну и направилась прямо к ним. Она спросила по-французски, что ей делать с платьем, и Марианна стала объяснять ей, кому его надо отдать. Все это время Берни смотрел на блондинку едва ли не разинув рот. Заведующая отделом тут же сообразила, что от нее требуется.

Она представила Берни девушке, сказав не только о его должности, но и о том, что новая концепция изобретена им. Ей страшно не хотелось делать этого, но у нее не было выбора. Обычно равнодушные, глаза Берни внезапно ожили. Она знала, что ему нравятся девушки, но серьезных увлечений у него нет и не было, по крайней мере, так говорили в магазине. Если в товаре он ценил качество, то в женщинах, скорее, количество, или, как говорят в торговле, «объем». Теперь, кажется, этому пришел конец...

Ее звали Изабель Мартен, и ей было двадцать четыре года. Она выросла на юге Франции и в восемнадцать лет приехала в Париж. Сначала Изабель работала у Сен-Лорана, затем перешла к Живанши. Она идеально подходила для своей роли и пользовалась в Париже грандиозным успехом. Поэтому она нисколько не удивилась, когда ей предложили поехать в Штаты. Здесь, в Нью-Йорке, она прожила уже четыре года. Единственное, чего Берни не мог понять, так это того, почему он не встречался с Изабель раньше.

— Обычно я работаю с фотографами, мсье Файн. — Ее акцент совершенно очаровал его. — Когда же я услышала о вашем шоу...

Она улыбнулась так, что теперь ради нее он был готов на все. И тут он вспомнил, где видел это лицо. Это были обложки журналов — «Вог», «Базар» и прочие, просто в жизни она была куда красивее. Манекенщицы редко работают как в зале, так и с фотографами, Изабель же это удавалось — и удавалось с блеском. Берни стал рассыпаться в похвалах:

— Это было удивительно! Совершенно замечательно, мисс... ммм... мисс...

Он совершенно не помнил ее имени.

— Изабель, — напомнила блондинка, улыбнувшись.

Он тут же предложил ей провести вечер в «Каравелле». Все посетители смотрели только на нее. После этого они пошли танцевать в «Рафлз». Он боялся потерять, боялся отпустить ее. Наверное, впервые в жизни он по-настоящему потерял голову. Броня, в которую Берни одел себя после ухода Шилы, растаяла в руках Изабель как воск. Ее волосы были почти белыми, и, что поразительно, это был естественный их цвет. Она казалась Берни самым красивым существом на всем белом свете, и с этим трудно было не согласиться.

Лето этого года они провели в Истгемптоне. Он снял небольшой домик, и каждый уик-энд Изабель приезжала к нему. Оказавшись в Штатах, она тут же увлеклась известным фотографом, работавшим в журналах мод, через пару лет место фотографа занял земельный магнат. Однако с появлением Берни обо всех остальных мужчинах Изабель словно забыла. Это было волшебное время: он брал ее с собой повсюду, она участвовала в показах и позировала для фотографа, он танцевал с ней до утра...

Однажды Берни пригласил на обед мать. Тогда же, за обедом, та спросила его:

— Ты не думаешь, что для тебя она... дороговата?

— Что ты хочешь этим сказать?

— Да она же из этих новоявленных штучек! Как ты будешь выходить из положения?

— Ты герой где угодно, но только не в своем родном городе, — так, кажется, говорят? Должен признаться, не очень-то это вдохновляет.

Его восхищал синий костюм от Диора, в который была одета мать. Он купил его во время своей последней поездки за границу. На матери костюм сидел великолепно. Говорить же с ней об Изабель ему не хотелось. Он не знакомил и не собирался знакомить с Изабель своих родителей. Встреча двух этих миров не привела бы ни к чему хорошему, хотя отцу — Берни в этом не сомневался — Изабель должна была понравиться. Она понравилась бы любому мужчине.

— Скажи хотя бы, какая она?

Мать, как это бывало и всегда, не сдавалась.

— Она очень приятная девушка, мама.

Мать усмехнулась:

— Надо выражаться точнее. Она, вне всяких сомнений, красавица.

Фотографии Изабель она видела буквально всюду, она любила говорить о ней со своими подругами. Например, у парикмахера: «Вы видите эту девушку?.. Нет, нет — на обложке... ее постоянно видят с моим сыном...»

— Ты что — любишь ее?

Мать спросила об этом без тени смущения, Берни же вдруг замялся. Он не был готов к такому вопросу, хотя безумно любил Изабель. Уж слишком памятным оказался для него Мичиган... Ему вспомнилось обручальное кольцо, подаренное им Шиле в День святого Валентина, которое она швырнула ему в лицо... Его планы, его мечты... То, как она ушла из его жизни, унося в своей дорожной сумке его сердце... Оказаться в таком же положении еще раз ему ох как не хотелось, и потому он всеми силами пытался защитить себя. Впрочем, Изабель Мартен была исключением...

— Мы очень дружны.

Ничего другого в голову Берни не пришло. Мать изумленно уставилась на него.

— Надеюсь, вас связывают не только дружеские отношения?

Глядя на мать, можно было подумать, что она подозревает сына в гомосексуальных наклонностях. Берни рассмеялся:

— Ну хорошо... Не только дружеские... Но это не означает, что мы собираемся пожениться. Все понятно? Теперь довольна? Тогда скажи — что мы будем заказывать?

Он заказал бифштекс для себя и рыбное филе для матери. Все остальное время они говорили исключительно о его работе. Они стали почти друзьями, хотя он виделся с родителями куда реже, чем после своего возвращения в Нью-Йорк. Свободного времени у него практически не было, с появлением же в его жизни Изабель времени этого не стало вообще.

Осенью Берни отправился в деловую поездку по Европе в сопровождении Изабель — куда бы они ни приезжали, их появление тут же становилось сенсацией. Они были неразлучны. Перед Рождеством Изабель переехала к Берни, и тому не оставалось НИЧЕГО ИНОГО, как познакомить ее со своими родителями, хотя этого визита в Скарсдейл он по понятным причинам опасался. С его родителями Изабель вела себя крайне любезно, но откровенничать с ними явно не хотела. И вообще, ей вряд ли хотелось встречаться с ними вновь — она не скрывала этого от Берни.

— Мы так редко бываем одни...

Она мило надула губки. Более изысканной женщины Берни видеть не доводилось — порой он просто застывал, глядя, как она красит свое лицо, сушит волосы или идет со своей папкой под мышкой. Она словно гипнотизировала — хотелось смотреть на нее до бесконечности.

После той памятной встречи мать чувствовала себя подавленной. Изабель обладала странным качеством: люди, хоть как-то соприкасавшиеся с ней, казались себе до смешного жалкими. Единственным исключением был сам Берни, чувствовавший себя с ней настоящим мужчиной. Их отношения строились скорее на страсти, чем на любви. Они могли заниматься любовью всюду — в ванне, под душем, на полу, на заднем сиденье его автомобиля. Однажды они было занялись тем же в кабине лифта, но вовремя опомнились, сообразив, что двери вот-вот должны открыться. Весной он вновь взял ее во Францию, затем они снова поехали в Истгемптон, но на сей раз круг их знакомых был куда шире. Во время одной из вечеринок, проходивших на пляже в Коге, вниманием Изабель завладел некий кинорежиссер. На следующий же день Берни потерял Изабель. После непродолжительных поисков он, однако, обнаружил ее: Изабель занималась любовью с режиссером из Голливуда, и происходило это на палубе стоявшей неподалеку от берега яхты. Берни прослезился и поспешил прочь, испытывая невероятное смятение. *Изабель была для него не просто любовницей, он действительно любил ее...*

— Понимаешь, Бернар, мне как-то не хочется про-

вести остаток жизни в клетке... Я должна иметь возможность... летать...

Все это он уже слышал в другой жизни. Там были
походные ботинки и дорожная сумка, здесь — платье
от Пуччи, туфельки от Шанель и чемодан от Луи Вюиттона.

— Под клеткой ты имеешь в виду меня?

Он смотрел на нее холодно. Он не собирался про-
щать ей все на свете. Его угнетала та легкость, с которой Изабель отдалась другому мужчине; скорее всего
нечто подобное происходило и прежде, просто он ни о
чем не догадывался.

— Мой хороший, какая ж ты клетка? Ты просто замечательный человек... Но, понимаешь, когда люди
живут вдвоем... и живут долго...

С тех пор как она переехала к нему, прошло едва ли
восемь месяцев.

— Боюсь, что наши отношения я оценивал неправильно, — пробормотал Берни.

Она кивнула и улыбнулась своей обворожительной
улыбкой.

— Совершенно верно, Бернар. — И тут же ножом в
сердце: — Я хочу поехать в Калифорнию. — Она ничего не скрывала. — Дик хочет сделать на студии пару
проб. Если бы мне удалось сняться у него, я была бы
очень рада.

Она говорила с тем же акцентом, который некогда
растопил его сердце.

— Все с тобой понятно. — Берни закурил, что бывало крайне редко. — Ты никогда об этом со мной не говорила.

Сказанное имело смысл. Такое личико грех не показывать в кино. Обложек журналов для нее мало.

— Зачем бы я говорила об этом с тобой?

— Ну да! Ты ведь что-то могла поиметь и от «Вольфа».

Эти слова звучали подло, и он тут же пожалел о том,
что произнес их вслух. Сильнее всего его задевало, что
она больше не нуждается в нем.

— Прости, Изабель... — Он стоял посреди комнаты,

глядя на нее сквозь дымную завесу. — И все же я бы на твоем месте не спешил.

Просить ее о чем-то было бессмысленно. Для себя она уже все решила.

— На той неделе я еду в Лос-Анджелес.

Он кивнул и направился к окну, за которым виднелось море. С минуту помолчав, он вновь повернулся к Изабель и, горько усмехнувшись, сказал:

— Прямо какое-то заколдованное место. Рано или поздно все они отправляются на Запад.

Он вновь вспомнил Шилу. Когда-то, давным-давно, он рассказывал о ней Изабель.

— Может, в конце концов, и меня туда занесет?

Изабель улыбнулась:

— Ты принадлежишь Нью-Йорку, Бернар. Ты живешь тем, чем живет этот город.

Берни грустно покачал головой:

— А вот тебе этого мало...

Их взгляды встретились.

— Понимаешь... Это не ты... Дело вовсе не в тебе... Если бы я искала что-то... серьезное, если бы я хотела выйти замуж... Ты бы очень меня устроил. Правда.

— Я никогда не предлагал тебе ничего подобного.

И все же, рано или поздно, так должно было случиться — это понимали оба. Просто он не мог иначе, таким уж он был человеком, пусть порой о том и жалел. Был бы он посвободней... поразвязней... умел бы он снимать фильмы...

— Я себя в этой роли не представляю, Бернар. Понимаешь?

Еще бы! Она представляла себя только в роли кинозвезды. Через три дня после того, как они вернулись в Нью-Йорк из Истгемптона, Изабель уехала со своим режиссером. Она уложила свои вещи куда аккуратней, чем это сделала Шила, не забыв прихватить при этом и те замечательные платья, что подарил ей Берни. Она доверху набила свои чемоданы от Луи Вюиттона и напоследок оставила ему записку. Четыре тысячи долларов наличными, которые Берни прятал в ящике стола, она тоже взяла с собой, написав, что «занимает их и надеется, что он пойдет все, как надо». Съемки прошли успешно, и уже через год Изабель появилась на экранах. К этому времени Берни было уже наплевать на нее. И не только на нее. Женщин у него хватало. Манекенщицы, секретарши, администраторы, миланская стюардесса, актриса, политик... Но все это было так — как бы между прочим. Сердце его вновь обратилось в камень.

Когда кто-то заводил речь об Изабель, Берни чувствовал себя круглым идиотом. Та, конечно же, не вернула ему ни денег, ни часов «Пиаже», пропажи которых он сразу не заметил. Она не прислала ему и рождественской открытки. Изабель использовала Берни и сменила его на другого мужчину, то же самое наверняка произошло и с его предшественниками. В Голливуде она тоже не теряла времени зря: снявшись в первом фильме, тут же нашла себе режиссера поименитей. Изабель Мартен могла пойти далеко, в этом Берни не сомневался. Родители вскоре поняли, что говорить с ним о ней не стоит: после какой-то неосторожно произнесенной ими фразы он покинул Скарсдейл вне себя от ярости и вернулся туда только через два месяца. Тема эта с той поры была запретной.

Он пришел в себя только через полтора года после исчезновения Изабель. В женщинах недостатка не было, дела шли прекрасно, магазин процветал. Проснувшись и увидев бушующий за окном буран, Берни все-таки решил отправиться на работу. Он хотел поговорить с Полом Берманом о летних планах магазина и разобраться с текущими делами. Ему в голову пришло несколько замечательных идей. Берни, одетый в тяжелое английское пальто и русскую меховую шапку, сошел на углу Шестьдесят третьей улицы и поспешил нырнуть в здание магазина. Оказавшись в торговом зале, он гордо огляделся. Он был женат на «Вольфе», иных привязанностей у него не было. Берни вошел в лифт и, нажав кнопку восьмого этажа, принялся отряхивать пальто от снега.

— Доброе утро, господин Файн, — сказал чей-то голос за мгновение до того, как двери закрылись. Берни улыбнулся и прикрыл глаза, обдумывая свой разговор с Полом. Если бы он знал, какой сюрприз тот готовит ему!

Глава 2

Пол Берман стоял у окна, задумчиво глядя на снежные вихри и думая о том, что эту ночь ему тоже приведется провести в городе. В любом случае вернуться в Коннектикут теперь было невозможно. Прошлую ночь он провел в «Пьере», жене же пообещал ни в коем случае не завалиться в снег.

— Ну и денек. В магазине кто-нибудь есть?

Пола больше всего на свете поражали объемы выручки в ненастные дни. Для него оставалось загадкой, как люди могут тратить такие деньги.

Берни утвердительно кивнул.

— Посетителей, на удивление, много. Мы открыли два киоска, где продают чай, кофе и какао. Надо же хоть как-то вознаградить этих людей.

— Они пришли не случайно. Как приятно совершать покупки, когда в магазине практически нет людей. Лично мне это нравится.

Мужчины обменялись улыбками. Они были дружны вот уже двенадцать лет, и Бернард никогда не забывал, что всей своей карьерой он обязан Полу. Именно Пол направил его в школу бизнеса и открыл перед ним все двери «Вольфа». Более того, он доверял Берни и относился к нему как к сыну, тем более что своих детей у Бермана не было. Пол предложил Берни сигару.

— Что ты думаешь о делах нашего магазина?

В такие дни только и делать, что разговаривать. Берни улыбнулся. Время от времени они с Полом устраивали такие неформальные обсуждения, в ходе которых родилось немало здравых идей, нашедших воплощение в нынешнем «Вольфе». Скажем, решение нанять нового руководителя в отдел моды возникло в ходе такого же разговора. Эта женщина, которую они сманили из

«Сакса», уже успела принести магазину немалую прибыль.

— Я думаю, мы полностью контролируем ситуацию. А ты как считаешь, Пол?

Тот рассеянно кивнул, не зная, как лучше начать этот разговор. В любом случае от него было не уйти...

— Согласен. Именно по этой причине и у правления, и у меня возникла мысль о том, что мы должны совершить какой-то нестандартный ход.

— Да?

Берни занервничал. Пол Берман поминал правление лишь тогда, когда речь шла о чем-то действительно серьезном.

— Ты ведь знаешь, что в июне в Сан-Франциско должен открыться наш магазин, верно?

До июня оставалось еще добрых пять месяцев, и строительство шло полным ходом. Пол и Берни бывали на стройке уже несколько раз — пока все шло по плану.

— Возникает вопрос — кто же его может возглавить?

Берни с облегчением вздохнул. Еще минуту назад он полагал, что Пол собирается говорить о нем. Он знал, что Пол очень рассчитывает на Сан-Франциско. Денег у тамошней публики хоть пруд пруди. Женщины покупают дорогущие образчики высокой моды так, словно это какие-нибудь крендели. Вне всяких сомнений, «Вольфу» следовало появиться и там. К тому времени они успели неплохо окопаться в Лос-Анджелесе, теперь можно было двинуть и на север.

— Думаю, Джейн Уилсон была бы там на месте, да только боюсь, она не захочет уезжать из Нью-Йорка.

Пол Берман нахмурился. Задача была куда более сложной, чем он полагал вначале.

— Не думаю, что она справится с такой задачей. Ей недостанет сил. Новому магазину нужен энергичный, хваткий хозяин, способный принимать самостоятельные решения и вырабатывать нестандартные идеи. Уилсон больше подходит для своей нынешней работы.

— Ну что ж, тогда придется начать все сначала. Что,

если мы найдем кого-то на стороне? Скажем, в другом магазине?

Пришло время нанести решающий удар. Тянуть было нельзя. Пол посмотрел Берни в глаза.

— Мы хотим, чтобы это был ты, Бернард.

Берни побледнел. Этого не может быть, наверное, Пол шутит... Боже... Он ведь свое уже отработал. Разве мало было тех трех лет в Чикаго?

— Пол, я не могу... Я не стану!.. Сан-Франциско! — Берни был в полуобморочном состоянии. — Но почему именно я?

— Потому, что ты обладаешь всеми названными качествами. Ты нужен нам там! Сколько бы мы ни искали, мы не найдем специалиста, равного тебе. Место же это для нас крайне важно. Ты понимаешь это и сам. Грандиозный рынок — очень чуткий, элитарный, модный... Малейшего просчета в начале достаточно для того, чтобы проиграть всю эту партию. Берни. — Пол посмотрел на него едва ли не заискивающе. — Берни, ты должен нас выручить.

— Но, Пол... Сан-Франциско-то вон он где! А как быть с моей нынешней работой?

Он совершенно не хотел уезжать из Нью-Йорка, ему здесь нравилось все, и прежде всего работа. Конечно, подводить Пола он был не вправе, но ведь всему же есть предел!

— Будешь летать туда-сюда. А твои обязанности я возьму на себя — можешь не беспокоиться. Ты нужнее там.

— И на какой же срок вы меня туда посылаете?

— На год. Может, на два.

А может, и на двадцать два. Берни боялся именно этого.

— То же самое я слышал перед тем, как поехать в Чикаго. Но тогда я был помоложе... Я свое отработал и больше не желаю жить в захолустье... Там мне нечего делать. Сам город, конечно же, красив, но это такая ужасная провинция!

— Можешь развлекать себя в Лос-Анджелесе. Делай все, что угодно, главное — привыкни к тамошней жизни... И послушай... Будь у нас другой кандидат, я бы не заводил этого разговора, но у нас действительно никого нет. И еще — у нас уже не осталось времени на поиски. Нужно присутствовать при окончании строительства, подготовиться к открытию, разобраться с рекламой... — Он нетерпеливо взмахнул рукой. — Я могу не продолжать, ты и сам прекрасно понимаешь. Это огромная ответственность, Бернард. Совершенно новый магазин, уступающий разве что этому.

Предмет его гордости. Но при чем здесь он, Берни? Берни тяжело вздохнул. Увы, утро оказалось не таким уж и добрым, он уже начинал жалеть, что пришел на службу. Впрочем, это ничего не меняло. Пол своих решений не отменял никогда.

— Мне нужно немного подумать.

— Пожалуйста.

Их глаза вновь встретились. На сей раз выражение глаз Берни насторожило Пола.

— Если я буду знать, что проведу там не больше года, все будет выглядеть не так драматично.

Он печально улыбнулся. Естественно, Пол не мог обещать ему этого. Сначала магазин нужно было подготовить к передаче в чьи-то руки, затем передать — все это требовало немалого времени. Для того чтобы открыть новый магазин и поднять его на ноги, нужно два-три года нежно лелеять его. Такая перспектива Берни не устраивала. Как не устраивала его и жизнь в Сан-Франциско.

Пол Берман поднялся из-за стола.

— Ты, конечно, подумай. Я же хочу, чтобы ты знал мою позицию. — Рисковать Берни, что бы там ни говорил совет директоров, он был не вправе. — Я очень дорожу тобой.

Было понятно, что Пол говорит совершенно искренне. Берни доверчиво улыбнулся.

— Моя же позиция состоит в следующем — никогда и ни за что не подводить тебя.

— Значит, решение в любом случае будет верным. — Пол Берман протянул Бернарду руку, и они обменялись рукопожатиями. — Подумай об этом хорошенько.

— Я иначе не могу, ты же знаешь.

Вернувшись в свой кабинет, он запер дверь и уставился в окно. Чувство было такое, словно по нему проехались трактором. Представить, что он живет в Сан-Франциско, было решительно невозможно. Он слишком любил Нью-Йорк. Открывать новый магазин, каким бы элитарным и совершенным он ни был, дело крайне неблагодарное. Тем более что это будет происходить не в Нью-Йорке. Несмотря на бураны, и грязь, и нестерпимую июльскую жару, он очень любил этот город. Картинные уютные городки на берегу моря никогда не влекли его. Берни усмехнулся, вспомнив вдруг о Шиле. Это, скорее, в ее вкусе. Теперь ему остается одно — купить походные ботинки... Берни погрузился в мрачные думы. Зазвонил телефон. Это была мать.

— Что с тобой, Бернард?

— Ничего, мам. День был тяжелый.

— Ты не заболел?

Он прикрыл глаза и попытался придать голосу большую живость.

— Нет. Все в порядке. Как у вас с папой?

— Скверно. Умерла госпожа Гудман. Ты ее помнишь? Когда ты был малышкой, она для тебя булочки пекла.

Миссис Гудман уже и тогда была старой, прошло же с той поры тридцать лет. Стало быть, смерть ее не была такой уж неожиданностью. Мать вновь вернулась к прежней теме:

— Так что же с тобой стряслось?

— Все в полном порядке, мама. Я же сказал.

— Мне не нравится твой голос. Ты кажешься подавленным и усталым.

— День выдался трудный. — Он сказал это сквозь зубы, терзаясь мыслью о том, что его вновь ссылают в Сибирь. — Не обращай внимания. Лучше скажи — мы будем устраивать обед по случаю вашего юбилея? Куда бы ты хотела пойти?

— Даже не знаю. Папа хотел бы, чтобы ты приехал к нам.

Берни знал, что это неправда. Отец предпочитал бывать на людях, ему хотелось как-то развеяться после напряженной работы. Кто любил сидеть дома, так это мать.

— Как тебе «21»? Или ты предпочитаешь что-нибудь французское? «Берег басков»? Может, «Лягушка»?

— Ладно, — сказала мать с облегчением. — «21».

— Отлично. Для начала часиков в семь вы заедете ко мне — мы немного выпьем. А в «21» отправимся к восьми.

— Ты будешь с девушкой?

В голосе матери звучала обида. Можно было подумать, что его повсюду сопровождают девушки.

— С чего это вдруг?

— Как это с чего? Ты никогда не знакомишь нас со своими подружками. Может быть, ты нас стыдишься?

— Конечно же, нет, мама. Слушай, мне пора идти. Увидимся на той неделе. В семь у меня.

Берни знал, что мать перезвонит еще раза четыре с тем, чтобы узнать, не изменились ли у него планы, заказан ли столик, будет ли с ним девушка или нет, и так далее.

— Да, папе привет передай.

— Ты бы ему хоть иногда позванивал...

Он повесил трубку и улыбнулся. Интересно, был бы он похож на нее, имей он детей? Впрочем, это ему пока не грозило. С год назад одна из его пассий было решила, что у нее будет ребенок, но вскоре стало понятно, что она ошиблась. На этом все и кончилось. Берни никогда не задумывался о подобных вещах: во-первых, ему было некогда, во-вторых, он считал, что ребенок должен быть плодом любви, а не чего-то иного. В этом смысле он оставался идеалистом, кандидаток же на роль матери рядом не было... Он сидел, глядя на кружение снежинок и с грустью думая о том, что скоро ему придется оставить привычную жизнь. Покидая магазин, Берни едва не расплакался. Ночь была морозной и ясной, ветер стих. Он решил не дожидаться автобуса и направился прямиком на Мэдисон-авеню, поглядывая время от времени на залитые светом витрины магазинов. Город казался сказочным — кто-то катался на лыжах, кто-то играл в снежки, беззвучно проплывали мимо редкие машины... К тому времени, когда он добрался до своего дома и вошел в кабину лифта, настроение у него уже было совсем другим. Да, уезжать из Нью-Йорка было безумием, но что он мог сделать? Увольняться с работы Берни не собирался, и это означало, что у него попросту нет иного выхода.

Глава 3

Мать изумленно уставилась на него, тут же забыв о супе. Можно было подумать, что он собирался сделать что-то экстравагантное — присоединиться к колонии нудистов или сменить пол.

— Куда ты едешь? Они тебя уволили или только понизили в должности?

— Ни то и ни другое, мама. Они хотят, чтобы я стал управляющим в нашем новом магазине в Сан-Франциско. Для нас это второе по важности место после Нью-Йорка.

Он говорил ей все это лишь для того, чтобы убедить в чем-то самого себя. Через два дня после разговора с Полом Берни дал ему ответ, и с этих пор он был мрачным как туча. Они сделали феноменальную прибавку к его жалованью, а Берман лишний раз напомнил ему, что в один прекрасный день он, Берни, станет управлять всем «Вольфом», и произойти это может уже по возвращении его из Сан-Франциско или несколько позже. Берни был очень благодарен ему, но свыкнуться с мыслью о том, что скоро ему придется уехать, было крайне сложно. Он решил сохранить квартиру, сдав ее на год-другой, — в Сан-Франциско он застревать не собирался. Берни уже сказал Полу, что постарается уладить все дела за год. В ответ он не услышал ничего конкретного, но Берни и так знал, что его возвращения здесь будут ждать с нетерпением. Он мог продержаться и все восемнадцать месяцев, если того будут требовать интересы дела. Срок мог оказаться и большим, но матери Берни об этом решил не говорить.

— Но почему именно в Сан-Франциско? Там же кругом хиппи. Они разве носят одежду?

Он улыбнулся:

— Представь себе. И даже очень дорогую. Можешь приехать и посмотреть.

Он вновь улыбнулся, глядя на родителей.

— Хотите приехать на открытие?

У матери был такой вид, будто ее пригласили на похороны.

— Возможно. Когда оно состоится?

— В июне.

Он знал, что в это время они свободны. В июле родители собирались отправиться в Европу, июнь же у них не был занят ничем.

— Не знаю... Посмотрим. Все будет зависеть от папиной работы...

Отец всегда был козлом отпущения, но его это особенно не расстраивало. Они сидели в ресторане, и это был один из тех редких моментов, когда он мог не думать о работе.

— Скажи, сынок, это действительно повышение?

— Да, папа. Это очень ответственная и престижная работа. Пол Берман и совет директоров могут поручить ее только мне. Но, должен признаться, я бы с большим удовольствием остался в Нью-Йорке.

— Это с кем-то связано?

Мать задала этот вопрос шепотом, низко склонившись над столом. Берни рассмеялся.

— Нет, мама. Ни с кем это не связано. Просто я очень люблю Нью-Йорк. Надеюсь, что там я пробуду недолго, пусть Сан-Франциско и не самое скверное место на свете... это могли быть и Кливленд, и Майами, и Детройт... Может быть, по-своему они и не плохи, но они — не Нью-Йорк. В этом-то все и дело.

Берни печально улыбнулся.

— Говорят, в Сан-Франциско полным-полно гомосексуалистов.

Мать с тревогой посмотрела на своего единственного сына.

— Мама, я смогу о себе позаботиться. — Он посмотрел на родителей. — Мне будет очень не хватать вас.

— Ты что — и приезжать совсем не будешь?

В глазах у матери появились слезы. Берни почувствовал что-то вроде жалости и погладил ее руку.

— Я буду мотаться туда-сюда. Но жить я буду все-таки там. Хорошо, если вы меня будете навещать. Хотелось бы, чтобы вы присутствовали и на открытии. Это такой магазин!

Он говорил это себе и в начале февраля, пакуя вещи, прощаясь с друзьями, последний раз обедая с Полом в Нью-Йорке. В День святого Валентина, всего через три недели после того как ему предложили сменить работу, он уже летел в Сан-Франциско, не уставая поражаться этому обстоятельству и коря себя за то, что не нашел в себе сил уволиться. Как только они покинули Нью-Йорк, вновь поднялся буран. В Сан-Франциско они прилетели в два часа дня. Было тепло и солнечно, дул легкий ветерок. Повсюду цвели цветы. Нью-Йорк становился таким лишь в мае или июне. Впервые за все последнее время Берни мог вздохнуть с облегчением. На что, на что, а уж на погоду жаловаться не приходилось. Номер в «Хантингтоне» тоже был на удивление приятным.

Магазин был еще не достроен, но он потряс Берни. На следующий же день он позвонил Полу, чему тот был крайне рад. Все шло по плану. Строительство подходило к завершению, с отделочными материалами проблем не предвиделось, так что отделку можно было начать в любой момент. Берни встретился с агентами по рекламе и дал интервью «Кроникл». Все шло как нельзя лучше, и руководил всем он, Берни.

Оставалось открыть магазин и подыскать себе квартиру. Первое заботило Берни куда больше. С квартирой же он разобрался в два счета — снял меблированные комнаты в новой многоэтажке на Ноб-Хилл. Отсюда до его работы было два шага, пусть квартира его при этом и оставляла желать лучшего.

Открытие прошло великолепно. Оно стало именно тем, чем и должно было стать. Пресса заранее была настроена благожелательно. Здесь же, в магазине, они устроили замечательную вечеринку с безукоризненно одетыми официантами, разносившими гостям икру, закуски и шампанское, и манекенщицами, поражавшими публику не только своими одеяниями. Гости могли беспрепятственно бродить по всему магазину, танцевать и участвовать во всевозможных увеселениях. Берни мог гордиться своим магазином. Удивительная легкость сочеталась здесь с изысканным стилем — непринужденность Запада с шиком Нью-Йорка. Немало изумлен был даже и сам Пол Берман.

На открытие явилось столько людей, что пришлось выставлять полицейские кордоны. Впоследствии оказалось, что все затраты окупились сторицей — сумма продаж за неделю была фантастически высокой. Больше всех радовалась мать Берни. Она тут же решила, что ей еще никогда не доводилось бывать в таких прекрасных магазинах. Каждой продавщице она сообщала о том, что управляет этим магазином не кто-нибудь, но именно ее сын, который рано или поздно станет руководителем всей сети магазинов «Вольф». Сама она в этом ни минуты не сомневалась.

Через пять дней родители отправились в Лос-Анджелес, и Берни почувствовал себя страшно одиноким. Все члены правления вернулись в Нью-Йорк на следующий день после церемонии открытия, Пол в ту же ночь улетел в Детройт. Берни остался в этом городе один-одинешенек, здесь у него не было ни единого знакомого. Стерильные уродливые его апартаменты, где властвовали бежевый и коричневый цвета, действовали на Берни угнетающе. Теперь он жалел, что не снял какую-нибудь милую квартирку в викторианском стиле. Впрочем, особого значения это не имело. В магазине он проводил все семь дней недели, поскольку выходных решили не делать — магазин был открыт каждый день. Разумеется, Берни мог и не бывать здесь по уик-эндам, но ему попросту больше нечем было заняться. Все сотрудники магазина знали, что Берни работает как бешеный, и все соглашались с тем, что он человек порядочный и добрый. Он многого требовал от них, но еще строже относился к самому себе. Соответственно, какие-то претензии к нему были невозможны. Он всегда знал, что хорошо и что плохо для магазина, чем следует и чем не следует торговать — на эти темы спорить с ним было бессмысленно. Берни всегда выражался определенно и всегда оказывался прав. Каким-то невероятным образом он угадывал все мыслимые и немыслимые колебания спроса и моды, хотя практически не знал этого города. Все находилось в движении: какие-то товары пересылались в другие города, какие-то, напротив, ввозились. Система работала как часы, и потому все в магазине привыкли относиться к нему с уважением. Никого не смущала даже его привычка часами бродить по залам. Ему хотелось знать, что носят люди, как они совершают покупки, чему они отдают предпочтение. Он беседовал с домохозяйками, юными девицами и пожилыми холостяками, его интересовали даже дети. Он хотел знать о них все и потому, как говорил он сам, должен был постоянно находиться на переднем крае.

Порой посетители просили проверить чек или обменять товар, и он никогда не отказывал им, тут же отыскивал нужного продавца и решал все проблемы. Персонал быстро привык и к этому. Его видели всюду — рыжеватые волосы, аккуратно подрезанная бородка, добрые зеленые глаза и добротно сшитые английские костюмы. Никто и никогда не слышал от него ни единого бранного слова. Если он и хотел, чтобы нечто происходило иным образом, он говорил об этом спокойно, пытаясь убедить подчиненного в своей правоте. Тем самым он снискал еще большее уважение сотрудников. Пол Берман, регулярно просматривавший сводки, поступавшие из Сан-Франциско, мог быть доволен. Новый магазин стал ведущим магазином фирмы. Не за горами тот день, когда Берни займет место управляющего всей торговой системой «Вольф». Пол Берман в этом не сомневался.

Глава 4

Первый месяц был суматошным для всех, но к июлю дела в целом устоялись, и они приступили к осенним продажам. На следующий месяц Берни запланировал несколько показов моды. В июле же их ожидало грандиозное событие — начинался оперный сезон. Открытие оперного сезона было едва ли не главным событием в жизни Сан-Франциско. За платье, которое надевалось один-единственный раз, женщины были готовы заплатить пять, семь и даже десять тысяч долларов.

Оперные платья были развешаны внизу — в запертой комнате, которую охранял агент службы безопасности. Берни опасался пиратов, фотографов и особенно воров, ибо каждое такое платье стоило пусть и маленькое, но состояние. С мыслями об оперной коллекции он и поднимался в этот июльский день на один из верхних этажей. Он сошел с эскалатора и направился в отдел, торговавший детской одеждой. С неделю назад там возникли какие-то проблемы, связанные с предстоящим началом учебного года. Берни хотел убедиться в том, что проблем больше не существует и интересующий их товар получен.

Он поговорил с покупателем, стоявшим у кассы, дал указания работавшим в отделе продавцам и принялся осматривать витрины с товаром. Возле стойки, на которой были развешаны яркие купальные костюмы, продажу которых намечалось начать со следующей недели, он увидел маленькую девочку с большими голубыми глазами. Она смотрела на него испытующе, словно пыталась понять, чего от него можно ожидать. Берни улыбнулся.

— Привет. Как делишки?

Задавать такой вопрос пятилетнему ребенку было по меньшей мере странно, но ничего иного в голову Берни не приходило. Его коронный вопрос — «любишь ли ты свою школу?» — звучал бы сейчас совсем некстати.

— Тебе в магазине нравится?

— Нормально. — Девочка пожала плечиками. Берни явно интересовал ее больше, чем магазин. — Ненавижу бороды.

— Мне больно это слышать.

Более красивого ребенка Берни еще не видел. Девочка была одета в розовое платьице, в ее светлые косы были вплетены розовые же ленточки. За собой она волокла дорогую куклу.

— Борода колючая.

Она сказала это так, словно хотела научить Берни уму-разуму. Ему не оставалось ничего иного, как только кивнуть в знак согласия. До этих самых пор он считал свою бородку шелковистой и мягкой, правда, он никогда не щекотал ею маленьких детишек... Девочка действительно была на удивление милой. Женщины Сан-Франциско Берни не импонировали — ему не нравился их стиль: длинные распущенные волосы, голые ноги в уродливых сандалиях, бесконечные майки и джинсы. Берни предпочитал здешней свободе подтянутость жительниц Нью-Йорка: высокие каблуки, шляпки, немыслимые аксессуары, идеально ухоженные волосы, серьги, меха... Казалось бы, эти детали были несущественными, но для Берни они имели огромное значение.

— Кстати, меня зовут Берни.

Он протянул девочке руку, и она, нисколько не смущаясь, пожала ее.

— А меня зовут Джейн. Ты здесь работаешь?

— Да.

— Они хорошие?

— Очень хорошие.

Видимо, под словом «они» Берни следовало разуметь самого себя.

— Тебе везет. Там, где моя мама работает, они плохие. Иногда ее даже обижают.

Девочка говорила с ним очень серьезно. С трудом удерживаясь от улыбки, Берни искал глазами ее мать. У него возникло такое чувство, что ребенок потерялся, но сказать об этом девочке он не мог — не хотел лишний раз пугать ее.

— Бывает так, что я болею, а они все равно заставляют маму ходить на работу. — Ребенок был потрясен жестокосердием маминых работодателей. И тут же глаза девочки расширились — она вспомнила о матери. — А где моя мама?!

— Я не знаю, Джейн.

Он нежно улыбнулся ей и посмотрел по сторонам. Кроме нескольких продавщиц, стоявших возле кассы, в зале никого не было — в том числе и матери Джейн.

— Где ты видела маму в последний раз?

Девочка косо посмотрела на Берни и задумалась.

— Она покупала внизу розовые колготки... Я хотела посмотреть купальные костюмы. — Можно было не сомневаться в том, что она пришла сюда сама. — На той неделе мы поедем на море... А у меня таких хороших купальников нет...

Она стояла возле стойки, на которой были развешаны крохотные бикини. Берни заметил, что у девочки задрожала нижняя губа, и протянул ей руку.

— Пойдем поищем твою маму.

Девочка замотала головой и сделала шаг назад.

— Мне с чужими ходить нельзя.

Берни жестом руки подозвал к себе одну из женщин. Девочка вот-вот могла расплакаться, пока же она держалась молодцом.

— Давай так. Эта леди отправится на поиски твоей мамы, мы же тем временем пойдем в ресторан и закажем мороженое. Как тебе такое?

Джейн с опаской посмотрела сначала на Берни, затем на улыбающуюся продавщицу. Берни рассказал последней о том, что стряслось с девочкой и где она видела свою маму в последний раз, а напоследок, уже шепотом, добавил:

— Думаю, можно воспользоваться системой оповещения. Свяжитесь с моим офисом, пусть они об этом позаботятся.

Система оповещения была создана в магазине на случай пожаров, угрозы взрыва и прочих непредвиденных обстоятельств. С ее помощью мать Джейн можно было найти элементарно. Берни перевел взгляд на девочку — та вытирала слезы платьицем своей куклы.

— Скажи, как зовут твою маму? Какая у нее фамилия?

Берни вновь улыбнулся, чувствуя, что девочка доверяет ему, пусть он и не мог стронуть ее с этого места. Мать вышколила ее основательно.

— Такая же, как у меня...

— А у тебя какая?

— О'Райли. — Девочка неожиданно заулыбалась. — Это ирландская фамилия. Я — католичка. А ты?

Он явно понравился ей. Берни усмехнулся — может быть, это и есть та самая женщина, которую он ждал все эти тридцать четыре года... В любом случае ничего подобного ему еще не доводилось видеть.

— Я — еврей, — ответил Берни, стоило уйти продавщице.

— Как это?

Джейн была явно заинтригована.

— У нас вместо Рождества — Ханука.

— А Санта-Клаус к вам приходит?

— Мы восемь дней обмениваемся подарками.

Вместо ответа на вопрос Джейн Берни сказал то, что не могло не впечатлить девочку. Иного выхода не было.

— Восемь дней?! Как здорово! — Тут она вновь стала очень серьезной. — Ты веришь в бога?

Он утвердительно кивнул, поразившись тому, что девочка думает об этом. Для него идея бога стала обретать реальность куда позже. Нет, эту девочку он встретил не случайно...

— Верю.

— И я верю. — Джейн с интересом посмотрела на него. — Как ты думаешь — мама скоро придет?

— Я в этом не сомневаюсь. Может, ты все же согласишься отведать мороженого? Ресторан здесь совсем рядом.

Он указал в нужную сторону, и она с интересом туда посмотрела. Не говоря ни слова, она вложила свою крохотную ладошку в его руку, и они отправились есть мороженое.

В баре он помог ей взобраться на стул и заказал бананово сплит, которого не было в меню. Через минуту заказ был уже выполнен, и Джейн с блаженной улыбкой принялась уплетать мороженое. О матери она, конечно же, не забывала ни на минуту, но это не мешало ей трещать без умолку, рассказывая Берни об их квартире, о пляже и о школе. Ей всегда хотелось иметь собаку, но хозяин квартиры был против этого.

— Он — жадина, — сказала Джейн, набив рот смесью бананов, орехов и мороженого. — И жена у него жадина. Она такая толстая-претолстая.

Берни серьезно кивал ей, поражаясь тому, как он мог жить без нее все эти годы.

— У вас очень красивые купальники.

— Какой же тебе понравился больше всего?

— Те маленькие, у которых есть и верх и низ. Мама говорит, что мне верх не нужен, но мне все равно так больше нравится. — Джейн умудрилась перепачкать шоколадом не только щеки, но и нос. — Мне нравится синий, розовый... красный и оранжевый...

Едва Джейн проглотила последний кусочек банана, за которым последовали вишенка и взбитые сливки, как в баре появилась молодая женщина с длинными золотистыми волосами.

— Джейн!

Она не уступала дочери красотой. Мать, на лице которой были видны следы слез, прижимала к себе дамскую сумочку, три свертка, курточку Джейн и еще одну куклу.

— Куда ты пропала?

Джейн потупилась.

— Я хотела посмотреть...

— Чтобы этого больше не было!

Мать схватила Джейн за руку и, притянув к себе, прижала дочку к груди. Видно было, что она испугалась не на шутку. Бернарда она заметила далеко не сразу.

— Ой, простите...

На ней были сандалии, майка и джинсы, но она

была куда изящнее и интереснее большинства женщин — удивительно хрупкая, с такими же, как у Джейн, огромными голубыми глазами.

— Вы уж извините нас за беспокойство.

Всего минуту назад весь первый этаж был занят исключительно поисками матери и ребенка. Мать Джейн решила, что ее ребенка похитили, и тут же сообщила об этом продавцу и помощнику управляющего. Вскоре об этом знал уже весь магазин, но тут по системе оповещения прозвучало сообщение о том, что девочка находится в ресторане.

— Все нормально. Нам к таким вещам не привыкать. К тому же мы прекрасно провели время.

Он и Джейн обменялись многозначительными взглядами, и тут Джейн неожиданно оживилась:

— Представляю, на что бы ты был похож, если бы съел банановый сплит! Поэтому я бород и не люблю!

Оба засмеялись, мать же изумленно уставилась на своего ребенка.

— Джейн!

— Думаешь, не так?

— Она права, — рассмеялся Берни. Ему так понравилась эта девочка, что он не хотел с ней расставаться. Молодая женщина покраснела.

— В самом деле, простите нас. — Только теперь она вспомнила о том, что забыла представиться. — Меня зовут Элизабет О'Райли.

— И вы — католичка. — Берни вспомнилось вдруг замечание Джейн. Увидев, что слова его ошеломили мать девочки, он поспешил объясниться: — Простите... У нас с Джейн вышел очень серьезный разговор на эту тему.

Джейн утвердительно кивнула и опустила в рот еще одну засахаренную вишню.

— А он не католик... Он... Как это называется?

— Еврей, — подсказал Берни. Элизабет О'Райли заулыбалась. Конечно, она привыкла к Джейн, но порой та ее поражала...

— Они отмечают Рождество восемь раз! — Теперь

засмеялись и Элизабет, и Берни. — Честное слово! Он сам мне это сказал. Правда?

Она вопросительно посмотрела на Берни, и он согласно кивнул.

— Ханука. Это она о Хануке говорит.

Его семья относилась к реформатской ветви иудаизма, он же вообще никак не ассоциировал себя с ним и уже много лет не посещал синагоги. Ему хотелось понять, насколько верующей была миссис О'Райли и существовал ли рядом с нею мистер О'Райли. Он не успел поговорить на эту тему с Джейн, сама же она не обмолвилась об этом ни словом.

— Не знаю, как вас и благодарить.

Элизабет старалась не смотреть на него, казалось, все ее внимание сосредоточено на Джейн.

— У них такие хорошие купальники.

Элизабет кивнула в знак согласия и протянула Берни руку.

— Еще раз спасибо. Идем, старушка, нам домой пора. У нас еще много дел.

— Может, сначала пойдем посмотрим купальники?

— Нет, — уверенно отрезала мать.

Джейн церемонно пожала Берни руку и, просияв улыбкой, сказала:

— Ты хороший, и мороженое у тебя вкусное. Спасибо большое.

Берни почувствовал, что ему действительно не хочется расставаться с девочкой. Он стоял наверху эскалатора, печально глядя на трогательные косички Джейн. Ему казалось, что он прощается со своим единственным другом в этой богом забытой Калифорнии.

Он подошел к кассе и поблагодарил продавщицу за помощь. В тот же миг вниманием его завладела стойка с бикини. Берни подошел к ней и снял три пары купальников шестого размера — оранжевый, розовый и голубой. Красных купальников ее размера здесь не было. Он подобрал к купальникам пару шапочек и маленький махровый халатик. После этого он вновь подошел к кассе.

— Запросите компьютер — есть ли среди наших

клиентов Элизабет О'Райли? Имени ее супруга я не знаю.

Он очень надеялся на то, что такового не существует в природе. Через две минуты его известили о том, что на Элизабет О'Райли открыт отдельный счет, живет же она на Вальехо-стрит, находящейся на Пасифик-Хайтс.

— Прекрасно.

Берни записал в блокнот адрес и телефон О'Райли, сделав вид, что они нужны ему для какого-то там учета. Он попросил упаковать пляжную одежду и адресовать ее мисс Джейн О'Райли, сняв необходимые для этого средства с его счета. К одежде он приложил карточку, на которой было написано следующее: «Благодарю за прекрасную беседу. Надеюсь на скорую встречу. Твой друг Берни Файн». После этого Берни легкой походкой направился к своему кабинету, чувствуя, что мир, в конце концов, не такое уж и скверное место.

Глава 5

Купальные костюмы попали к адресату в среду, и уже в четверг Лиз позвонила ему с тем, чтобы выразить свою благодарность.

— Вам не следовало этого делать. Она и так только и говорит, что о банановом сплите и ваших разговорах.

Молодой голос Элизабет О'Райли вызвал в памяти ее отсвечивающие золотом волосы.

— По-моему, она вела себя героически. Джейн поняла, что вас нет рядом, но сохраняла спокойствие. В пятилетнем возрасте это совсем непросто.

Элизабет улыбнулась.

— Она очень милый ребенок.

«Так же, как и ее мама», — едва не вырвалось у Берни.

— Как ей купальники? Подошли?

— Лучше не бывает. Вчера она устроила целое представление. У нее и сейчас под платьем купальник...

Она в парке — с друзьями. А у меня сегодня масса дел. Нам сдали дом на Стинсон-Бич, так что скоро нам этот пляжный гардероб пригодится. — Лиз засмеялась. — Спасибо вам огромное...

Она не знала, что сказать ему еще, и мучительно подыскивала слова. То же самое происходило и с Берни. Ощущение было такое, что он должен с ней разговаривать на каком-то другом языке. Все началось сызнова...

— А... мог бы я увидеться с вами?

С трудом выговорив эти слова, Берни почувствовал себя последним идиотом. Каково же было его удивление, когда он услышал в ответ:

— Я была бы только рада.

— Правда?

Изумление было настолько неподдельным, что она рассмеялась.

— Конечно. Может быть, вы приедете к нам на Стинсон-Бич?

Все это прозвучало легко и естественно. А ведь она могла обставить все так, словно он едва ли не силой вырвал у нее это приглашение. В голосе ее не чувствовалось ни малейшего удивления — только радушие.

— С превеликим удовольствием. Сколько времени вы там пробудете?

— Две недели.

Он стал прикидывать, какой день недели был бы для него самым удобным. Он вполне мог отлучиться из магазина в субботу, особых дел в этот день у него не было.

— Что, если это будет суббота?

До субботы оставалось всего два дня. От волнения у Берни вспотели ладони.

Она на минуту замолкла, припоминая, кто и в какой день должен был прийти к ним в гости. Суббота была свободной.

— Кажется, это... Да, да — отлично! Так и договоримся.

Она улыбнулась, вспомнив Берни. Очень приятный мужчина, неженатый, но и непохожий на гея. Не случайно же он и Джейн так понравился.

— Кстати, вы женаты?

— Господи, конечно же, нет! Как вы могли подумать!

Ага. Вон оно как. Один из этих.

— У вас на женщин аллергия, да?

— Нет. Просто у меня очень много работы.

— Зачем это вам?

Лиз была открытым человеком и не скрывала своего интереса к нему. Сама она вторично в брак вступать не собиралась — на то у нее были причины. Раз обжегшись, она не хотела рисковать вторично. Впрочем, может быть, этот человек тоже испытал нечто подобное.

— Вы разведены?

Берни улыбнулся, поразившись этому вопросу.

— Нет, не разведен. К женщинам я отношусь нормально. В моей жизни их было две, но это уже в прошлом... Я не мог уделять кому-то слишком много времени, понимаете. Последние десять лет я был занят исключительно собственной карьерой.

— У вас никогда не возникало ощущения пустоты? — Она словно видела его насквозь. — Мне хорошо — у меня есть Джейн.

— Да, все верно. — Он замолчал, вспомнив вдруг о девочке, и решил оставить вопросы на потом. Глупо разговаривать с человеком, если ты не видишь его лица, глаз, рук... — Значит, увидимся в субботу. Что я должен взять с собой? Какие-то продукты? Вино? Еще что-то?

— Да. Норковую шубу.

Он засмеялся и повесил трубку. Настроение у него было прекрасное. Голос Лиз дышал непосредственностью и теплом, чувствовалось, что она лишена всяческой корысти. Она не принадлежала и к породе мужененавистников, по крайней мере, впечатление производила именно такое.

В пятницу вечером, прежде чем отправиться домой, Берни зашел в гастроном, работавший при их магазине, и купил два пакета продуктов: шоколадного медведя для Джейн, коробку шоколадных трюфелей для Лиз, бри двух сортов, батон, доставлявшийся на самолете из

Франции, маленькую баночку с икрой, банку с паште-
том, две бутылки вина, красного и белого, и коробку с
глазированными орехами.

Поставив пакеты в багажник машины, Берни поехал домой. В десять утра следующего дня он принял
душ, побрился, надел джинсы, старую синюю рубаху и
видавшие виды теннисные туфли. Затем он направился
в прихожую и достал из шкафа теплую куртку. Всю эту
старую, но удобную одежду он привез с собой из Нью-
Йорка — в ней он ходил на стройку. Стоило ему одеться и взять в руки пакеты со снедью, как зазвонил телефон. Он хотел было проигнорировать звонки, но тут
подумал о том, что позвонить могла и Элизабет: а вдруг
у нее поменялись планы или она захотела попросить
его купить что-то. Берни снял трубку, не выпуская из
рук пакеты и куртку.

— Да?

— Так на звонки не отвечают, Бернард.

— Привет, мам. Понимаешь, я спешу.

— В магазин?

Начинался допрос.

— Ммм... Нет, на море. Я еду к друзьям.

— Я их знаю?

Вопрос этот следовало понимать так: «Они понравились бы мне?»

— Нет, мам. Вряд ли. У тебя все в порядке?

— Все прекрасно.

— Вот и хорошо. Я перезвоню тебе вечером или завтра утром — из магазина. Мне надо убегать.

— Должно быть, это что-то очень важное, если ты
не можешь уделить родной матери пяти минут. Это какая-то девушка?

Нет. Это женщина. Женщина с ребенком. И зовут
ребенка Джейн.

— Нет, нет, мам. Я же сказал — я встречаюсь с друзьями.

— Смотри, Бернард, поосторожнее с друзьями. Люди, сам понимаешь, разные бывают.

Берни устало вздохнул. Ох, как он устал от этих разговоров!

— Все в порядке, мама. Я тебе скоро перезвоню.

— Ладно. Главное, не забудь надеть шляпу, а то заработаешь солнечный удар.

— Привет папе.

Берни повесил трубку и поспешил покинуть свои апартаменты. Мать забыла сказать ему о том, что в море водятся акулы. Мать любила предупреждать его о грозящих ему опасностях, о которых она узнавала из «Дейли ньюс». Испорченные продукты, от которых скончались два жителя Де-Мойна... ботулизм... болезнь легионеров... сердечный приступ... геморрой... интоксикация... Мир был полон угроз. Конечно, приятно, когда о твоем здоровье кто-то заботится, но только не с такой страстностью, как это делала его мать.

Он поставил пакеты на заднее сиденье машины и через десять минут уже ехал на север по мосту «Золотые Ворота». На Стинсон-Бич бывать ему еще не доводилось. Берни нравилось ехать по петляющей, извилистой дороге, шедшей по хребту, откуда открывался вид на море, из которого поднимались могучие скалы. Все это походило на Биг-Сюр в миниатюре. Он въехал в маленький городок и стал искать нужную улицу. Дом, снятый Лиз, находился на территории общинного землевладения. Берни пришлось назвать охраннику, стоявшему у шлагбаума, свое имя, прежде чем тот пропустил его. Милое это местечко очень походило на Лонг-Айленд или Кэйп-Код. Нужный дом Берни разыскал в два счета. У крыльца стояли трехколесный велосипед и облезлая деревянная лошадка, каких Берни не видел с детства. Он позвонил в старый школьный колокольчик, висевший возле калитки, и вошел во двор. Тут же его взору предстала Джейн, одетая в один из подаренных им бикини и махровый халат.

— Привет, Берни, — сказала она, сияя, вспомнив разом и о банановом сплите, и об их разговорах. — Мне так нравится мой купальник.

— Он тебе очень идет. — Берни подошел к Джейн. — Тебя надо взять к нам манекенщицей. Где твоя мама? Только не говори, что она снова потерялась. — Берни шутливо нахмурился, на что Джейн тут же ответила звонким смехом. — Она часто это делает?

Джейн замотала головой.

— Нет. Только иногда... в магазинах.

— Что в магазинах? — Из-за двери показалась Элизабет. — Привет. Как дорога?

— Прекрасно.

Они обменялись улыбками.

— Далеко не всем она нравится — уж слишком петляет.

— Меня на ней укачивает, — вставила Джейн с улыбкой. — Зато здесь мне нравится.

— Ты, наверное, сидела на переднем сиденье, а окно было открыто, так? — спросил Берни с участием.

— Угу.

— А перед этим ты ела соленые орешки или... или банановый сплит, верно?

Тут он вспомнил о шоколадном медведе и, достав его из пакета, передал пакет Лиз.

— Это вам маленькие гостинцы...

Элизабет казалась удивленной и тронутой, Джейн же радостно завопила, стоило ей понять, что она держит в руках. Медведь был больше ее куклы.

— Мамочка, можно я его съем прямо сейчас?.. Ну, пожалуйста! — Она посмотрела на Лиз с такой мольбой, что та застонала. — Пожалуйста, мамуля! Я только ушко съем, и все — можно?

— Я сдаюсь. Только не ешь слишком много. Скоро обед.

— Хорошо.

Джейн тут же куда-то скрылась. Больше всего она была похожа на щенка, которому вдруг подарили огромную кость. Бернард посмотрел на Лиз и улыбнулся.

— Просто замечательный ребенок.

Глядя на Джейн, Берни вспоминал, что не все в его жизни идет так уж гладко. Ведь у него не было ни семьи, ни детей...

— Она от вас без ума, — улыбнулась Лиз.

— Кто же устоит против бананового сплита и шоколадного медведя? Для нее я эдакий бостонский Души-

тель с мешком, битком набитым шоколадными медве-
дями.

Они тем временем вошли в кухню, и Лиз принялась
вытаскивать из пакетов продукты. Вид икры и паштета
поверг ее в изумление.

— Берни, зачем все это? Боже... а это, значит... —
Она раскрыла коробку с конфетами и в тот же миг стала удивительно похожа на ребенка. Соблазн был слишком велик — предложив конфеты Берни, она сунула
один из трюфелей в рот и зажмурилась от удовольствия. — Ммм... Как вкусно!

Берни невольно залюбовался ею. Хрупкая и строй-
ная, она казалась ему воплощением строгого амери-
канского идеала красоты. Сегодня ее длинные светлые
волосы были собраны в косу. Глаза Лиз были такими
же синими, как ее рубаха; белые шорты подчеркивали
стройность длинных ног. Неожиданно для самого себя
Берни заметил, что Лиз красит ногти. Других следов
косметики — туши или губной помады — он не заметил, да и ногти были пострижены коротко. Она была
не просто хорошенькой, но по-настоящему красивой,
и при этом в ней не чувствовалось ни грамма фриволь-
ности, что особенно нравилось Берни. От ее вида не
захватывало дух, нет, но на душе становилось удивительно тепло и покойно. Убрав бутылки с вином, Лиз
повернулась к нему с улыбкой.

— Бернард, вы нас так избалуете... Даже не знаю,
что вам и сказать...

— Понимаете, друзья на дороге не валяются... К тому же здесь их у меня особенно нет.

— Вы здесь давно?

— Пять месяцев.

— Вы из Нью-Йорка?

Он утвердительно кивнул.

— Я жил в Нью-Йорке всю жизнь... кроме трех лет,
проведенных в Чикаго.

Она достала из холодильника две банки с пивом и
одну предложила ему. Чувствовалось, что она заинтригована.

— Я родом именно оттуда. Как это вас туда занесло?

— Испытание огнем. Меня послали в Чикаго для
того, чтобы я возглавил тамошний наш филиал... — Он
вздохнул и покачал головой. — Теперь, как видите, я
здесь.

Он все еще относился к нынешнему своему назна-
чению как к своеобразному наказанию. Впрочем, глядя
на Лиз, он забывал об этом. Они были теперь в комнате. Полы этого небольшого домика устилали соломен-
ные маты, стены и полки были украшены бесконечны-
ми раковинами и плавниковым деревом. Дом этот мог
находиться и в Истгемптоне, и на Огненном острове, и
в Малибу... Однако вид из окна был особенным — вдали, на прибрежных холмах, поблескивали на солнце
кварталы Сан-Франциско. Лиз жестом предложила ему
сесть в кресло, сама же устроилась на диване, подобрав
под себя ноги.

— Вам здесь нравится? Я имею в виду Сан-Франциско.

— Иногда. — С ней он не мог кривить душой. —
Надо сказать, я город практически не знаю. Все, знаете
ли, дела. А вот климат здешний мне нравится. Когда я
улетал из Нью-Йорка, шел снег. Прошло всего пять
часов, и я попал в весенний город. В этом действительно что-то есть...

— А что же здесь не так? — спросила Лиз, мило
улыбнувшись. С ней было очень приятно беседовать,
хотелось тут же открыть свою душу... Наверняка она
была хорошим другом, но Берни испытывал и чувства
иного рода: глядя на то, как она держит голову, как
мягко вьются ее золотистые волосы, он чувствовал что-
то сродни головокружению; хотелось коснуться ее,
взять за руку, поцеловать... Он уже почти не слышал ее.

— Да, представляю, как вам сейчас одиноко. Первый год со мною было то же самое.

— И вы все же решили остаться? — Он действительно был заинтригован. Он хотел знать о ней все.

— Да. В то время у меня иного выбора не было, как
не было и родственников, к которым бы я могла поехать. Когда я перешла на второй курс Северо-Запад-
ного университета, мои родители погибли в дорожной

катастрофе. — Глаза Лиз затуманились. — После этой истории я стала куда ранимее... Тогда же я и влюбилась... Он был исполнителем главной роли в одной пьесе. Я играла вместе с ним.

Взгляд ее при воспоминании об этом наполнился грустью. Смешно. Она никогда и никому не рассказывала об этом, но почему-то решила поведать свою историю Берни. Они смотрели в окно. Джейн, посадив куклу рядом с собой, играла в песке. Время от времени она махала им ручкой. Лиз с самого начала почему-то решила не лгать Берни — терять ей в любом случае было нечего. Если ему что-то не понравится, он больше не позвонит ей, только и всего. Лучше, если между ними не будет недоговоренностей. Она устала от обычных в таких случаях игр и претензий. Они были не в ее стиле. Она посмотрела в глаза Берни и улыбнулась.

— Я занималась в актерском классе. После того как я похоронила родителей, мы отправились на летние гастроли. Кроме него, у меня никого не было... Я совершенно потеряла голову. Он был красивым и, как мне казалось, благородным парнем... У нас должен был родиться ребенок, и я сказала ему об этом. Он ответил, что жениться на мне может и позже — как раз в это время ему предложили в Голливуде какую-то там роль. Сначала сюда приехал он, а потом, вслед за ним, и я... Ехать мне было совершенно некуда, избавляться же от ребенка я категорически отказалась. Вот и поехала вслед за Чендлером, хотя относилась к нему уже иначе. И все же я любила его, мне казалось, что со временем все встанет на место... — Лиз посмотрела в окно — на Джейн. — Я автостопом добралась до Лос-Анджелеса и разыскала Чендлера. Чендлер Скотт... Потом он стал называть себя Чарли Скьяво. Но это ему уже не помогло. Роль он провалил и занимался в основном тем, что искал работу и ухаживал за актрисами. Я устроилась официанткой и, пока могла, работала. За три дня до рождения Джейн мы поженились. И тут — тут Чендлер вдруг исчез. Малышке было уже пять месяцев, когда я увидела его вновь. Он говорил что-то о театре в Орегоне, но я вскоре узнала, что все это время он находился в тюрьме. Я узнала массу интересных вещей... Сначала его арестовали за продажу краденого, потом — за кражу со взломом. Джейн исполнилось девять месяцев, когда он в очередной раз вышел из тюрьмы. Прожил он с нами всего месяц или два. Узнав, что он вновь попал в полицию, я подала на развод и переехала в Сан-Франциско. С тех пор я о нем даже и не слышала. Он был самым настоящим мошенником и одновременно — гениальным актером. Он мог убедить окружающих в чем угодно. Сегодня я бы на эту удочку уже не попалась, но тогда... Как все это тяжело... Когда нас развели, я восстановила свою девичью фамилию... Так мы теперь и живем. — Берни поразился, как спокойно Лиз говорит об этом. Будь на ее месте другая, та бы уже выплакала себе глаза. Лиз эта история явно не сломила. Она прекрасно выглядела, и у нее была замечательная дочка. — Я и Джейн — вот и вся наша семья. И у нас с ней все хорошо.

— А как относится к этому сама Джейн?

Берни хотел понять, что Лиз сказала девочке об отце.

— А никак. Она думает, что ее папа умер. Я сказала ей, что он был замечательным актером, что мы поженились после школы и переехали сюда... А когда ей исполнился год, он вдруг умер. Она не знает всего остального, поэтому это не имеет значения, к тому же мы с ним никогда не встретимся. Бог его знает, где он теперь находится. Думаю, скорее всего в тюрьме. В любом случае мы его не волнуем — мы его и раньше не волновали. Пусть уж у девочки будут какие-то иллюзии, ничего страшного в этом нет...

— Пожалуй, вы правы.

Она нравилась ему все больше. Он поражался ее отваге и силе. Кто бы мог подумать, глядя на ее хрупкую фигурку и золотистые волосы, что она может быть такой сильной... Она заставила себя начать жизнь сначала, а это совсем непросто, даже если ты живешь в Калифорнии...

— Я работаю учителем. Страховку, полученную за родителей, истратила на то, чтобы приобрести специальность. Училась я по вечерам — на это ушел год. У меня второй класс — дети совершенно замечательные. — Лиз заулыбалась. — Джейн ходит в эту же школу, мне почти ничего не приходится за нее платить. Отчасти поэтому я и стала учителем. Мне хочется дать ей приличное образование.

История была действительно замечательной. Лиз не только не проиграла — она выиграла. Ей было чем гордиться. Что до Чендлера Скотта, то Берни он удивительно напоминал Изабель, с той лишь разницей, что последняя была женщиной и не сидела в тюрьме.

— Несколько лет тому назад нечто подобное произошло и со мной. — Берни тоже решил быть откровенным. — Прекрасная французская манекенщица, я встретил ее в магазине... Она играла со мной целый год, да вот только детей у нас не было... — Он с улыбкой посмотрел на Джейн, бегающую за окном. — Она получила от меня все, что ей тогда было нужно, и, прихватив заодно несколько тысяч долларов и подаренные мне родителями часы, уехала... Ей предложили играть в кино, только и всего... Когда вспоминаешь об этом, становится как-то не по себе, правда? С той поры прошло уже три года. — Он сделал паузу. — И как можно было всего этого не видеть? Как можно быть таким идиотом?

Лиз рассмеялась.

— Хватит об этом! Сказать честно, все это время я жила единственно работой. Я люблю работу, друзей... Но при этом у меня никого нет. — Она пожала плечами. — Мне это не нужно.

Он улыбнулся, глядя на нее. Последние слова Лиз его огорчили.

— Может, мне стоит уйти?

Они засмеялись, и Лиз поспешила на кухню — посмотреть на пирог с заварным кремом, стоявший в духовке.

— У, как пахнет! — восхитился Берни.

— Спасибо. Я люблю готовить.

Она приготовила капустный салат и подала к нему соус так же изящно, как это делал его любимый официант из «21». После этого Лиз приготовила для него

«Кровавую Мэри» и, постучав в окно, позвала в комнату Джейн. Та тут же явилась с шоколадным медведем без уха под мышкой. Ее ждал бутерброд с арахисовым маслом и беконом.

— Он тебя все еще слышит, Джейн? — полюбопытствовал Берни.

— Что? — озадаченно переспросила Джейн.

— Уха-то теперь у него нет... Верно?

— А! — Она заулыбалась. — Да. Теперь я съем нос.

— Ну и бедняга. К вечеру он будет выглядеть совсем скверно. Придется привезти тебе другого.

— Правда?!

Лиз продолжала накрывать на стол. Посередине стола стояла ваза с оранжевыми цветами, салфетки тоже были оранжевыми. Серебро и фарфор отличались изысканностью.

— Нам здесь очень нравится, — стала объяснять Лиз. — Прекрасное место для отдыха. Дом принадлежит одной нашей учительнице. Ее муж — архитектор. Он построил дом давным-давно. Каждый год они уезжают на восток, на Мартас-Вайнъярд, чтобы погостить у ее родителей. Так и получилось, что в это время — а это лучшее время в году — мы стали жить здесь. Правда, Джейн?

Девочка согласно кивнула и улыбнулась Берни.

— А тебе здесь нравится? — спросила она.

— Очень нравится.

— А тебя по дороге не тошнило?

Столь неожиданный оборот застольной беседы рассмешил Берни. Он лишний раз поразился непосредственности и открытости ребенка. Девочка походила на Лиз не только внешне — она была миниатюрной копией своей матери во всем.

— Нет, не тошнило. Когда сидишь за рулем, таких вещей не чувствуешь.

— Мама мне то же самое сказала. Ее никогда не тошнит.

— Джейн...

Лиз строго посмотрела на дочку. Берни наблюдал за ними с удовольствием. Покончив с ленчем, они отправились гулять по берегу — Лиз и Берни шли рядом, Джейн бежала впереди, она искала ракушки. Воспитывать ребенка всегда непросто, подумалось Берни, делать это в одиночку — тяжело вдвойне. И все же Лиз не жаловалась — ее, похоже, устраивала такая жизнь.

Берни стал рассказывать ей о своей работе, о том, как он любит «Вольф», как он учился в университете. Рассказал он и о Шиле, и о том, как та разбила ему сердце... Лишь на обратном пути, когда они уже возвращались к дому, Берни заметил, что Лиз куда ниже его. Ему это тоже понравилось.

— Знаете, у меня такое чувство, будто мы знакомы уже много лет. Смешно, не правда ли?

Она улыбнулась в ответ.

— Вы хороший человек. Я это поняла еще там, в магазине.

— Мне приятно это слышать.

Ее мнение было ему, мягко говоря, небезразлично.

— По тому, как вы разговаривали с Джейн, можно было понять все. Не зря ведь она потом только о вас и говорила. Словно вы — один из ближайших ее друзей.

— Мне бы хотелось таким быть.

Он посмотрел в глаза Лиз, и та улыбнулась в ответ.

— Смотрите, что я нашла! — Меж ними неведомо откуда возникла Джейн. — Ракушка — настоящий «серебряный доллар»! Она совершенно целая!

— Дай посмотрю. — Он протянул руку, и Джейн положила ему в ладонь круглую белую раковину. — Ей-богу, так оно и есть!

— Как это «ей-богу»?

Берни рассмеялся.

— Это дурацкое выражение, которым иногда пользуются взрослые.

— Вон оно что...

Ответ вполне удовлетворил Джейн.

— Ты нашла отличный «серебряный доллар», — сказал Берни, возвращая девочке раковину. Он вновь встретился глазами с Лиз. — Ну а мне, наверное, пора.

Чего он сейчас не хотел, так это уезжать.

— А вы не хотите остаться на обед? У нас будут гамбургеры.

Ей приходилось считать каждый цент, благодаря этому им удавалось как-то сводить концы с концами. Вначале ей было трудно, но она быстро привыкла к такой жизни. Она сама шила платья для Джейн, сама готовила, сама пекла хлеб. Конечно, ей помогали и друзья — разве иначе она оказалась бы на Стинсон-Бич? Берни подарил Джейн купальники... Она и сама собиралась купить дочери купальные костюмы, но не такие и не столько...

— У меня есть другая идея. — По дороге Берни заприметил ресторанчик. — Что, если мы сходим в ресторан? — Тут Берни вспомнил о том, что его одежда оставляет желать лучшего. Он сокрушенно развел руками и добавил: — Как вы считаете, меня пустят в таком виде в «Морской еж»?

Лиз засмеялась:

— Мне ваш вид нравится.

— Ну так что же?

— Мамочка, поехали, пожалуйста! Мамочка!

Лиз не оставалось ничего другого, как только с благодарностью принять приглашение. Она отправила Джейн переодеваться и предложила Берни выпить тем временем пива, на что тот ответил отказом.

— Я не большой любитель выпить, — покачал он головой.

Элизабет его ответ понравился. Кого она терпеть не могла, так это пьяниц, заставляющих тебя пить вместе с ними. Именно таким и был Чендлер.

— Есть такие люди — если с ними не выпьешь, так они сразу обижаются.

— Им стыдно пить в одиночку, только и всего.

С ним ей было удивительно легко. Вечер прошел великолепно. «Морской еж» чем-то походил на старинный салун. Створки дверей ни на минуту не останавливались, принимая все новых и новых посетителей — кто-то спешил в бар, кто-то приходил для того, чтобы полакомиться омарами или превосходным жарким. Других ресторанов, как сказала Лиз, в городке не было.

Здешнюю кухню оценила и Джейн — она буквально не отрывала глаз от своей тарелки. Впрочем, в столь экстравагантных условиях им доводилось есть не часто...

По дороге назад Джейн заснула. Берни осторожно перенес ее из машины на кроватку, стоявшую в маленькой комнатке для гостей, находившейся рядом со спальней Лиз. Так же осторожно — на цыпочках — он и Лиз перешли в гостиную.

— Я в нее прямо влюбился.

Лиз улыбнулась:

— Она наверняка чувствует то же самое. Мы прекрасно провели время.

— Я тоже.

Он медленно направился к двери, хотя в эту минуту больше всего на свете хотел поцеловать Лиз... Берни не стал делать этого, боясь, что она может испугаться — Лиз слишком нравилась ему. Потерять ее — значило бы потерять все. Ему казалось, что он снова учится в университете.

— Когда вы вернетесь в город?

— Через две недели. Но почему бы вам не приехать сюда и на той неделе? Добираться несложно, если вы не боитесь дороги, то у вас уйдет на нее минут сорок, не больше. Мы пообедаем пораньше, и вы поедете домой. При желании вы сможете остаться и здесь — вы будете спать в комнате Джейн, а она со мной.

Берни предпочел бы поменяться местами с Джейн, но вслух говорить об этом не стал — эта шутка могла бы стоить ему слишком многого. Джейн была неотъемлемой частью Лиз, и к этому ему предстояло как-то привыкнуть.

— Я бы с удовольствием. Вот только пока не знаю — во сколько я смогу уйти из магазина.

— Когда обычно вы уходите с работы?

Они разговаривали шепотом, чтобы не разбудить Джейн. Берни рассмеялся.

— Меж девятью и десятью вечера, но в этом, кроме меня самого, никто не повинен. И еще — я работаю все семь дней в неделю.

Лиз изумленно уставилась на него.

— Разве так можно жить?!

— У меня нет ничего другого. — Признание это было ужасным. Даже ему самому стало как-то не по себе... Оставалось надеяться, что теперь в его жизни что-то может измениться... — Начиная с той недели я попробую... как-то исправиться. Я позвоню вам.

Она кивнула, очень надеясь на то, что так оно и будет. Заводить новые знакомства всегда трудно — появляются какие-то иллюзии, мечты... И все же с ним ей было легко. Она давно не встречала таких хороших людей. Лиз проводила его до машины.

Кажется, никогда она не видела столько звезд, сколько их было на небе этой ночью. Она перевела взгляд на Берни.

— Все было замечательно, Лиз.

Она оказалась такой откровенной и такой доверчивой... Кто б мог подумать, что она так, запросто, расскажет ему и о рождении Джейн, и об этом своем Чендлере Скотте. Какие-то вещи лучше знать с самого начала.

— Надеюсь, мы скоро увидимся.

Он нежно взял ее за руку, и она ответила ему легким пожатием.

— Я тоже на это надеюсь. Будьте осторожны на дороге.

Он сел за руль, выглянул в открытое окно и с улыбкой заметил:

— Надеюсь, тошнить меня по пути не будет.

Они засмеялись. Берни вырулил на дорогу и, помахав на прощание рукой, поспешил домой. Все это время он думал только о Лиз и Джейн.

Глава 6

На следующей неделе Берни дважды обедал на Стинсон-Бич: в первый раз — у Лиз, во второй — в «Морском еже». Он приехал к Лиз и в субботу. На сей раз он привез надувной мяч, формочки и совочки для

Джейн, а также несколько игр, в одну из которых — серсо — они и играли на берегу. Привез он и купальник для Лиз — он был таким же голубым, как ее глаза. Выглядела она в нем потрясающе.

— Господи, Берни, разве так можно?

— В чем дело? Манекен, на который он был надет, так походил на тебя, что я не удержался.

Он был в прекрасном настроении. Ему хотелось баловать Лиз еще и потому, что в ее жизни никогда не было ничего подобного.

— Разве можно нас так баловать?

— Почему же и нет?

Смутившаяся было Лиз тут же нашлась и ответила с улыбкой:

— Мы можем к этому привыкнуть, вот почему. Будем стоять около магазина и требовать у тебя всякую всячину. Нам понадобятся и новые купальники, и шоколадные мишки, и икра, и паштеты...

Представив эту сцену, Берни улыбнулся:

— А если я сумею организовать бесперебойное снабжение?

Берни прекрасно понял, что имела в виду Лиз. Она боялась, что в любой момент все может закончиться. Сам он боялся даже думать об этом.

Во время второго его визита Лиз попросила соседскую девочку посидеть с Джейн, и они снова пошли в «Морской еж», но на сей раз уже вдвоем. Им нравились тамошняя кухня и непринужденная атмосфера.

— Надо отдать тебе должное, ты смог понравиться нам обеим, — улыбнулась Лиз, глядя на него через стол.

— Дело в том, что я до сих пор не могу понять, кто из вас мне больше нравится. Вот и приходится ухаживать сразу за обеими.

Лиз засмеялась. Ей было так хорошо с ним. Он был таким добродушным и удачливым, что она не могла не сказать ему об этом. Он был очень легким в общении.

— Удивительно. — Берни улыбнулся. — У меня такая мама, что мне скорее следовало бы подергиваться. Какое уж там благополучие или легкость...

— Такой, как ты говоришь, твоя мать быть не может, — сказала Лиз с улыбкой.

— Ты ее себе не представляешь. Вот подожди... когда-нибудь она сюда все-таки приедет. Жару она ненавидит, но попозже обязательно сюда явится... Ты таких, как она, еще не видела.

Вот уже две недели он не отвечал на телефонные звонки. Уж очень ему не хотелось объяснять матери, где и с кем он проводит свободное время. Скажи он ей, что это женщина с фамилией О'Райли, и мать хватил бы удар. Лиз он об этом предпочитал не говорить. Всему свое время.

— И как давно женаты твои родители?

— Тридцать восемь лет. Папе, по-хорошему, следовало бы вручить какую-нибудь награду. Например, «Пурпурное Сердце».

Лиз рассмеялась:

— Я ведь говорю серьезно. Ты наверняка не встречала таких, как она.

— Мне бы очень хотелось с ней познакомиться.

— Тссс! Разве так можно говорить! — Легко было поверить, что за спиной Берни с топором в руках стоит его мать. — Лиз, смотри, это действительно опасно!

Оба рассмеялись. Говорили они до полуночи. Во время второго своего приезда на Стинсон-Бич Берни поцеловал Лиз. Пару раз их застала с поличным Джейн, но дальше поцелуев дело не шло. Присутствие Джейн смущало Берни — ему не оставалось ничего иного, как ухаживать за Лиз так же, как это делалось в старину. Времени впереди у них было предостаточно, здесь же комнату Джейн отделяла от них лишь тонюсенькая стенка.

В воскресенье Берни вернулся с тем, чтобы помочь Лиз собрать вещи. Подруга уже предупредила ее о том, что пора выезжать, и это значило, что отпуск их окончен. По дороге домой Лиз и Джейн были настроены так мрачно, что Берни не выдержал:

— Послушайте меня — я обращаюсь к вам обеим... Почему бы нам куда-нибудь не прокатиться? Кармел или озеро Тахо, а? Как вам такое предложение? Я ведь нигде не был, вы бы мне все это и показали. Можно поехать и не в одно место.

Лиз и Джейн ответили на это радостными воплями. Уже на следующий день секретарша Берни бронировала три спальни в кондоминиуме на берегу озера Тахо. Они могли провести там уик-энд, прихватив заодно и День труда. Когда вечером он сообщил им об этом, радости их не было предела. Джейн чмокнула его в щеку и отправилась спать. Лиз быстро уложила ее и уже через минуту вновь появилась в своей крохотной гостиной. В квартире была всего одна спальня, там стояла кровать Джейн; Лиз же довольствовалась диваном, стоявшим в гостиной. Берни быстро понял, что ситуация в этом смысле ничуть не изменилась: как и прежде, от девочки их отделяла лишь тонкая стенка.

Лиз смотрела на него как-то странно.

— Послушай, Берни... Я хочу, чтобы ты меня понял правильно... Наверное, нам не следует ехать на озеро Тахо.

Берни изумленно уставился на Лиз.

— Но почему?

— Это слишком хорошо... я знаю, что это звучит странно, но мне кажется, что с Джейн так поступать нельзя... Представь, что будет с нею потом?

— Потом? — В тот же миг Берни понял, что она имеет в виду.

— Потом, когда ты вернешься в Нью-Йорк. — Они сидели на диване друг возле друга, Лиз держала его за руку. — Или когда я надоем тебе. Мы с тобой взрослые люди и понимаем, что так обычно и бывает... Это может случиться через месяц, через неделю или через год...

— Я хочу, чтобы ты стала моей женой.

Он сказал это еле слышно и тут же поразился собственным словам, прозвучавшим, казалось, помимо его воли. Однако, заглянув в глаза Лиз, он понял, что слова эти сорвались с его языка совсем не случайно.

— Что? Не надо так шутить. — Она поднялась с дивана и стала нервно расхаживать по комнате. — Ты ведь меня совсем не знаешь.

— Нет. Я тебя знаю. Одного взгляда на женщину достаточно для того, чтобы понять — хочешь ты видеть ее или нет... Я же всю жизнь обманывал себя — мол, время покажет, так это или не так... Проходило два месяца, или три, или даже шесть, и всегда оказывалось, что первое впечатление было истинным... Тебя же я полюбил с первого взгляда. Когда я увидел тебя во второй раз, я понял, что лучше тебя нет никого на свете... Для меня было бы счастьем всю жизнь завязывать тебе шнурки или что-то вроде того, не требуя ничего взамен. Так что же ты прикажешь мне делать? Полгода ходить вокруг да около, делая вид, что я хочу получше познакомиться с тобой? Мне это совершенно ни к чему. Я люблю тебя. Я хочу, чтобы ты стала моей женой. — Он смотрел на нее во все глаза и вдруг понял, что ничего прекраснее этого мгновения в его жизни еще не было. — Ты согласна выйти за меня, Лиз?

Она смотрела на него с улыбкой и казалась сейчас куда моложе своих двадцати семи лет.

— Ты все-таки сумасшедший. Ты это знаешь? Самый настоящий псих. — Лиз чувствовала примерно то же, что и он. Она была от него без ума. — Я не могу выходить за кого-то замуж всего через три недели со времени знакомства... Что подумают люди? Что скажет твоя мама?

Она могла говорить все что угодно — Берни чувствовал себя на седьмом небе.

— Слушай. Коль скоро ты не Рахиль Нусбаум и девичья фамилия твоей матери не Шварц и не Гринберг, то все это особого значения уже не имеет.

— Ну да. Попробуй скажи ей, что ты знаком со мной всего три недели.

Лиз подошла к дивану, и Берни вновь посадил ее рядом с собой.

— Я люблю тебя, Элизабет О'Райли, будь ты родственницей самого папы римского или познакомься мы с тобой только вчера. Жизнь и так слишком коротка. Я не хочу тратить время понапрасну. Мы не вправе так поступать. — Ему в голову пришла замечательная идея: — Мы сделаем все, как надо. Сначала обручимся. Сегодня первое августа... А поженимся мы месяцев через пять — на Рождество. Если к этому времени ты раздумаешь, тогда, естественно, ничего не произойдет. Как тебе такая идея?

Он уже думал об обручальном кольце, которое он ей купит: в нем будет камешек в пять каратов... или в шесть... или даже в десять... Берни нежно обнял Лиз и заглянул ей в глаза. Она плакала.

— Но ведь мы с тобой еще ни разу... не были вместе...

— С моей стороны это серьезный просчет... Именно на эту тему я и хотел поговорить с тобой. Ты не могла бы подыскать ребенку сиделку? Не подумай, что я плохо отношусь к нашей девочке, дело в другом... Я хочу пригласить тебя к себе...

— Я подумаю на эту тему, — со смехом ответила Лиз. Ничего более невероятного с ней еще не происходило. Он был таким хорошим, он бы всю жизнь заботился о ней и о Джейн, и — это было самое главное — она действительно любила его, пусть они и были знакомы всего три недели... Лиз не терпелось рассказать обо всем своей ближайшей подруге Трейси, работавшей в той же школе, та вот-вот должна была вернуться из отпуска. Когда она уезжала, Лиз была одинокой женщиной, теперь же она была обручена с генеральным управляющим «Вольфа». С ума сойти, да и только. — С девочкой будет кому посидеть.

— Стало быть, мы обручены? — спросил Берни, сияя.

— Выходит, что так.

Сама она в это не могла поверить.

— Что, если свадьба состоится двадцать девятого декабря? Это будет суббота. — Берни работал над составлением планов для магазина и подобные вещи держал в голове. — Мы отпразднуем вместе с Джейн Рождество и проведем наш медовый месяц где-нибудь на Гавайях.

Лиз уже не понимала, на каком свете она находится, хотя знала, что все это — правда... Берни поцеловал ее, и она почувствовала, как колотится его сердце... Они были созданы друг для друга...

Глава 7

На поиски сиделки у Лиз ушло два дня. Говоря об этом с Берни, Лиз покраснела, хотя прекрасно понимала, что иного выхода у них попросту не было: что поделаешь, если в ее квартире всего одна спальня? Женщина должна были прийти в семь и согласилась сидеть до часа.

— Я прямо как Золушка, — сказала Лиз с улыбкой.

— Все нормально. Главное — ни о чем не беспокойся.

Берни дал женщине пятидесятидолларовую купюру, Лиз же тем временем пошла пожелать Джейн спокойной ночи.

— Ты уж сегодня как-нибудь приоденься.

— Пояс с резинками?

Она нервничала так, словно была невестой. Берни рассмеялся.

— Не только. Не забудь надеть сверху и платье. Мы зайдем в какой-нибудь ресторан. Ты не против?

Лиз изумленно покачала головой. Ей почему-то казалось, что они поедут прямо к нему. Она страшилась этого и поэтому предложение пойти в ресторан приняла с радостью.

Они поехали в «Звезду», где их ждал столик на двоих. Разговор подействовал на Лиз успокаивающе. Берни рассказывал ей о том, что происходит в магазине, о планах на осень, рекламе и показах мод. «Оперный» показ прошел с огромным успехом, на очереди были другие. Лиз не уставала поражаться тому, что Берни может быть таким серьезным бизнесменом. Он применял принципы здоровой экономики ко всем аспектам работы магазина, что вкупе с его сверхъестественным чутьем позволяло ему делать деньги из ничего — как любил говорить о нем Пол Берман. Теперь Берни нисколько не жалел о том, что согласился поехать в Сан-Франциско. Он планировал пробыть в Калифорнии еще год, что позволило бы им пожить какое-то время вдали от родственников. Потом он и Лиз должны были переехать в Нью-Йорк, к тому времени у них мог бы родиться ребенок... Следовало уже сейчас подумать о школе для Джейн... Впрочем, всего этого он пока не говорил вслух. Берни ограничился тем, что сообщил Лиз о своем намерении рано или поздно переехать в Нью-Йорк. В детали он вдаваться не стал, в любом случае сейчас думать об этом было несколько преждевременно.

— Ты наденешь настоящее свадебное платье?

Ему очень хотелось, чтобы так оно и было. Более того, во время одного из показов Берни уже присмотрел платье, которое должно было понравиться и Лиз.

— Ты действительно этого хочешь? — спросила Лиз, покраснев.

Он кивнул. Они сидели на банкетке друг возле друга, держась за руки. Берни было приятно касаться ее ноги. Лиз была одета в белое шелковое платье, подчеркивавшее ее загар. Обычно распущенные волосы были собраны в узел, ногти накрашены... Берни нежно поцеловал ее в шею.

— Да. Я действительно этого хочу. Просто... так будет правильно, я в этом уверен. В таких случаях себе следует доверять.

Она понимала, что он имеет в виду, однако мысль о столь скором замужестве несколько смущала ее, пусть она и не сомневалась в том, что они поступают правильно.

— Когда-нибудь ты со мной согласишься, — добавил Берни, нежно глядя ей в глаза.

— Знаешь, самое странное то, что и я в этом не сомневаюсь. Я думаю о другом — как это объяснить людям?

— В жизни именно так все и происходит, Лиз. Люди могут прожить вместе десять лет, но потом один из них встречает кого-то и уже через пару дней женится... Настоящее чувство угадывается сразу.

— Я знаю. Я думала о таких вещах... Но никогда не предполагала, что подобное может произойти со мной.

Они улыбнулись друг другу. На обед были поданы утка, салат и суфле. Отобедав, они отправились в бар и заказали шампанское. Им нечего было скрывать друг от друга — они делились мнениями, надеждами, мечтами... У Лиз еще никогда не было такого замечательного вечера. Когда она была с Берни, она забывала и о смерти родителей, и о кошмарных днях, проведенных ею с Чендлером Скоттом, и о бесконечных одиноких месяцах, последовавших за рождением Джейн, когда рядом с нею не было ни одного близкого ей человека. Все это в один миг потеряло значение. Вся ее прошлая жизнь теперь представлялась ей долгим приготовлением к встрече с этим замечательным человеком.

Берни заплатил за шампанское, и они, взяв друг друга под руку, стали подниматься наверх. Она уже хотела было направиться к выходу из отеля, но тут Берни повлек ее к лифту.

— Давай поднимемся наверх, — прошептал он ей на ухо, — только, чур, маме об этом ни слова.

Было уже десять, у них оставалось три часа.

Лифт понялся на последний этаж. Лиз молча последовала за Берни. Он открыл ключом одну из дверей и пропустил ее в номер. Таких номеров она не видела ни в кино, ни в жизни. Здесь царили два цвета — белый и золотой; стены были обшиты изысканнейшими шелками, старинные вещи поражали красотой и тонкостью работы. На столе, освещенном несколькими свечами, стояли блюда с сыром и фруктами, в серебряном ведерке охлаждалась бутылка шампанского.

Лиз, лишившись дара речи, могла только улыбаться. Берни и на сей раз продумал все до мельчайших деталей.

— Н-да, господин Файн... Вы просто чудо...

— Можешь считать, что это — наш медовый месяц. Все должно быть на месте.

Так оно и было. В соседней комнате тоже горели свечи. Берни снял этот номер днем, но прежде, чем привести Лиз, наведался сюда еще раз. Горничная сняла с постели покрывало и оставила на кровати прекрасный розовый пеньюар, отделанный перьями марабу, розовые атласные туфельки и розовую ночную рубашку. Лиз заметила их, стоило ей войти во вторую комнату. От неожиданности она вздрогнула. Эти вещи предназначались не для голливудской кинозвезды, но для нее — для Лиз О'Райли из Чикаго.

Она не удержалась и сказала об этом Берни. Он обнял ее и, улыбнувшись, сказал:

— Говоришь, маленькая Лиз О'Райли из Чикаго? Теперь ты будешь называться иначе — маленькая Лиз Файн из Сан-Франциско...

Он жадно поцеловал ее и, сбросив пеньюар на пол, нежно опустил на кровать. За пеньюаром, отделанным перьями марабу, последовали одежды — наконец-то они могли отдаться страсти, снедавшей их все эти три недели. Ни у нее, ни у него в жизни еще не было ничего подобного...

— Ты самая красивая женщина на свете, — прошептал Берни, играя ее золотистыми локонами.

— А ты, Берни Файн, — мужчина, каких свет еще не видел...

Да, такой ночи еще не было ни у него, ни у нее. Когда наконец они отправились в ванную, было уже куда больше часа.

— Так мы никогда до дома не доберемся, — сонно улыбнулась Лиз. Она хотела было позвонить сиделке и предупредить ее о том, что они задержатся, но Берни остановил Лиз, сказав, что он уже побеспокоился об этом.

— Ты что — заплатил ей? — спросила, покраснев, Лиз.

— Совершенно верно, — довольно ответил Берни.

Лиз поцеловала его.

— Берни Файн, ты бы знал, как я тебя люблю...

Он улыбнулся и с тоской подумал о том, что поженятся они только через пять месяцев. Эта мысль ввергла его в грусть, но она же напомнила ему о делах насущных.

— Куда это ты? — удивленно спросила Лиз, глядя на то, как покрытый мыльной пеной Берни направляется к двери.

— Я сейчас вернусь.

Лиз проводила его взглядом. У Берни были широкие плечи и длинные красивые ноги. На ее взгляд, он был сложен идеально. Лиз почувствовала, что ее вновь охватывает желание... Она легла в ванну и, закрыв глаза, стала дожидаться его возвращения. Он вернулся в ту же минуту и, не успев отдать ей того, что принес из комнаты, был уже рядом с нею, чувствуя, что не может противиться зову страсти... Шум, поднятый ими, казалось, вот-вот разбудит весь отель.

— Тише ты, — смеясь прошептала она ему через несколько минут. — Сейчас нас отсюда погонят.

— Ну уж и погонят...

Так хорошо Берни не чувствовал себя давно. Ему не хотелось, чтобы это когда-нибудь кончалось. Никогда у него не было такой женщины, как Лиз, никого он еще не любил так страстно.

— Кстати, я хотел кое-что подарить тебе, но тут ты на меня набросилась...

— Я на тебя набросилась?! Ха!

Она проследила за его взглядом и посмотрела в ту же сторону, ожидая увидеть там еще один пеньюар, или пояс, или... Возле ванны стояла коробка из-под обуви. Когда Лиз открыла ее, она увидела внутри сверкающие золотом туфли, усыпанные кристаллами горного хрусталя. Она засмеялась, не понимая, что все это значит.

— Это что — туфельки Золушки?

Туфли были достаточно аляповатыми и безвкусными. Берни, посмеиваясь, следил за реакцией Лиз. И тут Лиз заметила, что один из кристаллов лежит немного в сторонке...

— Боже! — воскликнула она, внезапно поняв, что сделал Берни. — Берни, ты сумасшедший! Этого не может быть!

Берни повесил обручальное кольцо с огромным изумрудом на одну из золотистых пряжек. Он молча снял кольцо с булавки и подал его Лиз. У нее затряслись руки, когда она надевала его на палец. В камне было больше восьми каратов, его красоте Берни поразился еще в магазине, когда покупал это кольцо.

— О, Берни...

Она прижалась к нему, и он вновь целовал ее и гладил по золотистым волосам. Смыв пену с нее и с себя, он бережно поднял Лиз и отнес ее на кровать... Они вновь занялись любовью, но теперь уже иначе — без прежних нетерпения и пыла, упиваясь друг другом, — казалось, они сошлись в неспешном танце...

Лиз вернулась домой в пять утра. Она выглядела такой бодрой и подтянутой, что можно было подумать, будто она пришла со школьного собрания. Она стала извиняться перед сиделкой за столь позднее возвращение, но та лишь махнула рукой — в любом случае она осталась бы ночевать здесь. Вскоре сиделка ушла, и Лиз осталась одна. Глядя на утреннюю дымку, она предалась сладостным размышлениям о человеке, за которого собиралась выйти замуж. Кто мог ожидать, что ей так повезет? У нее на руке поблескивал огромный изумруд, в глазах же стояли слезы. Лиз легла в кровать с мыслью о Берни... Она не хотела расставаться с ним ни на минуту.

Глава 8

После того как они вместе с Джейн съездили на Тахо, где каждый спал в своей особой спальне, что вызывало у Лиз горестные чувства, Берни настоял на том, что ей следует выбрать платье, которое она наденет на открытие оперного сезона. Открытие сезона было центральным событием в жизни Сан-Франциско, у них же, помимо прочего, билеты были куплены в ложу. Берни знал, что у Лиз нет платьев, приличествующих такому случаю, он хотел, чтобы она выбрала для себя что-то достойное.

— Все-таки магазин — штука хорошая. Не зря же я там вкалываю по семь дней в неделю.

Естественно, Берни ничего не мог взять бесплатно, но для него и таких, как он, существовала система скидок. Впервые за все время работы в магазине его порадовало это обстоятельство.

Она пошла в магазин и, примерив с дюжину платьев, остановила свой выбор на платье одного итальянского модельера, который чрезвычайно нравился Берни, — оно ниспадало роскошными складками вельвета цвета коньяка, украшенного золотыми бусинками и полудрагоценными камнями. Вначале оно показалось Лиз слишком вычурным — вроде тех заморских туфель, к которым Берни прикрепил ее обручальное кольцо, но стоило ей надеть его, как она тут же оценила его поразительную красоту. Чувствовалось, что модельер увлечен Ренессансом, об этом говорили и глубокое декольте, и свободные рукава, и длинная широкая юбка с небольшим шлейфом, который она могла легко подобрать. Она прошлась по примерочной модного салона, чувствуя себя едва ли не королевой; захихикала и гордо выпрямила спину. В тот же миг скрипнула дверь, и знакомый голос спросил:

— Нашла что-нибудь?

Берни пригляделся получше и остолбенел. Он уже видел это платье, когда оно прибыло из Италии, тогда его появление в салоне произвело настоящий фурор. Конечно, оно было очень дорогим, но с учетом скидок стоимость его становилась вполне приемлемой. Берни поразило другое — то, как оно шло Лиз.

— Вот это да! Надо бы тебя показать в этом платье модельеру!

Продавщица, работавшая в зале, улыбнулась. Нечасто увидишь такую красавицу, как Лиз, да еще и в таком платье... Берни чмокнул продавщицу в щечку, и та тут же удалилась, порекомендовав Лиз подобрать к платью туфли. Она прекрасно знала свое дело и была очень тактичным человеком.

— Тебе действительно нравится?

Лиз прошлась перед Берни. Глаза ее поблескивали подобно самоцветам, украшавшим платье, смех звенел серебряным колокольчиком. Сердце Берни едва не разрывалось от восторга, ему хотелось поскорее оказаться в опере...

— Не то слово. Оно сшито для тебя, Лиз. Может быть, тебе понравилось что-то еще?

Она засмеялась и тут же, мило покраснев, потупила глаза. Она боялась быть ему в тягость.

— Пожалуй, нет. Я до сих пор не знаю, сколько стоит это... Его я тоже не буду брать.

Она прекрасно понимала, что платье стоит немыслимых денег — скидка здесь уже не играла особого значения. Ей нравилось примерять платья — и только. В этом смысле Лиз ничем не отличалась от Джейн. Конечно, платье понравилось ей, но...

Берни смотрел на Лиз с улыбкой. Неожиданно ему вспомнилась Изабель Мартен. Как все-таки они были не похожи. Лиз не требовала ничего, той же всегда чего-то хотелось. Берни по-настоящему повезло.

— Миссис О'Райли, в данном случае вы покупателем не являетесь. Платье и, возможно, что-то еще — это подарки от вашего будущего супруга.

— Берни... Я...

Он не дал ей договорить, запечатлев на ее устах поцелуй, и, направившись к двери, добавил:

— Ты бы действительно подобрала себе туфли... Когда выберешь, поднимись ко мне в офис. Сходим пообедаем.

Берни улыбнулся и исчез за дверью. В тот же миг в зале появилась продавщица. Она принесла с собой целый ворох платьев, которые она хотела предложить вниманию Лиз, однако та отказалась даже смотреть их. Она быстро нашла нужные туфли — у них был примерно такой же цвет, как у платья, и украшены они были похожими камешками — с платьем туфли сочетались прекрасно. Крайне довольная собой, Лиз поднялась к Берни. Они выши из магазина и направились в «Трейдер Викс». Всю дорогу Лиз болтала без умолку — о том, как она выбирала себе туфли, о том, как ей понравилось платье, о том, как Берни ее избаловал. Они обедали не спеша, то и дело смеясь и подшучивая друг над другом. Часа в три Берни пришлось ее отпустить. Лиз должна была забрать Джейн у своей подруги. До начала учебного года оставалось всего несколько дней, пора было подумать и о работе. Но Лиз теперь могла думать только об опере. В пятницу она сделала себе прическу и маникюр и ближе к шести надела на себя волшебное платье, подаренное ей Берни. Осторожно застегнув все застежки, она посмотрела на свое отражение в зеркале. Аккуратно уложенные волосы были схвачены тончайшей золотистой сеточкой, купленной Лиз во время ее второго набега на «Вольф», из-под тяжелых складок вельветового платья выглядывали носы туфелек. Раздался звонок в дверь, и едва ли не тут же на пороге ее спальни появился разодетый в пух и прах Берни — белый галстук, фрак, накрахмаленная грудь идеально сидевшей на нем английской рубашки, алмазные запонки, доставшиеся ему в наследство от деда, — все это удивительно шло ему.

— Господи, Лиз... — пробормотал Берни и аккуратно поцеловал ее в щеку. — Ты выглядишь бесподобно.

Забытая всеми Джейн так и осталась стоять в дверях, она исподлобья смотрела на взрослых.

— Ты, надеюсь, готова?

Лиз утвердительно кивнула и в тот же миг заметила дочь. Особой радости в ее лице не чувствовалось. Конечно, девочке было приятно, что ее мама стала такой красивой, но то, что Берни стоит так близко к ней, Джейн явно не понравилось. Проблемы такого рода стали занимать Джейн со времени их поездки на озеро Тахо. Лиз понимала, что рано или поздно ей придется поведать дочери о своих планах, но она страшно боялась этого. Вдруг Джейн будет против их женитьбы? Лиз не сомневалась в том, что Берни нравится девочке, но этого было недостаточно. Более того, Джейн считала Берни своим другом, а не другом своей мамы.

— Спокойной ночи, моя хорошая.

Лиз наклонилась, чтобы поцеловать Джейн, но та, зло сверкнув глазами, отвернулась к стенке. Берни на сей раз она не сказала ни слова. Лиз было разволновалась, однако тут же решила взять себя в руки, чтобы не портить этот чудесный вечер.

Вначале они отправились обедать в Музей современного искусства — по этому поводу Берни нанял «Роллс-Ройс». Они тут же оказались в толпе женщин, блиставших нарядами и украшениями, по которой шныряли фоторепортеры. Лиз чувствовала себя здесь в своей тарелке, она гордо шествовала, опираясь на руку Берни, стараясь не обращать внимания на блеск вспышек... Она знала, что фотографировать могут и их — Берни был хорошо известен в Сан-Франциско как управляющий самого роскошного магазина в городе, его знали и многие дамы в дорогих нарядах. Музей украшался на средства местных авторитетов. Повсюду виднелись серебристые и золотистые воздушные шары и выкрашенные золотой краской деревца. Каждого посетителя ждали изящно упакованные подарки — одеколон для мужчин и флакончик изысканнейших духов для женщин. Глядя на упаковку, можно было смело сказать, что подарки были сделаны магазином «Вольф».

Пробравшись через толпу, они вошли в огромный зал, в котором стояли столики. Лиз с улыбкой посмотрела на Берни, и он взял ее под руку. В тот же момент их вновь сфотографировали.

— Тебе нравится?

Она кивнула. Никогда в жизни она не видела ни таких дорогих платьев, ни такого количества украшений — ими можно было загрузить не одну тачку. Чувствовалось, что все необычайно возбуждены. Все знали, что они являются участниками чего-то важного.

Берни и Лиз сели за один столик с парой из Техаса, с хранителем музея и его супругой, с постоянной посетительницей «Вольфа», пришедшей сюда в сопровождении своего пятого мужа, а также с мэром и его супругой. Публика собралась интересная, разговоры велись легко и непринужденно — говорили о лете, о детях, о путешествиях и о Пласидо Доминго. В этот вечер Доминго прилетел в Сан-Франциско специально для того, чтобы вместе с Ренатой Скотто участвовать в премьере новой постановки «Травиаты». Любители оперы были на седьмом небе от счастья, правда, таковых здесь было совсем немного. Опера в Сан-Франциско — явление скорее не музыкальное, но социальное — великосветская прихоть, не более. Берни слышал об этом с первого дня своего пребывания здесь, но подобные вещи его мало трогали. Достаточно было того, что ему здесь нравилось. К Доминго же и Скотто он относился лишь как к достаточно условной затравке. Опера его никогда не интересовала.

Однако стоило ему оказаться перед зданием Мемориального оперного центра, он понял всю торжественность момента. Фотографов здесь было еще больше — они снимали всех входящих в здание оперы. Собравшуюся на площади толпу сдерживали кордоны полиции. Люди пришли сюда для того, чтобы поглазеть на разодетую театральную публику. Можно было подумать, что ты присутствуешь на церемонии вручения призов академии, с той лишь разницей, что все смотрят на тебя, а не на Керка Дугласа или Грегори Пека. С этим чувством Берни вошел в двери, пропустив перед собой Лиз, и направился к той лестнице, которая вела к нужной ложе. Свои места они нашли неожиданно легко. Повсюду Берни видел знакомые женские лица — все эти дамы были клиентками «Вольфа». Можно было только радоваться тому, что его платья имели такой успех. И все же платье Лиз и сама Лиз выделялись и здесь. Берни едва сдержался, чтобы не поцеловать ее в щеку, и нежно взял за руку. Свет в зале погас. Весь первый акт они так и сидели, держа друг друга за руку. Доминго и Скотто превзошли все его ожидания, Берни даже не заметил, когда закончился первый акт. Они отправились в бар, где шампанское текло рекой и неустанно щелкали затворами своих аппаратов фотографы. С начала вечера Лиз сняли раз пятнадцать, но она, казалось, даже не замечала этого. Она держала себя скромно и сдержанно, чувствуя себя рядом с Берни в полной безопасности. Он же был полон решимости защищать ее от чего и от кого угодно.

Берни подал ей бокал с шампанским, и они, неспешно попивая его, стали разглядывать присутствующих. Лиз захихикала:

— Забавно, правда?

Он заулыбался. Действительно, ситуация была крайне забавной. Все присутствующие вели себя так серьезно, что можно было подумать, будто именно здесь и именно сейчас решается их судьба.

— Приятно, когда вдруг можешь оказаться совсем в другой реальности, не так ли, Лиз?

Она улыбнулась и согласно кивнула головой. Завтра утром она отправится на Сэйф-Вэй закупить на неделю продукты для себя и Джейн. А в понедельник будет стоять возле доски и учить детей правилам сложения.

— Все кажется таким нереальным...

— Чудо оперы, должно быть, состоит и в этом.

Ему нравилось, что в Сан-Франциско относятся к этому событию с таким вниманием, еще больше ему нравилось быть участником этого замечательного действа, тем более что рядом с ним была Лиз. Свет мигнул, и откуда-то издали послышался звонок.

— Нам пора возвращаться.

Они поставили свои бокалы на столик и направились к выходу из бара. Примеру их, однако, не последовал ни один из присутствующих — все как ни в чем не бывало продолжали пить шампанское, болтать и смеяться. Такова уж была здешняя традиция. Бар и всевозможные интриги значили куда больше музыки.

Во время второго акта ложи были наполовину пусты. Начался второй антракт. Берни и Лиз вернулись в переполненный бар. Лиз, подавив зевок, смущенно взглянула на Берни.

— Устала, милая?

— Немножко... Такой длинный вечер.

Оба знали, что это еще не все. После окончания спектакля они должны были отправиться в «Трейдер Викс», в зал, называвшийся «Капитанской каютой». После этого их ждал бал в Сити-Холле. Берни предполагал, что они не смогут вернуться домой раньше трех или четырех часов утра, но понимал, что события, подобные этому, случаются в Сан-Франциско только раз в году.

Спектакль окончился, и они отправились вниз, к ожидавшей их все это время машине. Они устроились на сиденье поуютнее, и автомобиль повез их в «Трейдер Викс». В этот вечер необычная атмосфера царила и там. Они пили шампанское и ели икру, суп бонго-бонго и блинчики с грибами. Лиз долго смеялась, когда обнаружила в своем печеньице записку с такими словами: «Он будет любить тебя так же, как ты любишь его».

— Мне это нравится, — сказала Лиз, просияв.

Вечер действительно был необычным. Вскоре в ресторан приехали Доминго, Скотто и их свита. Они сидели за длинным столом, стоявшим в углу, и вели себя крайне шумно. То и дело у знаменитостей просили автографы, и тем это явно нравилось.

— Спасибо тебе за этот прекрасный вечер, любимый, — прошептала Лиз.

— Это еще не все.

Он погладил ее по руке и налил в ее бокал шампанского, хотя она и пыталась робко протестовать.

— Смотри, как бы тебе не пришлось выносить меня отсюда.

— На что, на что, а на это у меня сил хватит, — сказал Берни, глядя ей в глаза.

«Трейдер Викс» они покинули около часа и тут же поспешили на бал. Здесь все было совсем иначе. Публика, которую они видели в музее, театре, баре, ресторане, пришла сюда для того, чтобы снять напряжение вечера и откровенно расслабиться. Здесь себя вели иначе даже журналисты, к этому времени они успели отснять все, что их интересовало. Тем не менее, когда Берни и Лиз закружились в вальсе, вновь защелкали фотоаппараты.

Именно эта фотография и появилась на следующее утро в городских газетах: огромная фотография Лиз и Берни, танцующих вальс в Сити-Холле. Можно было рассмотреть не только платье — видно было и то, как Лиз смотрит на Берни.

— Он тебе действительно так нравится — да, мам? — спросила Джейн во время завтрака, когда Лиз, превозмогая дикую головную боль, пыталась читать свежую газету. Домой она вернулась в половине пятого, однако уснуть так и не смогла. За этот вечер они с Берни выпили четыре или пять бутылок шампанского — от одной мысли о нем Лиз начинало подташнивать. И все же это была самая замечательная ночь в ее жизни.

— Он очень хороший человек. Помимо прочего, он
и к тебе очень хорошо относится. — Ничего более умного в голову ей сейчас прийти не могло.

— Я тоже к нему хорошо отношусь.

Джейн сказала это без прежнего энтузиазма. За лето
в ее отношении к Берни многое изменилось. Она чувствовала, что происходит что-то по-настоящему серьезное.

— Почему ты так часто с ним видишься?

Лиз оторвала глаза от чашки с кофе и в упор посмотрела на дочь.

— Он мне нравится. — И тут же она решила сказать
Джейн все: — Если сказать честно, то я люблю его.

Джейн замерла. Она не до конца понимала значение
этих слов, однако что-то в них ей явно не нравилось.

— Я его... люблю, — повторила Лиз упавшим голосом.

— Ну и что? Что из этого?

Джейн хотела было выйти из-за стола, но Лиз остановила ее взглядом.

— Скажи, что тебе не нравится?

— Разве я так сказала?

— Это понятно и без слов. А ты знаешь, что он тебя
любит?

— Да? Откуда ты это знаешь? — В глазах Джейн заблестели слезы.

— Он мне сам об этом сказал.

Лиз подошла к дочке. Как много ей нужно было
рассказать Джейн... И чем раньше она это сделает, тем
будет лучше. Лиз села на диван и посадила Джейн себе
на колени.

— Он хочет на нас жениться.

Джейн прижалась к ней и горько зарыдала. Лиз почувствовала, что еще немного — и она тоже заплачет.

— Хорошая моя, я ведь тоже его люблю...

— Но зачем? Зачем нам выходить за него замуж?
Разве нам плохо было вдвоем?

— Нет, конечно... Но разве тебе никогда не хотелось, чтобы у нас был папа?

Джейн на миг замолкла, но тут же вновь зашлась
слезами.

— Иногда хотелось. Но нам и так хорошо.

Джейн все еще не могла забыть о «своем папе», который был актером, но умер еще до того, как она родилась.

— А мне кажется, что с папой будет лучше.

Джейн презрительно фыркнула:

— Ты будешь спать с ним в одной кровати, и я не смогу приходить к тебе ни в субботу, ни в воскресенье утром.

— Почему это? — Лиз прекрасно понимала, что многое в их жизни изменится, и Джейн придется изменить многие свои привычки. — Ты лучше подумай, сколько появится хорошего... Мы будем ходить на море, кататься на машине, плавать на яхте... Подумай, какой хороший он человек!

Джейн кивнула. С этим она не спорила.

— Сказать честно, он мне тоже нравится... Даже с бородой... — Джейн улыбнулась матери сквозь слезы и наконец решилась спросить ее о том, что волновало ее больше всего: — А если ты будешь с ним, ты меня станешь любить?

— Я буду любить тебя всегда. — По щекам Лиз побежали слезы. — Всегда, всегда, всегда.

Глава 9

Джейн и Лиз стали покупать все подряд журналы для новобрачных. К тому времени, когда они отправились в «Вольф» за свадебными нарядами, Джейн уже нисколько не расстраивалась. В детском отделе они провели не меньше часа. Джейн остановила свой выбор на платье из белого вельвета, отороченном розовым атласом, с крошечной розочкой на воротнике. Лиз тоже смогла подобрать себе платье. Когда с покупками было покончено, Берни повез их обедать в «Святой Франциск».

Берман, все это время находившийся в Нью-Йорке, узнал о готовящейся свадьбе уже через неделю. В торговых кругах новости распространяются быстро, тем более что Берни был здесь не последним человеком. Берман, позвонив в Сан-Франциско, даже не пытался скрыть своего изумления:

— Я и не знал, что ты от меня можешь что-то утаивать... Это правда?

Берман говорил шутливым тоном. Берни не оставалось ничего иного, как ответить ему смущенно:

— Не совсем.

— А я вот слышал, что Купидон совершил налет на Западное побережье. Это слухи или это правда?

Берман был рад тому, что у его старинного знакомого все складывается так удачно. Он не знал, кем была его избранница, но ни минуты не сомневался в том, что Берни и здесь сделал правильный выбор.

— Это правда. Я собирался и сам рассказать тебе об этом, Пол.

— Ну что ж, тогда валяй. Кто она? Я знаю только то, что свадебное платье она покупала на четвертом этаже.

Он захохотал. Они жили в крохотном мире, исполненном слухов и сплетен.

— Ее зовут Лиз. Она — учитель второго класса. Родилась в Чикаго и на Северо-Запад отправилась уже в зрелом возрасте. Ей двадцать семь, и у нее есть чудесная пятилетняя дочка по имени Джейн. Мы собираемся пожениться сразу после Рождества.

— Вот и хорошо. А какая у нее фамилия?

— О'Райли.

Пол вновь зашелся смехом. Он был достаточно хорошо знаком с госпожой Файн.

— А как к этому отнеслась твоя мать?

Берни улыбнулся:

— Я еще не говорил ей об этом.

— Ты уж нас извести о том, когда ты это сделаешь. Иначе мы погибнем от звукового удара. Впрочем, может быть, твоя мать стала теперь помягче?

— Я бы этого не сказал.

Берман вновь улыбнулся:

— В любом случае желаю тебе всего самого лучшего.

Надеюсь, в следующем месяце ты заедешь сюда вместе с Лиз?

Берни действительно собирался лететь в Нью-Йорк, а оттуда — в Европу. Лиз должна была остаться дома — у нее работа, ей нужно ухаживать за Джейн и, помимо прочего, подыскивать новую квартиру. Они собирались в скором времени переехать в Нью-Йорк, и поэтому покупать жилье не имело смысла.

— У нее слишком много дел. Вы увидитесь только на нашей свадьбе.

Приглашения уже были заказаны. Берни и Лиз решили, что их свадьба должна быть скромной: пятьдесят-шестьдесят человек гостей, не больше. Устроят обычный обед в каком-нибудь ресторане, а потом они с Лиз отправятся на Гавайи. Трейси, подруга Лиз по школе, уже пообещала остаться на это время с Джейн.

— Когда, говоришь, у вас свадьба?.. Я постараюсь быть. Да, я полагаю, теперь ты не так рвешься в Нью-Йорк?

Внутри у Берни все похолодело.

— Это еще как сказать... Когда я попаду в Нью-Йорк, я попытаюсь подыскать школу для Джейн. Лиз собиралась заняться тем же весной. — На том конце линии стояло гробовое молчание. Берни нахмурился. — Мы хотим оказаться там не позже сентября.

— Все понятно... Увидимся в Нью-Йорке через несколько недель. Мои поздравления.

Берни какое-то время сидел, уставившись в потолок. Вечером он поведал об этом разговоре Лиз. Он был крайне взволнован.

— Я не я буду, если они заставят меня торчать здесь три года, как это было в Чикаго!

— Попробуй поговорить с ним в Нью-Йорке.

— Конечно же, поговорю.

Разговор этот действительно состоялся, но Пол Берман так и не стал называть конкретных сроков.

— Ты провел там всего несколько месяцев, Берни. Ты должен поднять этот филиал на ноги. Именно из этого мы и должны исходить.

— Магазин работает как часы. А провел я там уже восемь месяцев.

— Магазин работает только пять месяцев. Должен пройти хотя бы еще один год. Неужели ты не понимаешь, как ты нам на этом месте нужен! Тон, который ты сможешь задать, определит работу магазина на многие годы. С работой такого рода можешь справиться только ты.

— Год — это слишком много.

Для Берни так оно и было. Теперь он не мог позволить себе такую роскошь — разбрасываться годами своей жизни.

— Вернемся к этой теме через шесть месяцев.

На этом разговор с Полом и закончился. В этот вечер Берни покинул магазин далеко не в лучшем настроении. Его ждала встреча с родителями. Встретиться они должны были в «Береге басков» — Берни объяснил матери, что в Скарсдейл заехать он просто не успеет. Мать очень хотела увидеть его. Памятуя об этом, Берни купил для нее весьма изящную сумочку от Гуччи — кожа ящерицы цвета беж и замечательная застежка с тигровым глазом. Сумочка была настоящим произведением искусства, и Берни очень надеялся на то, что она понравится его матери. И все же он шел в ресторан с тяжелым сердцем. Стоял один из тех прекрасных октябрьских вечеров, которые случаются в Нью-Йорке пару раз в году. В Сан-Франциско такая погода стоит постоянно и поэтому не кажется такой уж замечательной. Здесь же, в Нью-Йорке, все обстоит иначе.

Город жил своей обычной жизнью — мимо проносились такси, элегантно одетые дамы спешили в рестораны, солидные лимузины везли не менее солидных седоков в театры и на концерты... Берни с тоской подумал о том, что лишен всего этого в течение вот уже восьми месяцев, и лишний раз пожалел о том, что рядом с ним нет Лиз. Он решил, что теперь будет приезжать сюда только вместе с ней. Весеннюю поездку в Нью-Йорк можно будет совершить во время пасхальных каникул.

Он решительно вошел в двери «Берега басков» и

только тогда перевел дух — это был особый ресторан, он любил его больше всех прочих. Удивительная роспись на стенах, мягкий приглушенный свет, женщины в черных платьях, украшенных бриллиантами и жемчугами, мужчины в подчеркнуто строгих серых костюмах, от которых так и веет богатством и властью...

Берни перебросился парой фраз с метрдотелем. Его родители были уже здесь — они сидели за столиком на четыре персоны, стоявшим в заднем ряду. Когда Берни подошел к столику, мать простерла к нему руки с таким видом, будто она тонет — лицо ее при этом мгновенно приняло трагическое выражение.

К такого рода приветствиям Берни уже успел привыкнуть, хотя они, как и прежде, чрезвычайно раздражали его.

— Привет, мамуля.

— Это все, что ты можешь сказать своей матери после восьмимесячного отсутствия?

Она согнала супруга с банкетки и села на его место сама — чтобы быть поближе к сыну. Берни казалось, что весь ресторан смотрит только на них.

— Мы находимся в ресторане, мама. Здесь не место устраивать сцены.

— Это ты называешь «устраивать сцены»?! Ты не видел мать целых восемь месяцев, однако счел возможным толком не здороваться с ней, а потом еще и сказал, что она, мол, устраивает тебе сцены?!

Берни хотелось спрятаться под стол. Мать говорила так громко, что ее слышал весь ресторан.

— Мы виделись в июне, — сказал Берни подчеркнуто тихим голосом. Он понимал, что с мамой лучше не спорить.

— Это было в Сан-Франциско.

— Какая разница?

— Ты постоянно был занят, мы практически не виделись.

Родители приезжали в Сан-Франциско на открытие магазина, и Берни, при всей своей занятости, смог уделить им немало времени — мать это прекрасно помнила.

— Ты выглядишь потрясающе, — сказал Берни, чувствуя, что настало время сменить тему разговора. Отец заказал «Роб-Рой» для матери и виски со льдом для себя. Берни остановил выбор на кире.

— Это еще что такое? — тут же насторожилась мать.

— Я дам тебе попробовать. Это очень легкий напиток. Ты действительно замечательно выглядишь, мама.

Почему-то всегда выходило так, что Берни приходилось разговаривать исключительно с матерью и никогда с отцом, и это его немало огорчало. Можно было подумать, что папашу вообще ничего не интересует, странно было только то, что он не прихватил с собой в «Берег басков» толстые медицинские журналы.

Официант принес напитки. Берни сделал небольшой глоток кира и предложил попробовать его своей матери. Он никак не мог решить, когда лучше завести речь о Лиз — до обеда или после. Если он отложит разговор, мать станет обвинять его в том, что он целый вечер лицемерил. Если же он заговорит об этом сейчас, мать поднимет скандал и испортит вечер и себе, и всем остальным. Первое было безопаснее, второе — честнее. Берни сделал большой глоток кира и решил быть честным.

— У меня есть для тебя хорошая новость, мама.

Голос его предательски задрожал, и мать тут же вперилась в него орлиным взором, почувствовав, что речь действительно идет о чем-то серьезном.

— Ты возвращаешься в Нью-Йорк?

Слова эти больно ранили его.

— Пока нет. Когда-нибудь — да. Я говорю о вещах более серьезных.

— Тебя повысили в должности?

Он устало вздохнул. С загадками пора было кончать.

— Я женюсь.

Все разом замерло. Мать, не мигая, смотрела на него. Дар речи вернулся к ней минут через пять. Отец же вообще никак не отреагировал на его слова.

— Может, объяснишь поподробнее?

Берни чувствовал себя так, словно только что признался в совершении немыслимых злодеяний. Странное это чувство разозлило его.

— Она замечательная женщина, мама! Ты ее сразу полюбишь. Ей двадцать семь, и она потрясающе красива. Она — учитель второго класса. — Последней фразой Берни отмел возможные вопросы матери о том, кем работает его избранница — танцовщицей в дискотеке, официанткой или исполнительницей стриптиза. — Да, кстати. У нее есть маленькая дочка по имени Джейн.

— Она разведенная...

— Да. Джейн уже пять лет.

Мать смотрела на него во все глаза, пытаясь понять, что же могло произойти с ее сыном.

— И как давно ты ее знаешь?

— С тех самых пор, как я приехал в Сан-Франциско, — солгал Берни и положил на стол фотографии Лиз и Джейн, сделанные на Стинсон-Бич. Мать тут же передала снимки отцу, который стал восхищаться красотой матери и дочки. Руфь Файн, однако, чувствовала, что здесь что-то не так.

— Почему же ты не познакомил ее с нами в июне?

Мать мастерски владела интонациями: можно было подумать, что у Лиз волчья пасть, или она хромоножка, или она все еще живет с мужем.

— Тогда я ее еще не знал.

— Выходит, вы знакомы всего несколько недель, а ты уже собираешься на ней жениться? — Мать выдержала эффектную паузу и тут же спросила о том, что волновало ее больше всего: — Скажи, она еврейка?

— Нет, не еврейка... — Берни показалось, что еще немного, и его мать упадет в обморок; он едва заметно улыбнулся. — Мама, только не делай такое лицо. Ты ведь знаешь, на белом свете живут не одни только евреи.

— И все же их достаточно, чтобы подыскать себе среди них пару. Скажи, кто она?

Мать это не интересовало, просто она хотела сполна отдаться своему горю... Берни решил сказать ей обо всем до конца.

— Она — католичка. Ее фамилия О'Райли.

— Бог ты мой...

Она прикрыла глаза и разом как-то обмякла. Берни решил, что она-таки упала в обморок. Он испуганно повернулся к отцу, но тот еле уловимым жестом руки дал ему понять, что ничего страшного не происходит. Мать тут же открыла глаза и, обращаясь уже к супругу, сказала:

— Ты слышал, что он говорит? Ты понимаешь, что он делает? Он же меня в гроб вогнать хочет! Ему совершенно наплевать на меня!

Она картинно зарыдала и, достав из сумочки платок, принялась вытирать слезы. В тот же миг к их столику подскочил официант, вежливо осведомившийся, будут они обедать или нет.

— Думаю, будем, — подчеркнуто спокойным голосом ответил Берни, чувствуя на себе испепеляющий взгляд матери.

— Как ты можешь сейчас... есть... У матери вот-вот случится сердечный припадок...

— Может быть, все-таки поешь немного супа? — поинтересовался отец.

— Он мне в горло не полезет.

Берни готов был придушить мать.

— Мама, она замечательная женщина. Ты ее полюбишь.

— Ты решил это твердо? — Берни кивнул. — И когда же у вас свадьба?

— Двадцать девятого декабря.

Он сознательно не стал говорить ни слова о Рождестве, но мать, несмотря на это, вновь заплакала.

— Все уже решено, все устроено... Даже дата известна, а я об этом ничего не знаю. И когда только вы все успели? Наверное, ты и в Калифорнию из-за нее поехал...

Мать могла продолжать до бесконечности.

— Я встретил ее уже там.

— Но как? Кто вас мог познакомить? Кто меня так обидел?

К этому времени на столе уже появился суп.

— Я встретился с ней в магазине.

— Да? Может быть, на эскалаторе?

— Ради бога, мама, перестань! — Он ударил кулаком по столу, отчего мать даже подскочила. — Я женюсь. Точка. Мне тридцать пять. Я женюсь на прекрасной женщине. Честно говоря, меня нисколько не интересует, кто она, пусть даже она будет буддисткой. Она прекрасная женщина, хороший человек и любящая мать — мне кажется, этого вполне достаточно!

Он жадно набросился на суп, стараясь не обращать внимания на мать.

— Она в положении?

— Нет.

— Тогда почему вы так спешите со свадьбой? Лучше в таких делах не торопиться.

— Я ждал целых тридцать пять лет. Этого более чем достаточно.

Она вздохнула и мрачно посмотрела на него.

— Ты встречался с ее родителями?

— Нет. Они погибли.

Руфь на мгновение растерялась, но тут же снова взяла себя в руки. Установилось долгое тягостное молчание. Подали кофе. Берни внезапно вспомнил о приготовленном для матери подарке. Он протянул ей коробку, но она отрицательно замотала головой.

— Это не тот вечер, который мне хотелось бы запомнить.

— В любом случае не отказывайся. То, что там лежит, тебе понравится.

Берни почувствовал, что еще немного, и он швырнет коробку матери в лицо. Мать, заметив смену его настроения, едва ли не брезгливо приняла коробку и поставила ее рядом с собой.

— Не понимаю, как ты мог такое сделать...

— Ничего лучше этого я уже не придумаю, мама.

Он вздохнул и покачал головой. Будь его мать другим человеком, она бы сейчас радовалась. Он вновь сел на банкетку и сделал глоток кофе.

— Насколько я понимаю, на свадьбе вас не будет.

Мать снова заплакала, пользуясь салфеткой как носовым платком, и, посмотрев на своего супруга, простонала:

— Он не хочет, чтобы мы присутствовали на его свадьбе!

Она зарыдала так, что Берни от стыда готов был провалиться на месте.

— Мама, я этого не говорил. Просто я решил...

— Не надо решать за других! — Мать мгновенно очнулась, но уже в следующую минуту вновь запричитала, обращаясь к мужу: — Как все это могло произойти? Даже в голове не укладывается...

Лу погладил ее по руке и выразительно посмотрел на сына.

— Ей сейчас тяжело, но со временем она к этой мысли привыкнет.

— Ну а ты как относишься к этому, папа? — Берни посмотрел в глаза отцу. Ему хотелось получить благословение хотя бы от него. — Она — замечательная женщина.

— Надеюсь, ты будешь с ней счастлив. — Отец улыбнулся и вновь погладил Руфь по руке. — А маму нашу я сейчас отвезу домой. У нее сегодня был непростой вечер.

Мать, взглянув на супруга и сына, стала раскрывать коробку с подарком.

— Очень мило, — сказала она, вытащив из коробки сумочку, но тут же, решив, что своим подарком сын пытается компенсировать нанесенный ей моральный ущерб, добавила сухо:

— Одно жаль. Бежевый цвет я не люблю.

Берни вздохнул, но решил ничего не говорить в ответ на это заявление матери. Он прекрасно понимал, что в следующий раз увидит ее именно с этой сумочкой.

— Мне очень жаль. А я-то думал, она тебе понравится.

Мать презрительно фыркнула. Берни расплатился, и они поспешили выйти из ресторана. Мать взяла его под руку.

— Когда ты вернешься в Нью-Йорк?

— Не раньше весны. Завтра я улетаю в Европу, а из Парижа полечу сразу в Сан-Франциско.

Он говорил с ней холодно, памятуя о том, как она отреагировала на его признание.

— И ты нисколечко не задержишься в Нью-Йорке? — спросила мать еле слышно.

— У меня нет времени. Я должен вернуться в магазин — там должно состояться важное собрание. Увидимся на свадьбе, если, конечно, вы на нее приедете.

Мать приостановилась в дверях.

— Хорошо будет, если ты приедешь на День благодарения. Такой возможности у нас больше не будет.

Она прошла через вращающиеся двери и приостановилась, дожидаясь Берни.

— Я ведь не в тюрьму собираюсь, мама. Я собираюсь жениться, и только. Надеюсь, в будущем году мы переедем в Нью-Йорк, и тогда все праздники мы будем встречать вместе.

— Ты и эта девица? Как, говоришь, ее зовут?

Мать вопросительно посмотрела на него, сделав вид, что от горя забыла все на свете. Берни, однако, нисколько не сомневался в том, что мать помнит все до малейших деталей — даже то, как «эта девица» выглядит.

— Ее зовут Лиз.

Он поцеловал мать и остановил такси, явно не желая затягивать прощание. Родители должны были ехать за своей машиной, которую они оставили возле отцовского офиса.

— Так ты не приедешь на Благодарение?

Мать стала открывать дверцу с явным намерением выйти из машины, но Берни едва ли не силой вернул ее обратно.

— Я не смогу. Когда вернусь из Парижа — позвоню.

— Я хочу поговорить с тобой о свадьбе.

Мать высунулась в окошко. Водитель, которому все это начинало надоедать, сердито заворчал.

— О чем тут говорить. Свадьба состоится двадцать девятого декабря в синагоге Эмануил. После этого все поедут в небольшой отель в Саусалито. Ей там очень нравится.

Мать хотела было сказать что-то особенно неприятное, но отец, мгновенно отреагировав на это, громко назвал водителю адрес своего офиса.

— Мне нечего надеть, — пискнула мать.

— Приходи в наш магазин, мы что-нибудь для тебя подберем.

И тут вдруг до матери дошел смысл услышанного. Они собирались жениться в синагоге.

— Она согласна пойти в синагогу?

Мать была страшно удивлена. По ее мнению, католики должны были вести себя совершенно иначе. Впрочем, эта девица была разведена, возможно, одновременно с этим ее отлучили и от церкви... Кто их, католиков, знает...

— Да. Она хочет, чтобы все происходило в синагоге. Ты полюбишь ее, мам, вот увидишь.

Он коснулся ее руки, и она улыбнулась ему сквозь слезы.

— Мазел тов! Удачи!

С этими словами мать закрыла окошко, и машина, загрохотав по рытвинам, стала быстро набирать скорость. Берни вздохнул с облегчением. Он-таки сделал это.

Глава 10

День благодарения они отмечали в квартире Лиз вместе с Джейн и ближайшей подругой Лиз Трейси. Последней было немного за сорок, она была на удивление приятной женщиной. Дети ее выросли и уехали кто куда. Сын учился в Йельском университете, дочь вышла замуж и теперь жила в Филадельфии. Муж Трейси давно умер — со времени его смерти прошло уже четырнадцать лет. Сама она принадлежала к тем сильным, энергичным натурам, которые умудряются сохранять живость и оптимизм, несмотря на то, что жизнь часто и больно бьет их. Она выращивала цветы, любила готовить, держала в доме кошек и огромного лабрадора. Жила в крошечной квартирке в Саусалито. Она подружилась с Лиз, как только та появилась в школе, и не единожды помогала ей и Джейн в те тяжелые первые годы, когда Джейн была совсем малышкой, а у ее матери не было ни гроша. Иногда она даже отпускала Лиз в кино. Никто не был так рад за Лиз, как Трейси. Она согласилась стать ее подругой на свадьбе, что вполне устраивало и Берни, которому Трейси чрезвычайно нравилась. Высокая и сухощавая, она была родом из штата Вашингтон и никогда не бывала в Нью-Йорке. Трейси носила туфли фирмы «Биркенсток». Приземленная, но добрая, она с трудом понимала Берни, который казался ей слишком сложной натурой, однако считала при этом, что он идеально подходит для Лиз. Берни представлялся ей едва ли не идеальным супругом, примерно таким же, каким в свое время был ее покойный муж. Идеальные пары — вещь редкая. Трейси никогда не встречала людей, похожих на ее мужа, и достаточно быстро поняла, что искать их бессмысленно. Она свыклась со своей нехитрой жизнью в Саусалито — ей хватало учеников и друзей, ничего иного она и не требовала. Трейси потихоньку копила деньги, мечтая как-нибудь съездить к внуку в Филадельфию.

— Может быть, мы поможем ей, Лиз? — спросил однажды Берни. Ему было очень неудобно видеть, как Трейси собирает буквально по грошу, чтобы поехать в Филадельфию, в то время как он разъезжает в дорогущем автомобиле, покупает дорогую одежду, дарит Лиз кольцо с камнем в восемь каратов, а Джейн — куклу стоимостью четыреста долларов. — А то это как-то несправедливо.

— Вряд ли она согласится...

Ей самой теперь ни о чем не приходилось тревожиться, хотя она и дала себе обещание — не обращаться к Берни ни с какими просьбами, пока они не поженятся. Берни буквально завалил ее самыми фантастическими подарками.

— Давай дадим ей деньги в долг. С этим-то она должна согласиться, верно?

В конце концов он решил покончить с этой проблемой и заговорил на эту тему с самой Трейси. Произошло это в День благодарения — после того, как стол уже был убран, а Лиз отправилась укладывать Джейн. Он и Трейси сидели у камина.

— Не знаю даже, как спросить тебя об этом, Трейси...

Берни знал, что Трейси чрезвычайно горда, и поэтому несколько побаивался этого разговора. Но не поговорить с ней он был просто не вправе.

— Если ты хочешь переспать со мной, то я согласна.

Трейси обладала бесподобным чувством юмора. Выглядела она, несмотря на свой возраст, очень молодо. Чистая свежая кожа, яркие голубые глаза, полные жизни, делали ее похожей на англичанку. Вот только под ногтями у нее постоянно была грязь — Берни заметил это еще при первой их встрече, поскольку Трейси постоянно копалась в огороде. Она часто приносила им розы, капусту, морковь и помидоры.

— Честно говоря, я хотел поговорить на другую тему...

Он набрал в легкие побольше воздуха и разом объяснил ей все. Когда он закончил говорить, Трейси стояла возле него, обливаясь слезами и сжимая в похолодевших руках его руку.

— Знаешь, если бы речь шла о чем-то другом... платье, машине или доме, я бы тебя прибила на месте... Но мне так хочется увидеть малышку... Я приму твое предложение и займу у тебя эти деньги.

Трейси соглашалась взять деньги только на билет без места. В конце концов, Берни это надоело, и он купил ей билет бизнес-класса до Филадельфии и обратно. Она должна была полететь туда за неделю до Рождества и обещала вернуться к двадцать седьмому числу.

Рождество вышло шумным и суматошным. Он привел Джейн в магазин, чтобы она посмотрела на Санта-Клауса. Потом они отпраздновали и Хануку. Но главные их заботы были связаны с переездом в новый дом. Берни переехал туда двадцать третьего, Лиз — двадцать седьмого. В тот же вечер они отправились в аэропорт встречать Трейси. По очереди обняв всех троих, Трейси прослезилась.

— Вы даже себе не представляете, какое это чудо! У нее уже два зуба, и это в пять-то месяцев!

Всю дорогу к их новому дому они подшучивали над Трейси, но та и не думала обижаться, ей не терпелось увидеть их викторианский особнячок, стоявший на Бьюкенене прямо напротив парка, в котором Лиз и Джейн могли гулять после уроков. Это было именно то, что им нужно. Особняк они сняли на год, хотя Берни и надеялся на то, что им удастся уехать из Сан-Франциско значительно раньше.

— Берни, когда прилетят твои родители?

— Завтра вечером. — Он вздохнул. — Все равно, что ждать в гости Аттилу.

Трейси рассмеялась. Она была по гроб жизни благодарна ему за эту поездку. Брать же деньги назад Берни наотрез отказался.

— Можно, я буду называть эту тетю бабушкой? — зевнув, поинтересовалась Джейн, когда они расположились в гостиной. Жить всем под одной крышей оказалось не так-то и плохо — по крайней мере, не приходилось разрываться между тремя местами разом.

— Конечно, конечно. Смело зови ее бабушкой, — улыбнувшись, ответил Берни, прекрасно понимавший, что его матери подобное обращение вряд ли понравится. Через какое-то время Трейси выгнала из их гаража свою машину и отправилась домой в Саусалито. Лиз уложила Джейн и поспешила в спальню, где ее уже ждал Берни. Не успела она юркнуть под одеяло и обнять Берни, как рядом с кроватью раздался детский голосок. Это была Джейн. Похлопав Берни по плечу, она сказала:

— Я боюсь.

— Чего?

— У меня под кроватью прячется какое-то чудище!

— Ну что ты. Этого не может быть. Я весь дом осмотрел, прежде чем мы сюда переехали. Честное слово.

Он попытался придать голосу веселость и живость, хотя чувствовал себя крайне смущенным.

— Значит, оно пришло туда потом! Его грузчики притащили — вот!

Лиз, только теперь появившаяся из-под одеяла, сказала строгим голосом:

— Джейн О'Райли, сию же минуту отправляйтесь в свою кровать!

Девочка вдруг зарыдала и прижалась к Берни.

— Мне страшно!

— Давай я поднимусь наверх с тобой, и мы вместе поищем это твое чудище.

Берни было откровенно жаль девочку.

— Только ты иди первым. — Девочка перевела взгляд на мать, но тут же вновь посмотрела на Берни. — Почему ты спишь в маминой кровати до свадьбы? Разве так бывает?

— Понимаешь... Конечно же, обычно так не бывает. Но... иногда... Понимаешь...

Лиз расхохоталась, Джейн же, не обращая на нее никакого внимания, продолжала рассматривать Берни.

— Так мы идем пугать чудище или нет?

Берни вздохнул и встал с кровати. Хорошо еще, что на сей раз он лег спать в своей старой пижаме. В тот же миг Джейн перевела взгляд на мать и спросила:

— Можно поспать у тебя?

Лиз застонала. Откажи она сейчас дочери, и та будет дуться на нее добрых три недели.

— Я отведу ее наверх, — сказала Лиз, собираясь подняться, но Берни остановил ее взглядом.

— Только один разик, — стала канючить Джейн. — Дом ведь новый...

Она посмотрела в глаза Берни и вложила свою крохотную ладошку ему в руку. Кровать, на которой они спали, была огромной, места на ней хватило бы всем.

— Я сдаюсь, — со вздохом сказала Лиз.

В тот же миг Джейн, словно обезьянка, взобралась на кровать и легла между Лиз и Берни.

— Как здорово... — пробормотала она, с улыбкой глядя на своего защитника. Берни не оставалось ничего другого, как рассказывать ей до бесконечности смешные истории о собственном детстве. Лиз давно заснула, а они все говорили и говорили...

Глава 11

Из-за плохой погоды в Нью-Йорке самолет опоздал на двадцать минут. Берни приехал в аэропорт один — Лиз должна была встретиться с его родителями уже в «Хантингтоне». Они собирались отправиться в «Звезду», где прошла их первая ночь и где Берни подарил Лиз обручальное кольцо. Обед Берни заказал заблаговременно. Из Сан-Франциско его родители собирались отправиться в Мексику, его же и Лиз ждала поездка на Гавайи. Провести вечер в узком кругу они могли только сегодня. Мать хотела было прилететь на неделю раньше, но Берни, поглощенный проблемами рождественской торговли и переезда в новую квартиру, уговорил ее не делать этого.

Он смотрел на идущих по трапу пассажиров и вскоре увидел знакомую фигуру. На матери была меховая шапка и новая норковая шуба, она несла дорожную сумку от Луи Вюиттона, которую Берни подарил ей год назад. Отец был одет в отороченное мехом пальто. Увидев сына, мать заулыбалась и поспешила ему навстречу.

— Привет, милый.

Они обнялись, после чего Берни пожал руку отцу.

— Здравствуй, папа.

Он вновь повернулся к матери.

— Ты прекрасно выглядишь, мама.

— Ты тоже. — Она немного поморщилась. — Вид, правда, несколько усталый, но это ничего, на Гавайях ты быстро придешь в норму.

— Поскорей бы.

Они планировали провести там три недели — на это время Лиз должна была взять отпуск. Тут Берни заметил, что мать недоуменно озирается по сторонам.

— Лиз не приехала. Я решил сначала поселить вас в отеле и уже потом пригласить туда ее.

Было уже четыре. В отеле они должны были оказаться примерно в пять, Лиз же собиралась появиться в баре около шести. Обед был заказан на семь или, по нью-йоркскому времени, — на десять. Разница в три часа в скором времени должна была сказаться на родителях, а ведь впереди их ждал тяжелый день: церемония в синагоге Эмануил, обед в отеле «Альта Мира», а затем еще и перелет... Берни и Лиз летели на Гавайи, родители — в Акапулько.

— Почему же она не приехала?

Мать всем своим видом давала понять, что она смертельно обижена. Что бы там ни думал Берни, она оставалась верной самой себе. Было бы странно, если бы с трапа самолета с отцом сошла не она, а другая женщина. Берни улыбнулся.

— Ты не представляешь, сколько у нас дел, мама. Новый дом, все эти...

— Неужели ей трудно было приехать сюда? Она что — не хочет встречаться со свекровью?

— Она встретит нас в отеле.

Мать победно улыбнулась и, подхватив Берни под руку, направилась к багажному отделению. Настроение у нее было на редкость хорошее. Она не говорила ни об умерших соседях, ни о разводах родственников, ни об испорченных продуктах, лишивших жизни десятки ни в чем не повинных людей. Она не пожаловалась даже на то, что один из ее чемоданов едва не потерялся — его сняли с самолета в последнюю минуту. Берни с облегчением подхватил этот чемодан и вместе с родителями направился к автостоянке. Пока они ехали в город, Берни без умолку болтал о своих планах, о том, что они собираются делать после женитьбы, и так далее. Мать же рассказала ему о прекрасном платье, купленном ею в «Вольфе» за пару недель до этого: оно было светло-зеленым и удивительно шло ей. Берни решил немного поговорить с отцом, но тут они уже подъехали к отелю. Он оставил родителей, пообещав вернуться через час.

— Я вернусь очень быстро, — сказал он таким тоном, каким обычно увещевают маленьких детей, после чего сел в свою машину и поспешил домой — принять душ, переодеться и захватить с собой Лиз. Когда он приехал домой, та все еще была в ванной. Джейн играла в своей комнате с новой куклой. Все последнее время она ходила какая-то грустная, Берни думал, что это может быть как-то связано с их переездом в новый дом. Прошлой ночью она вновь спала вместе с ними, при этом Берни пообещал Лиз, что такого больше не повторится.

— Приветик... Как подружка?

Он смотрел на Джейн, стоя в дверях ее комнаты. Немного помедлив, он вошел в комнату и сел рядом с девочкой. Та холодно улыбнулась ему и вдруг, ни с того ни с сего, рассмеялась:

— Ты прямо как Златовласка.

Берни заулыбался:

— Это с бородой-то? Странные ты, однако, книги читаешь.

— Просто для этого стульчика ты слишком большой.

Он действительно сидел на одном из детских стульчиков.

— Ну и ладно. — Берни обнял Джейн. — У тебя все в порядке?

— Да. — Девочка пожала плечиками. — Очень даже хорошо. Даже слишком...

— Что-то я тебя не понимаю. Тебя снова беспокоит то чудище, которое живет у тебя под кроватью? Если хочешь, мы его прогоним совсем... Хотя ты, наверное, знаешь, что там никого нет...

— Еще бы я не знала! — Джейн смерила его взглядом так, словно не она, а он придумал это самое чудище. На такое способны только малые дети, которые хотят одного — спать с мамой в одной кроватке. Берни покачал головой:

— Тогда в чем же дело?

Джейн заглянула ему в глаза.

— Ты увозишь мою маму. И очень надолго...

В глазах ее заблестели слезы. Берни вдруг стало по-настоящему стыдно.

— Понимаешь... У нас ведь медовый месяц... Все это время о тебе будет заботиться тетя Трейси.

Сказанное, надо признать, звучало не слишком-то

весело. Во всяком случае, Джейн его слова нисколько не успокоили.

— Я не хочу с ней оставаться.

— Это еще почему?

— Она заставляет меня есть овощи.

— А если я попрошу ее не делать этого?

— Она тебя все равно не послушает. Она, кроме них, ничего не ест. Говорит, что мертвыми животными питаться нельзя.

Он понимающе закивал, вспомнив вдруг о тех мертвых животных, которые ждали их на обеденном столе в «Звезде».

— Я с этим не вполне согласен.

— Она не дает мне ни сосисок, ни гамбургеров, ничего из того, что я люблю...

Голос Джейн жалобно дрогнул.

— А если я попрошу ее давать тебе то, что ты любишь?

— Что это у вас за проблемы?

В дверях, завернувшись в полотенце, стояла Лиз. Светлые ее волосы ниспадали на влажные плечи... Берни вздохнул и сказал:

— Так, ничего серьезного.

— Джейн, может быть, ты не наелась? На кухне есть бананы и яблоки.

Лиз уже накормила девочку обедом, за которым последовал грандиозный десерт.

— Нет, я ничего не хочу.

Лицо Джейн вновь приняло грустное выражение.

— Если мы не поспешим, мы точно опоздаем. С ней все в порядке. — Как только дверь в ванную закрылась, он добавил шепотом: — Расстраивается из-за того, что мы уезжаем на целых три недели.

— Джейн сама тебе это сказала? — изумилась Лиз и тут же заулыбалась. — Мне она ничего не говорила. Наверное, решила, что тебя легче разжалобить. И, надо признать, она права.

Лиз обхватила руками его шею, отчего полотенце упало.

— Так я никогда не соберусь, — пробурчал Берни и,

заперев дверь, включил воду. Ванная быстро наполнилась паром. Он стал медленно раздеваться, по-прежнему не отрывая глаз от Лиз. Они вновь занимались любовью в ванной, но уже не так, как той ночью в отеле. Когда все было позади, и она, и он выглядели донельзя довольными. Берни встал под душ и по-мальчишески улыбнулся.

— Как хорошо... Это первое или только закуска?

Она ответила ему озорным взглядом.

— Ты даже не представляешь, что ждет тебя на десерт...

Берни принялся намыливать свое тело, и Лиз тут же последовала его примеру. Он было хотел повторить все еще раз, но тут вспомнил, что они уже и так опаздывают. Чего Берни никак не хотел в этой ситуации — так это раздражать маму.

Они пожелали Джейн спокойной ночи, объяснили сиделке, где что лежит, и поспешили в гараж. Лиз была одета в платье, которое купил для нее Берни, — приятная серая фланель с белым атласным воротником. К платью этому хорошо подходили жемчужное ожерелье и серые фланелевые туфли с черными носами — все от фирмы «Шанель». Золотистые волосы Лиз были красиво уложены, в ушах поблескивали серьги с жемчугом и бриллиантами, на руке сверкало огромным камнем обручальное кольцо. Она казалась одновременно обольстительной и скромной. Она была прекрасна — Берни видел, какое впечатление Лиз произвела на мать, когда та увидела ее в холле отеля. Она испытующе смотрела на Лиз, пытаясь отыскать в ней хоть какой-то дефект. Когда Лиз взяла под локоть его отца и повела его вниз, в бар, мать прошептала:

— Выглядит она, конечно, недурно.

В ее устах эти слова звучали величайшей похвалой.

— Чушь, — отозвался Берни. — Она просто прекрасна.

— Такие красивые волосы... Это естественный цвет?

— Конечно.

Они догнали отца и Лиз, сели за один из столиков и заказали напитки. Родители пожелали того же, чего и обычно, Берни же и Лиз взяли по бокалу белого вина. Уже пора было идти в другой зал, где их ждал обед.

— Итак... — Руфь Файн посмотрела на Лиз так, словно собиралась зачитать ей смертный приговор. — Как же вы все-таки нашли друг друга?

— Я ведь уже говорил тебе, мама! — вмешался Берни.

— Ты говорил, что вы встретились в магазине. — Мать никогда ничего не забывала. — Это все, что мне известно.

Лиз нервно рассмеялась:

— На самом деле первой с ним познакомилась моя дочь. Она потерялась, и он подошел к ней. Пока они дожидались меня, он угощал ее банановым сплитом.

— Что значит — дожидались? Вы что — не разыскивали свою дочку?

Лиз с трудом сдерживала смех. Она была готова к вопросам такого рода. Берни очень точно описал свою мать, он назвал ее испанским инквизитором в шапке из норки. Лучше сказать было невозможно.

— Конечно, разыскивала... Мы встретились наверху. Вот, собственно, и все. Потом он послал Джейн несколько купальников, а я в ответ пригласила его на пляж... Потом были шоколадные мишки... — Лиз и Берни заулыбались. — Это, наверное, все. Можно сказать, у нас любовь с первого взгляда.

Она нежно посмотрела на Берни. Госпожа Файн, глядя на нее, заулыбалась. Возможно, так оно и есть. Возможно. Делать выводы время еще не пришло. Больше всего ее смущало, что Лиз не еврейка.

— Думаете, так будет всегда?

Мать вновь уставилась на Лиз, Берни же едва не застонал, поразившись бестактности ее вопроса.

— Думаю, да, госпожа Файн.

И тут Лиз заметила, что мать Берни изумленно смотрит на ее замечательное обручальное кольцо. На ее собственном кольце камень был раза в три меньше.

— Скажите, его купил вам мой сын?

— Да, — тихо ответила Лиз, несколько смущенная этим обстоятельством.

— Вам крупно повезло.

— Я знаю, — ответила Лиз, взглянув украдкой на покрасневшего от смущения Берни.

— Это мне крупно повезло, — прохрипел Берни, ответив Лиз нежным взглядом.

— Надеюсь, так оно и есть. — Мать испытующе посмотрела на сына и вновь перевела взгляд на Лиз. Пытка продолжалась. — Берни сказал, что вы работаете школьным учителем, это верно?

Лиз согласно кивнула головой.

— Все правильно. Я преподаю во втором классе.

— Вы собираетесь заниматься этим и впредь?

Берни хотел было попросить мать не лезть не в свое дело, но здравомыслие в нем взяло верх над чувствами, в такой ситуации мамашу лучше было не трогать. Еще бы! Ведь сейчас та говорила с будущей супругой ее единственного сына! Он посмотрел на Лиз, такую молодую и такую красивую, и внезапно почувствовал что-то вроде жалости; Берни незаметно сжал ее руку и нежно улыбнулся, глядя прямо в глаза, давая тем понять, как он ее любит. Отец так и вовсе не отрывал от Лиз взгляда — она ему явно нравилась. Руфь, похоже, относилась к ней иначе.

— Вы собираетесь работать? — никак не унималась она.

— Да. Работа заканчивается в два. Днем я буду с Джейн, а вечером — дома.

Сказать на это было нечего. Подошедший метрдотель повел их к приготовленному столику. Едва они сели, мать завела разговор о том, что до свадьбы обычно принято жить порознь. Особенно негативно подобное легкомыслие может сказаться на Джейн. При этих словах Лиз густо покраснела. Берни пришлось вмешаться и объяснить, что речь идет о каких-то нескольких днях, которые в любом случае не имеют значения. Мать поспешила согласиться, но лишь для того, чтобы сделать им новые внушения. Руфь Файн и в этот вечер оставалась верной себе.

— Господи, и она еще удивляется, что я не желаю видеться с ней часто, — заметил Берни, когда они уже попрощались с родителями. Даже попытки отца как-то скрасить вечер не могли улучшить ему настроения.

— Она ведь иначе не может, любимый. Ты — ее единственный сын.

— Если это действительно так, значит, у меня будет не меньше дюжины детей! Иногда она меня дико раздражает. Вернее, не иногда, а всегда.

Лиз усмехнулась и покачала головой.

— Она успокоится. Я, по крайней мере, на это очень надеюсь. Ты лучше скажи — я прошла испытание или нет?

— С блеском. — Он подошел к Лиз и погладил ее по плечу. — Мой отец весь вечер только и делал, что смотрел на твои ноги. Я за ним следил.

— Он у тебя очень милый. И очень интересный человек. Он успел описать мне несколько хирургических приемов, и я, как мне кажется, все поняла. Пока ты говорил со своей матушкой, мы очень мило беседовали...

— Он любит говорить о своей работе.

Берни нежно посмотрел на Лиз. Раздражение потихоньку угасало. Мать все-таки добилась своего, впрочем, к этому ему было не привыкать. Она любила мучить его. Теперь она будет мучить и Лиз, и, может быть, Джейн... Эта мысль вновь испортила ему настроение.

Прежде чем отправиться ко сну, он решил немного выпить. Они сидели перед камином и говорили о планах на ближайшее будущее. Берни должен был отправиться к приятелю и оттуда поехать в синагогу. Лиз и Джейн должны были дождаться Трейси и приехать туда же уже втроем. Родителям Берни заказал отдельный лимузин. Лиз выдавал замуж архитектор Билл Роббинс, хозяин дома на Стинсон-Бич. Они были знакомы уже не один год, хотя виделись не так уж и часто. Билл был крайне серьезным человеком и очень нравился Лиз. На роль посаженного отца он подходил как нельзя лучше.

Только теперь жених и невеста позволили себе расслабиться — сидя у огня и мирно беседуя.

— Мне как-то стыдно оставлять Джейн на целых три недели, — признался Берни.

— Это ты зря, — ответила Лиз, положив голову ему на плечо. — Мы имеем на это право. Мы ведь практически никогда не были одни...

Конечно же, Лиз была права, но Берни помнил, с какой тоской Джейн говорила ему о том, как плохо ей будет с Трейси.

— Она ведь такая маленькая... Всего пять годиков. Что ей наш медовый месяц?

Лиз ответила ему улыбкой. Ей тоже было жаль расставаться с дочкой. Прежде перед ней подобных проблем просто не стояло — они всегда и всюду были вместе. Сейчас все было иначе — у них нет иного выбора, и поэтому даже говорить об этом не имело смысла. Лиз ничуть не беспокоил этот момент, хотя забота Берни о Джейн ее несказанно трогала. Отец из Берни мог выйти замечательный.

— Ты такой добрый, скажу я тебе... Зефир, да и только.

Он нравился Лиз и этой своей добротой. Добрее и заботливее его, кажется, не было никого на свете. Когда ночью Джейн вновь пришла к ним в кровать, Берни осторожно — чтобы не разбудить Лиз — положил ее поближе к себе. Она уже начинала казаться ему его собственным ребенком, чему Берни и сам был немало поражен. Утром он и Джейн на цыпочках вышли из спальни и, почистив зубы, стали готовить завтрак для Лиз. Когда все было готово, они составили тарелки на поднос, посередине которого стояла ваза с розой, и торжественно внесли его в спальню.

— С днем свадьбы! — сказали они одновременно, на что Лиз ответила недоуменной сонной улыбкой.

— И вас также... Интересно, во сколько же вы встали?

Она взглянула на Берни, потом на Джейн, явно подозревая их в каком-то заговоре. Впрочем, Лиз тут же поняла, что правды от них ей все равно не добиться, и почла за лучшее молча позавтракать.

После этого Берни исчез — он отправился к знакомому, чтобы приготовить себя к свадьбе. Бракосочетание должно было состояться днем, и времени у них было еще предостаточно. Лиз стала заплетать волосы

Джейн белыми ленточками, напоследок украсив ее головку белым венком из живых цветов. На Джейн было белое платье, купленное ими в «Вольфе», маленькие белые носочки, новые черные «мэри-джейн» из лакированной кожи и синий шерстяной жакетик, купленный Берни в Париже. Лиз невольно залюбовалась своей дочерью — та походила на маленького ангела. Она взяла Джейн за руку и вывела на улицу, где их ждал заказанный Берни лимузин. Сама Лиз была одета в атласное платье от Диора со свободными широкими рукавами. Оно доходило ей до щиколоток, так, что были видны не менее изысканные туфельки — также от Диора. Все ее одеяния имели цвет слоновой кости, таким же был и свадебный головной убор. Зачесанные назад золотистые волосы свободно ниспадали на спину, отчего Лиз становилась похожей на совсем юную девушку. Она выглядела так замечательно, что Трейси не смогла сдержать слез.

— Лиз, как я хочу, чтобы ты всегда была такой же счастливой, как сейчас... — Трейси смахнула слезы и с улыбкой посмотрела на Джейн. — Мама сейчас очень красивая, правда?

— Да.

Джейн с восхищением посмотрела на мать. Таких красивых женщин, как мама, она не видела нигде и никогда.

— Ты тоже у нас красавица...

Трейси нежно погладила Джейн по косичкам, вспомнив собственную дочку. Они сели в машину и поехали на бульвар Аргуэло, где находилась синагога Эмануил. Здание показалось им красивым, внутри же всем стало немного не по себе. Лиз затаила дыхание и сжала ручку Джейн покрепче. Девочка робко улыбнулась. Это был особый день для них обеих.

Билл Роббинс был одет в темно-синий костюм. Строгая седая бородка и добрый взгляд делали его похожим на церковного старосту. Когда заиграла музыка, гости уже сидели на скамьях. Только теперь Лиз поняла, что же с ней происходит. До этих самых пор происходящее больше походило на сон, теперь в один миг оно вдруг обрело реальность. Все это было правдой, и происходило не с кем-нибудь, но с ней самой... Она увидела в некотором отдалении Берни, рядом с которым стоял Пол Берман. Возле них, на передней скамье, сидели супруги Файн. Впрочем, Лиз видела только его, Берни, — изысканного, прекрасного, ожидающего одну ее, и больше никого на свете... Она медленно направилась навстречу ему, навстречу новой жизни.

Глава 12

Прием в «Альта Мире» прошел великолепно, с этим не стал бы спорить ни один из приглашенных. Отсутствие изыска, свойственного большим отелям, сполна окупалось особым шармом этого места — его своеобразие очень ценила Лиз, и Берни с ней не спорил. Довольна была даже мать. Первый танец Берни танцевал с нею, а его отец — с Лиз, потом они поменялись партнершами, но буквально в ту же минуту Пол Берман разбил пару, и Берни не оставалось ничего другого, как только пригласить на танец Трейси. Следующей партнершей Берни стала Джейн. Участие в этом странном ритуале ошеломило девочку.

— Как ты, старушка? Все нормально?

— Угу...

Джейн снова повеселела, но Берни прекрасно понимал, что это будет продолжаться совсем недолго. Грядущее расставание немало тревожило и его самого, над чем беспрестанно посмеивалась Лиз. Конечно, волновалась и она — за все эти пять лет Лиз ни разу не разлучалась со своей девочкой, — но сейчас она отдавала Джейн в руки Трейси, у них же с Берни было полное право провести этот месяц вдвоем.

— Что ты хочешь, я ведь еврей, — сказал в конце концов Берни. — Для меня грех — не пустое понятие.

— В данном случае тебе бояться нечего, — отвечала ему Лиз. — С девочкой все будет нормально.

Немного потанцевав с Джейн, Берни подвел ее к буфету и помог выбрать самые вкусные вещи. После этого он поставил девочку возле ее новоиспеченной бабушки и вновь пригласил на танец Лиз.

— Привет, — задрав голову, Джейн посмотрела на Руфь. — Мне очень нравится твоя шапка. Что это за мех?

— Это — норка.

Вопрос застал Руфь врасплох, но девочка ей тут же понравилась.

— Она очень подходит к твоему платью... А платье — к цвету глаз... Ты это знаешь?

Руфь не смогла сдержать улыбки.

— У тебя очень красивые синие глазки.

— Спасибо. Они такие же, как у мамы. А папа мой умер. Вот.

Девочка говорила, набив рот, и понять ее было весьма непросто. Руфь горестно покачала головой — легко было представить, как жилось Джейн и ее матери, пока в их жизни не появился Берни. Берни неожиданно представился Руфь эдаким благородным спасителем, примерно так же к нему должна была относиться и Лиз. Единственным человеком, который стал бы возражать против отведенной ему роли, был сам Берни.

— Мне очень жаль, — пробормотала Руфь, подумав о том, что она совершенно разучилась разговаривать с детьми.

— Мне тоже. Но зато теперь у меня есть новый папочка.

Джейн гордо посмотрела на Бернарда, и в глазах Руфь появились слезы. Девочка перевела взгляд на нее.

— А ты теперь моя единственная бабушка.

Руфь охнула, немало смущенная тем, что девочка видит ее слезы, и легонько коснулась рукой плеча Джейн.

— Это очень даже хорошо. А ты — моя единственная внучка.

В ответ Джейн восторженно улыбнулась и схватила Руфь за руку.

— Я рада, что ты такая хорошая. А то раньше я тебя даже боялась. — Берни познакомил ее и Руфь только этим утром — в синагоге. — Я думала, что ты или старая, или злая, или еще какая-нибудь такая.

Руфь нахмурилась:

— Тебе чего-то наговорил Берни?

— Нет. — Девочка отрицательно замотала головой. — Он сказал, что ты удивительная.

Руфь тут же просияла. Ребенок был просто замечательным. Она потрепала девочку по головке и, взяв с подноса проходившего мимо официанта пирожное, подала его девочке. Джейн разделила пирожное на две части и одной из них угостила Руфь, которая с благодарностью приняла предложенное. Они так и держали друг друга за руку. К тому времени, когда Лиз отправилась переодеваться, они уже были друзьями. Увидев, что мать вышла из зала, и поняв, что это может означать, девочка безмолвно заплакала. Берни, заметив это, тут же поспешил к ней.

— Что с тобой, хорошая моя?

Его мать отправилась танцевать с посаженным отцом. Берни склонился над девочкой и легонько обнял ее.

— Я не хочу, чтобы вы с мамой уезжали.

Голосок ее звучал так жалобно, что сердце Берни готово было разорваться.

— Мы ненадолго...

Берни прекрасно понимал, что для такого ребенка, как Джейн, три недели — это целая вечность, но, увы, с этим он ничего не мог поделать. Заметив приближающуюся Трейси, Джейн заплакала еще горше. К ней подошла Руфь, и девочка прильнула к ней, как к своей давней знакомой.

— Господи! Что тут происходит?

Берни объяснил матери причину слез Джейн, и Руфь спросила у него уже шепотом:

— Почему бы вам не взять ее с собой?

— Я не знаю, как к этому отнесется Лиз... Все-таки это наш медовый месяц.

Мать взглянула на плачущего ребенка и снова посмотрела в глаза сыну.

— Неужели ты можешь себе такое позволить? Ты не

считаешь, что все это время вы будете думать только о ней?

Берни улыбнулся:

— Мама, я тебя люблю.

Грех — вещь серьезная. Уже через мгновение он отправился на поиски Лиз, чтобы сказать ей, что он обо всем об этом думает.

— Но как мы ее возьмем? И вещи ее не собраны, и комната для нее не заказана!

— Все, что нужно, мы найдем... Если не будет комнаты, остановимся в каком-то другом месте...

— А если ее и там не будет?

— Тогда девочка будет спать вместе с нами. — Он заулыбался. — Медовый месяц у нас все равно будет — не сейчас, так когда-нибудь.

— Бернард Файн... Что это с вами стряслось? — Лиз посмотрела на него с улыбкой, поражаясь тому, что ей посчастливилось найти такого замечательного человека. Сомнения, можно ли поступать так с девочкой, постоянно мучили и ее, теперь же, кажется, все встало на свои места. — Прекрасно. Но что же мы должны в таком случае делать? Бежать домой и собирать ее вещи?

— Чем быстрее, тем лучше.

Он посмотрел на часы и поспешил вернуться в зал. Там он первым делом поцеловал мать в щечку, затем попрощался с отцом и Полом Берманом, после чего взял на руки Джейн. В зал вернулась и Лиз. В новобрачных полетели рисовые зернышки. Джейн страшно перепугалась, решив, что Берни прощается и с нею, он же сжал ее покрепче и прошептал на ушко:

— Ты поедешь с нами. Только закрой глазки, чтобы в них рисинки не попали.

Джейн зажмурилась, блаженно заулыбавшись. Держа в одной руке ребенка и придерживая под руку Лиз, Берни направился к выходу. Их осыпали рисом и розовыми лепестками, это было удивительно...

Через минуту лимузин уже вез их в сторону Сан-Франциско. На то, чтобы собрать вещи Джейн — в том числе и все подаренные ей Берни купальники, — у них ушло не больше десяти минут. К самолету они поспели вовремя. В салоне первого класса оказалось одно свободное местечко, Берни поспешил взять на него билет, надеясь, что так же им повезет и в отеле. Джейн не уставала улыбаться. Победа! Она едет с ними! Сначала она устроилась на коленях у Берни, но уже через несколько минут перешла к матери и заснула у нее на руках. Берни склонился к Лиз и поцеловал ее в губы, стоило погаснуть лампам и начаться фильму.

— Госпожа Файн, я люблю вас.

— Я люблю тебя, — ответила Лиз еле слышно, боясь разбудить ребенка. Она положила голову ему на плечо и задремала. Спала Лиз до самых Гавайев. Они провели ночь в Вайкики и на следующий день полетели в Кону. У них были забронированы два места в отеле «Мауна Кеа», но боги смилостивились над ними, и им удалось получить еще одну, смежную с их номером комнату. Впрочем, радость их была непродолжительной. Чудище поселилось под кроватью Джейн и в «Мауна Кеа», поэтому девочка, как и прежде, спала вместе с ними на их широкой кровати. Весь медовый месяц они провели втроем, и это обстоятельство почему-то казалось им крайне забавным.

— Весной мы полетим в Париж, даю слово!

Берни подкрепил сказанное, отсалютовав рукой, словно примерный скаут. Лиз расхохоталась.

— А если она снова начнет хныкать?

— Нет, нет... На сей раз этот номер у нее не пройдет.

— Поживем — увидим...

Стараясь не разбудить Джейн, Лиз потянулась к Берни и поцеловала его в губы. В конце концов, Джейн была неотъемлемой частью их жизни, и с этим нельзя было не считаться. Они провели на Гавайях три замечательные недели и вернулись оттуда загорелыми, радостными и отдохнувшими. Всем своим знакомым Джейн говорила, что у них с мамой был медовый месяц. Поездка вышла действительно замечательной — забыть такое было просто невозможно.

Глава 13

После возвращения с Гавайев время понеслось стремительно, при этом ни у Берни, ни у Лиз не было ни единой свободной минуты. Все лето и всю осень Берни занимался показами мод, заказывал новые товары, встречался с людьми из Нью-Йорка. Лиз была всецело занята домом — она то готовила, то что-то пекла, то шила. Эта женщина умела делать абсолютно все, при этом она умудрялась справляться со всеми делами в одиночку. Она даже выращивала розы в их маленьком садике на Бьюкенен-стрит и возделывала крошечный огородик, в чем ей, естественно, помогала Трейси. Все это время жизнь была настолько наполненной, что наступление апреля стало для них буквально неожиданностью. Берни пришло время отправляться в Нью-Йорк по делам, связанным с магазином, откуда он должен был полететь в Европу. Лиз никогда не доводилось бывать ни в Нью-Йорке, ни в Европе, и Берни с нетерпением ждал того момента, когда он сможет показать их ей. Ему хотелось бы взять с собой и Джейн, но он твердо пообещал Лиз, что это будет их настоящий медовый месяц. Все проблемы разрешались сами собой. Он спланировал поездку так, что она приходилась на двухнедельные каникулы Лиз и Джейн. Девочке они предложили погостить у бабушки и дедушки Файн, чему та обрадовалась настолько, что даже забыла о Европе.

— Мы, — заявила Джейн уже в самолете, — мы первым делом пойдем в мюзик-холл «Радио-Сити»!

Путешествие обещало ей массу интересного. Музей естественной истории, в котором можно было посмотреть на динозавров, о которых ей рассказывали в школе, Эмпайр-стейт-билдинг, статуя Свободы. Она с нетерпением ожидала того момента, когда наконец они смогут увидеться с бабушкой. Руфь, насколько мог понять Берни, регулярно разговаривавший с ней по телефону, испытывала примерно те же чувства — она ждала внучку в гости. Говорить с ней теперь стало куда проще. Лиз то и дело звонила в Нью-Йорк и знакомила Руфь с их новостями, сняв тем самым тяжкое бремя с Берни. Руфь всегда хотела одного — поговорить с Джейн. Можно было только поражаться тому, как ребенок понравился его матери. Впрочем, Джейн тоже была без ума от бабушки. Ей нравилось уже то, что у нее вообще была бабушка. Однажды она очень церемонно спросила Берни о том, может ли она назваться в школе его фамилией.

— Разумеется, — недоуменно пожал плечами Берни, больше всего поразившись тому, что девочка говорила об этом совершенно серьезно. Со следующего дня девочку знали в школе уже как Джейн Файн.

— Как будто я тоже вышла замуж, — заметила однажды Джейн. Всему этому Лиз была только рада. Она понимала, что Джейн остается в надежных руках. В любом другом случае ей бы пришлось просить Трейси пожить это время с девочкой, но к этому времени обе уже не очень-то ладили: Джейн категорически отказывалась оставаться с Трейси. Впрочем, та ничуть не обижалась — она была только рада счастью семейства Файн.

В Нью-Йорке, в аэропорту Кеннеди, их встречала сама «бабушка Руфь».

— Как поживает моя маленькая крошка?

Впервые за всю жизнь Берни эти слова матери были обращены не к нему. Берни едва не заплакал, увидев, как Джейн бросилась в объятия бабушки. Лиз расцеловала его родителей, он же пожал отцу руку и обнял мать, после чего все пятеро отправились в Скарсдейл, говоря без умолку. Из прежних врагов они вдруг превратились в друзей, став в одночасье единой семьей, и благодарить за это они должны были Лиз. Она обладала замечательным талантом общения с самыми разными людьми. Вот и здесь, в машине, Берни заметил, как она и мать обменялись многозначительными взглядами по поводу очередного замечания Джейн. Он был очень рад тому, что его родители приняли Лиз. До этих самых пор он был уверен, что ничего подобного никогда не будет, но то обстоятельство, что его родители неожиданно для самих себя стали дедушкой и бабушкой, придало делу столь немыслимый оборот, что оставалось только поражаться.

— А у меня теперь такая же фамилия, как у вас! — гордо заявила девочка и, неожиданно посерьезнев, добавила: — Ее говорить куда легче. Та, другая, у меня все никак не выходила.

Джейн широко улыбнулась, и бабушка тут же заметила, что у нее не хватает зуба. Зуб этот выпал всего неделю назад. Джейн тут же сообщила, что зубная фея дала ей взамен целых пятьдесят центов.

— Пятьдесят центов? — поразилась Руфь. — Но ведь всегда было десять!

— Это раньше так было, — снисходительно заметила Джейн и, чмокнув бабушку в щеку, прошептала ей на ушко: — Бабуля, я куплю тебе на них стаканчик мороженого.

Бабушкино сердце вмиг растаяло.

— Пока папа и мама будут кататься по Европам, мы скучать не будем.

Берни не мог не заметить того, что мать назвала его папой. Он вспомнил свой разговор с Лиз, в котором шла речь о его желании удочерить Джейн.

— Как хочешь, — ответила тогда Лиз. — Официально ее отец бросил нас, поэтому мы вправе поступать как угодно. Но я не совсем понимаю, зачем тебе нужны все эти хлопоты, дорогой. Если уж она будет называться твоим именем, оно станет и ее официальным именем — не так ли? Папой же она называет тебя едва ли не с самого начала.

Берни согласился с Лиз. Таскать Джейн по судам ему нисколько не хотелось.

Впервые за многие годы он остановился в родительском доме и был несказанно удивлен тому, что вместе с Лиз и Джейн он чувствовал себя превосходно и здесь. Лиз помогла матери приготовить обед и убрать со стола. Их служанка заболела, и это, пожалуй, было единственным печальным обстоятельством за все время пребывания в родительском доме. Впрочем, речь шла всего-навсего о косметической операции на большом пальце ноги, и поэтому печалиться было особенно не о чем. Все были в прекрасном настроении. И все же, когда этой ночью Лиз предложила Берни заняться любовью, он почувствовал себя не в своей тарелке.

— А если в комнату войдет моя мама?

Лиз прыснула со смеху:

— Я выскочу за окно и буду, лежа на лужайке, ждать, пока горизонт не очистится.

— Ну что ж, тогда попробуем.

Он запустил руку под ночную рубашку Лиз, та же в ответ на его происки стала, смеясь, бороться с ним. В эту ночь они вели себя в постели, словно дети — то и дело боролись друг с другом, шептались и заходились смехом. Потом, когда они тихо разговаривали в темноте, Берни сказал Лиз, что она чудесным образом повлияла на его родителей.

— Ты себе не представляешь, какой была мать прежде! Клянусь, порой я просто ненавидел ее!

Говорить так под крышей материнского дома вряд ли стоило, но что можно было поделать, если это было правдой.

— Думаю, причина не во мне. Кудесницей, о которой ты говоришь, была Джейн.

— Тогда уж лучше сказать так — вы обе приложили к этому руку. — Он смотрел на освещенное светом луны лицо Лиз. — Ты самая замечательная женщина на свете.

— А как же Изабель? — спросила Лиз, явно желавшая лишний раз подразнить его.

— Часов ты не крала — верно? Если что и прихватила, то только сердце...

— Да? Значит, вы серьезно ошибаетесь, мьсе... Этого мне мало.

Она сказала это так, что Берни мигом понял ее, и тут же вновь заключил Лиз в объятия. У обоих было такое чувство, будто их медовый месяц уже начался. К счастью, Джейн в эту ночь к ним не пришла — в противном случае им было бы несдобровать. Рубашка Лиз исчезла где-то под кроватью, а Берни так и вовсе забыл захватить пижаму.

На следующее утро Берни и Лиз появились за столом в роскошных халатах. Руфь и Джейн были заняты производством апельсинового сока.

— Мы не сможем проводить вас в аэропорт, — сказала вдруг мать Берни, обменявшись с Джейн многозначительными взглядами. — Мы идем в мюзик-холл «Радио-Сити». У нас уже есть билеты.

— Сегодня самый первый день пасхального шоу! — радостно поддержала бабушку Джейн. Берни понимающе кивнул и, улыбнувшись, взглянул на Лиз. Мать знала, что делает. Она устроила все это только для того, чтобы Джейн не видела, как они улетают в Европу, и не проливала бы напрасных слез. Лучшего нельзя было и желать. Они посадили Джейн и бабушку на поезд, что само по себе было значительным событием. С дедушкой они должны были встретиться возле отеля «Плаза».

— Вы только представьте! — щебетала Джейн. — Мы поедем на такой коляске, которую везет лошадка! И прямо в Центральный парк...

Когда Лиз и Берни стали прощаться с девочкой, Джейн было на мгновение растерялась, но тут Руфь сказала ей что-то такое, от чего девочка забыла и думать о родителях. В то же мгновение поезд тронулся. Берни и Лиз вернулись домой, взяли вещи и, тщательно заперев все замки, отправились ловить такси, которое довезло бы их до аэропорта. Их медовый месяц начался.

— Готовы ко встрече с Парижем, госпожа Файн?

— Да, мсье, — счастливо захихикала Лиз, не успевшая толком увидеть и Нью-Йорка. Впрочем, они решили вернуться в Нью-Йорк на обратном пути, дня на два-три. Так было лучше и для Джейн.

Они летели в Париж на самолете компании «Эр Франс» и ранним утром следующего дня приземлились в аэропорту Орли. Было только восемь утра по местному времени. Взяв свой багаж и пройдя таможенный контроль, они поехали в город. В отель «Ритц» они прибыли через два часа. Их вез лимузин, заблаговременно заказанный фирмой «Вольф». Отель буквально потряс Лиз. Она не видела ничего прекраснее холла «Ритца», по которому прохаживались элегантные женщины и одетые с иголочки мужчины. Носильщики чинно вели за собой пуделей и пекинесов. Магазины «Фобур-сен-Оноре» тоже не обманули ее ожиданий. Лиз казалось, что она спит, Берни же вез ее все дальше и дальше: «Фуке», «Максим», «Тур д'Аржан», верхушка Эйфелевой башни и Триумфальная арка, Бато-Муш, «Галери-Лафайетт», Лувр, Же-де-Пом и даже Музей Родена. Неделя, проведенная ими в Париже, была самой счастливой неделей ее жизни. После Парижа они отправились в Рим и Милан, где Берни, помимо прочего, должен был посетить показы мод. Все основные импортные поступления фирмы определялись именно им. Работа эта была чрезвычайно ответственной и серьезной. Лиз не уставала поражаться его работоспособности. Она всюду следовала за Берни, помогая ему вести записи и даже пару раз надевая по его просьбе немыслимые наряды, которые ему важно было увидеть на «простых смертных», а не на профессиональных манекенщицах, умеющих подать едва ли не любую вещь. Она говорила Берни о том, удобно платье или неудобно, и даже пыталась давать ему какие-то советы, как можно улучшить ту или иную вещь. Берни не мог не заметить, что показы разительно повлияли на Лиз. Она стала уделять моде большое внимание, что придало ей подлинный шик. Особенно взыскательной она стала в выборе аксессуаров. У нее был безошибочный вкус, и если раньше Лиз не могла реализовать свои желания в силу более чем скромного достатка, то теперь ей было доступно буквально все. Она стала выглядеть просто потрясающе. Лиз чувствовала себя по-настоящему счастливой — она постоянно была рядом с Берни. Любовь и работа — все смешалось. Они могли бродить всю ночь напропалую по виа Венето или швырять монетки в фонтан Треви...

— Чего бы ты хотела, любовь моя?

Берни казалось, что с каждым днем он любит ее все сильнее и сильнее.

— Скоро увидишь, — ответила Лиз с улыбкой.

— Да ну? — Ему казалось, что он понимает ее, что они хотят одного и того же. — Может быть, ты хочешь стать большой и толстой?

Берни действительно хотел видеть ее именно такой — носящей в утробе его ребенка.

— Если я скажу тебе, чего мне хочется, то это не сбудется — понял?

Она погрозила Берни пальцем. Какое-то время Лиз действительно казалось, что она ждет ребенка, но когда они приехали в Лондон, стало понятно, что это не так. Когда Лиз сказала об этом Берни, она не могла удержаться от слез.

— Ничего. — Он обнял Лиз и прижал ее к себе. — Значит, пока не время.

И все же на всем белом свете не было людей счастливее их. Впрочем, Джейн тоже провела эти две недели совсем неплохо. На то, чтобы рассказать о том, что она делала, пока их не было в Нью-Йорке, у Джейн ушло целых два часа. Бабушка Руфь тоже не теряла времени даром — она скупила едва ли не весь магазин «Шварц».

— Для того чтобы отвезти все это домой, придется заказывать грузовик...

Берни рассматривал бесчисленных кукол, игрушки, плюшевую собаку в натуральную величину, маленькую лошадку, кукольный домик, миниатюрную кухонную плиту. Руфь было смутилась, но тут же гордо выставила подбородок вперед.

— Девочке было нечем играть. Кроме твоих старых машинок и тракторов, у меня ничего не было, — сказала мать едва ли не с вызовом. Ей было очень приятно покупать эти игрушки.

Берни улыбнулся и подал матери маленькую шкатулку, купленную им у Булгари. Там лежала пара прекрасных серег, сделанных из старинных золотых монеток, инкрустированных крошечными камешками. Такие же серьги Берни купил и Лиз — та была от них без ума. Руфь даже охнула от изумления и, немедленно надев новые серьги, обняла Берни и Лиз и понеслась показывать подарок Лу.

В Нью-Йорке им было ничуть не хуже, чем в Европе. Они обедали в его любимых ресторанах: «Береге басков», «21» и в «Лягушке», пили коктейли в Дубовой гостиной отеля «Плаза» и в «Недерленд шерри», слушали бесподобного Бобби Шорта в «Карлайле». Она делала покупки в «Бергдорфе», «Саксе», «Бенделе» и в легендарном «Блумингдейле», оставаясь тем не менее патриоткой «Вольфа». Берни не разлучался с ней ни на минуту. Посетили они и бар «П.Дж.Кларк». Лиз стояла возле Берни и, время от времени хихикая, наблюдала за посетителями.

— Как все-таки хорошо с тобой... Ты это знаешь? Ты сделал мою жизнь по-настоящему счастливой, Берни. Я даже и не подозревала, что можно жить так. Прежде я думала только об одном — как бы выжить... Все было таким маленьким и неказистым. Теперь же — все иначе... Это похоже на огромные полотна... на фрески Шагала в Линкольн-центре... — Берни успел сводить ее и туда. — Красное, зеленое, желтое, небесно-голубое... А ведь прежде все было только серым. Серым и белым.

Она посмотрела на него влюбленным взглядом, и он поцеловал ее в губы.

— Я люблю тебя, Лиз.

— Я тоже люблю тебя... — прошептала она и тут же икнула так громко, что человек, стоявший возле них, обернулся. Лиз снова взглянула в глаза Берни.

— Как, говоришь, тебя зовут?

— Джорж. Джорж Мерфи. Я женат и у меня семеро детей. Живем мы в Бронксе. Может, пойдем со мной в номер?

Мужчина, стоявший у стойки бара, замер. Здесь хватало публики самого разного рода, но никогда и никому не приходило в голову говорить со шлюхами о женах и детях.

— Лучше ко мне. Хорошо?

— Даже отлично.

На Третьей авеню Берни поймал такси, и оно отвезло их прямо в Скарсдейл. Бабушки и Джейн еще не было, отец тоже отсутствовал — он всегда сутками пропадал в госпитале. Берни, как никогда, не хотелось уезжать из Нью-Йорка, о Калифорнии ему тяжко было даже думать. Однако разговор с Полом так ни к чему и не привел.

— Давай, Пол. Я провел там уже год. Или — если быть точным — четырнадцать месяцев.

— Магазин работает всего десять месяцев, Берни. Скажи, куда теперь тебе спешить? У тебя прекрасная жена, хороший дом... В Сан-Франциско хорошо и для Джейн.

— Мы хотим перевести ее в здешнюю школу. — Перевод этот был возможен при условии однозначности их переезда. — Не можем же мы зависать так годами.

— Ну уж годами... Пусть это будет еще один годик. Нам просто некем будет тебя заменить.

— Понятно. — Он вздохнул. — Я запомнил. Ты точно не передумаешь?

— Тебя послушать, так можно подумать, что мы заслали тебя в какой-нибудь Армпит, Западная Виргиния. В Сан-Франциско жить можно — поэтому давай не будем...

— Все правильно. Но я-то должен жить именно здесь — верно? Кому, как не тебе, знать это?

— Я не спорю с тобой, Бернард. Но ты нужен нам там и теперь. Мы сделаем все, от нас зависящее, для того, чтобы через год ты смог вернуться домой.

— Я очень на это рассчитываю.

Он уезжал из Нью-Йорка очень неохотно, хотя возвращение в Сан-Франциско оказалось не столь уж и страшным. Домик их был лучше, чем ему казалось, а магазин так и вовсе казался ему вторым домом. Конечно, он уступал своему нью-йоркскому собрату, но это, в конце концов, было не так уж и важно. Единственное, что расстраивало Берни, — то, что он уже не мог проводить с Лиз все свое время. Во время ленча он отправлялся не куда-нибудь, но в кафетерий школы, в которой работала Лиз. В темно-сером английском костюме он выглядел очень взрослым. Лиз же была одета в клетчатую юбку, красный свитер, купленный ими в «Труа Картье», и в туфли из Италии. В этой одежде она

казалась очень молодой, что делало ее еще привлека-
тельнее. Джейн была крайне горда тем, что Берни по-
жаловал в ее школу.

— Тот дядя, который стоит рядом с моей мамой, —
это мой папа, — гордо заявила она своим подружкам и
тут же направилась к Берни, чтобы убедить их в этом.

— Привет, крошка, — сказал Берни, подбросив
Джейн. То же самое он проделал и с тремя ее подружками, повизгивавшими от удовольствия. В кафетерий
пожаловала и Трейси. Она крепко обняла Берни и тут
же объявила во всеуслышание, что ее дочь вновь ждет
ребенка. Заметив, что Лиз при этих словах погрустне-
ла, Берни сжал ее руку. Она уже начинала считать, что
с ней что-то не так, он же пытался переубедить Лиз,
говоря, что истинная причина должна быть связана
именно с ним, ибо у нее уже был ребенок. Все эти разговоры ни к чему не вели, и поэтому они условились
до времени не заводить их, хотя это и не всегда получа-
лось. И Лиз, и Берни хотели иметь ребенка.

В июне он приготовил сюрприз, сняв на два месяца
дом на Стинсон-Бич. Лиз была вне себя от радости.
Место идеально подходило им. Спальня для них и
спальня для Джейн, комната для гостей, большая гостиная, являвшаяся одновременно и столовой, солнеч-
ная кухня, отгороженный от посторонних глаз участок
крыши, где можно было хоть нагишом принимать солнечные ванны. Они решили переехать сюда на все два
месяца с условием, что Берни каждый день будет приезжать из города. Однако не прошло и двух недель, как
Лиз схватила грипп, от которого она не могла оправиться несколько недель. Берни посоветовался по телефону с отцом, и тот, решив, что речь скорее всего
идет о синусите, посоветовал Берни найти приличного
врача и приступить к курсу лечения антибиотиками.
Лиз постоянно мучили головные боли, а в конце дня
ее, как правило, начинало мутить. Еще никогда она не
чувствовала себя так скверно — она была подавлена и
совершенно лишена сил. Через месяц ей стало несколько лучше, но не настолько, чтобы она могла гулять или ходить на пляж вместе с Джейн и Берни. На

сей раз ей не очень-то хотелось идти и на открытие оперного сезона. И все-таки она отправилась в магазин и выбрала черное атласное платье от Галаноса, оставлявшее одно плечо открытым, и кружевную перелину. Когда после Дня труда Лиз стала примерять его, ее постигло жестокое разочарование.

— Какой это размер? — ужаснулась она. Она носила шестой номер, это же платье было ей явно мало. Продавщица посмотрела на ярлык и спокойно ответила:

— Восьмой номер, госпожа Файн.

— Ну и как?

В дверях стоял Берни.

— Ужасно. — Она не могла набрать веса, поскольку болела с июля... Делать было нечего, Лиз решила на следующий же день пойти к врачу, тем более что через неделю она должна была выйти на работу. Теперь она была готова на все — даже на курс антибиотиков. — Наверняка они прислали не тот размер. Это ведь четвертый номер — не больше! Даже не укладывается в голове — как такое могло произойти?!

Когда Лиз примеряла платье в магазине, оно было даже великовато ей, хотя тогда это был шестой номер.

— Может быть, ты располнела?

Берни вошел в примерочную. Он не ошибся: при всем желании «молнию» застегнуть было невозможно, не хватало трех или четырех дюймов.

— А отпустить где-нибудь нельзя? — спросил он у портнихи.

Он понимал, что платье слишком дорого и портить его было бы настоящим святотатством. Лучшим выходом из создавшегося положения было бы обменять его на платье другого размера, но на это у них уже не оставалось времени. Соответственно, оставалось либо перешивать, либо надевать что-то другое. Портниха внимательно посмотрела на Лиз и, пощупав ее талию, спросила:

— Мадам этим летом немного располнела?

Она была француженкой. Берни привез ее сюда из Нью-Йорка. В «Вольфе» она служила уже несколько лет, до этого же сотрудничала с Пату. Эта же портниха работала и над другими нарядами Лиз, включая ее свадебное платье и прошлогодний «оперный» ансамбль.

— Не знаю, Маргарет... Мне кажется, это невозможно.

Лиз вдруг подумала, что все это время она носила только свои старые свободные вещи — спортивные костюмы, широкие рубашки, свитера... Она охнула и с улыбкой посмотрела на Берни:

— Бог ты мой!

— С тобой все в порядке? — забеспокоился было Берни, но, увидев ее улыбку, тут же успокоился. Лиз вдруг засмеялась и бросилась ему на шею, осыпая его поцелуями. Продавщица и портниха поспешили удалиться из примерочной. Лиз нравилась им, она всегда была такой любезной... Приятно было видеть и то, как она и Берни любят друг друга, — рядом с такими людьми становится как-то легче жить...

— Что с тобой, Лиз?

Берни с изумлением взирал на улыбающуюся неведомо чему Лиз, которую история с платьем не только не расстроила, но даже развеселила.

— Я не стану принимать все эти антибиотики!

— Это еще почему?

— Я думаю, он ошибся.

— Много ты знаешь, — хмыкнул Берни, улыбнувшись.

— Можешь говорить что угодно... — Она покачала головой, поражаясь собственной недогадливости. — Я повторяю — это совсем не синусит!

Лиза села на кресло и широко улыбнулась. Берни посмотрел на нее, на платье — и неожиданно все понял.

— Ты... Ты уверена?

— Нет. Честно говоря, эта мысль пришла ко мне только сейчас... Но я почти уверена в том, что это так. Пока мы жили на море, на меня словно какое-то помрачение нашло...

Во всем была повинна болезнь — Лиз забыла обо всем на свете. Когда на следующий день она пошла к врачу, тот сказал, что Лиз находится на шестой неделе беременности. Она тут же понеслась в магазин — сообщить Берни эту новость. Тот сидел в своем кабинете и просматривал корреспонденцию, пришедшую из Нью-Йорка.

— И что же ты мне скажешь? — с напускной игривостью осведомился он.

Лиз заулыбалась и поставила на стол бутылку с шампанским, которую прятала за спиной.

— Примите поздравления, папаша.

Берни буквально выпрыгнул из-за стола и, заключив ее в объятия, воскликнул:

— Так, значит, так оно и есть! Вот так дела!!!

Лиз счастливо засмеялась, Берни же подхватил ее на руки и закружил по кабинету. Секретарша, поражаясь странным звукам, доносящимся из-за двери, удивленно подняла брови. Через какое-то время супруги Файн вышли в приемную. Бернард Файн производил впечатление человека, крайне довольного собой, что в данном случае полностью соответствовало действительности.

Глава 14

Осенью он отправился в свою обычную деловую поездку в Нью-Йорк, но на сей раз поехал один. Оттуда он должен был слетать в Париж, для Лиз же подобный вояж был бы чересчур утомительным. Берни хотел, чтобы она побездельничала, отдохнула, посмотрела телевизор и вообще — пришла в себя. Перед отъездом он попросил Джейн хорошенько заботиться о матери. Известие о том, что у них в скором будущем будет ребенок, вначале повергло Джейн в тоску, но со временем она привыкла к этой мысли и даже радовалась скорому его появлению.

— Это все равно, что большая кукла, — объяснял ей Берни.

Она так же, как и он, хотела, чтобы это был мальчик. Братика Джейн предпочитала сестренке. Она пообещала заботиться о Лиз, и Берни улетел со спокойным сердцем, однако, едва прилетев в Нью-Йорк, он тут же позвонил домой. Берни решил остановиться в «Реджэнси» — ближайшем к магазину отеле. В тот же вечер он встретился со своими родителями. Когда Берни вошел в «Цирк», они уже сидели за столиком.

Он поцеловал мать, сел и заказал кир. Мать смотрела на него подозрительно.

— У тебя что-то стряслось...

— Ничего подобного.

— Тебя выгнали с работы?

Берни рассмеялся в голос и заказал бутылку «Дом Периньон», изумив мать еще больше.

— Что произошло?

— Нечто в высшей степени замечательное.

Мать посмотрела на него с сомнением, явно не поверив его словам.

— Ты что — возвращаешься в Нью-Йорк?

— Пока нет. — Конечно, он хотел бы этого, но в данный момент эта проблема его не интересовала. — Все куда как лучше.

— Ты переезжаешь в какое-то другое место?

Не успела мать произнести эти слова, как отец довольно усмехнулся. Он понял, какую новость мог иметь в виду его сын, и понимающе кивнул головой. Официант разлил шампанское, и Берни, подняв свой бокал, возгласил:

— За бабушку и дедушку... Мазел тов!

— Что? — Руфь мгновенно напряглась, словно пронзенная молнией, слегка привстала и тут же вновь рухнула в кресло, глядя на Берни расширившимися от ужаса глазами. — Не может быть... Неужели... у Лиз...

Она вдруг запнулась — чего с ней не было никогда в жизни — и тихо заплакала. Берни с улыбкой кивнул ей и коснулся ее руки.

— У нас будет ребенок, мама.

Отец поспешил поздравить Берни, мать же принялась полувнятно бормотать:

— Просто в голове не укладывается... А как она себя чувствует? Она питается нормально? Как она, Берни? Как только мы вернемся домой, я первым делом позвоню ей. — Тут мать вспомнила о Джейн и вновь посмотрела на Берни с тревогой. — А как к этому отнеслась Джейн?

— Вначале она была несколько шокирована этим известием. Пришлось потратить немало времени на то, чтобы объяснить ей, что все это значит. Придумала, что мы ее разлюбили, и так далее. Лиз хотела достать книги, в которых рассматриваются подобные проблемы. Можешь особенно не дергаться.

Мать бросила на него сердитый взгляд.

— Ты стал говорить, прямо как они... Калифорнийцы говорят уже не по-английски... Смотри, не стань таким же, как они, а то еще вздумаешь там остаться. — Эта проблема волновала ее давно, но сейчас она могла думать только о внуке. — Лиз принимает витамины? — Не дожидаясь ответа, она повернулась к супругу. — Поговори с ней, когда я буду звонить сегодня вечером. Объясни, что ей следует есть и какие витамины она должна принимать.

— Руфь, она наверняка побывала у акушера. Он должен был ей все рассказать.

— Что он может знать? Наверняка это какой-нибудь хиппи в драных мокасинах, который посоветовал ей пить травки и побольше времени проводить на солнце — желательно нагишом. — Она сердито посмотрела на сына. — К тому времени, когда должен будет родиться ребенок, вам нужно будет приехать сюда. Он должен родиться здесь, в нью-йоркском госпитале. Твой папа обо всем позаботится.

— Там масса прекрасных больниц, Руфь. — Мужчины с улыбкой переглянулись. — Я нисколько не сомневаюсь в том, что Берни запросто обойдется и без нас.

Разумеется, отец был прав. Берни уже успел побывать у доктора, которого Лиз нашла через подругу, и тот ей понравился. Лиз была полна решимости родить ребенка, следуя рекомендациям Лемажа, причем помогать ей должен был сам Берни, которого подобная перспектива чрезвычайно страшила. Лиз уже приступила к занятиям по методикам Лемажа.

— Мам, все в порядке. Прежде чем уехать, я сходил

с ней к доктору. Он не только компетентен, он родом отсюда — из Нью-Йорка.

Он надеялся как-то успокоить мать, но добился прямо противоположного эффекта.

— Что значит — «сходил с ней к доктору»? Надеюсь, ты ждал ее в приемной?

Берни налил себе еще один бокал шампанского и, улыбнувшись, ответил:

— Нет. Теперь все происходит иначе. Отец должен принимать участие во всем.

— Может быть, ты и на родах собираешься присутствовать?

Мать смотрела на Берни с ужасом. Этот новомодный обычай казался ей омерзительным. Подобная практика уже дошла и до Нью-Йорка — отцу настойчиво рекомендовалось присутствовать при рождении ребенка. Для чего все это было нужно, мать отказывалась понимать.

— Да. Именно так я и собираюсь поступить.

Мать сморщилась.

— Ничего более отвратительного я никогда не слышала. — Она вдруг заговорила шепотом: — Ты понимаешь, после этого ты не сможешь относиться к ней так же, как прежде. Я тебе даю слово. Я столько об этом слышала... Просто говорить не хочу. И еще — ни одна порядочная женщина так не поступит. Мужчинам там делать нечего.

— Мама, это ведь чудо! Ничего ужасного или непорядочного здесь нет!

Он очень гордился Лиз и, помимо прочего, действительно желал быть свидетелем появления своего ребенка на свет. Они с Лиз посмотрели целый фильм, где показывалось рождение ребенка, и примерно понимали, чего им следует ждать. Ничего сколь-нибудь неприятного в этом не было, разве что немного страшновато. Конечно, Лиз однажды уже рожала, но с той поры прошло целых шесть лет. До рождения ребенка должно было пройти еще шесть месяцев, и обоим хотелось, чтобы эти месяцы прошли как можно быстрее...

К концу обеда Руфь не только определилась с при-

даным для новорожденного и детскими садами Вест-
честера, но и с будущей специальностью малыша, которого, по ее мнению, следовало определить на юриди-
ческий факультет. Они выпили много шампанского,
отчего походка матери утратила всегдашнюю твер-
дость. Тем не менее это был лучший из всех проведенных ими вместе вечеров. Они уже вышли на улицу,
когда Берни вспомнил, что Лиз приглашала родителей
в гости. Он был настолько пьян, что тут же сказал об
этом матери, совершенно не думая о последствиях
столь опрометчивого поступка.

— Лиз хочет, чтобы вы приехали к нам.

— А ты?

— Разумеется, я хочу того же самого, мама. Она хочет, чтобы вы остановились прямо у нас.

— Интересно, где?

— Джейн может спать в детской.

— Этого делать не стоит. Мы остановимся в «Хантингтоне», как было и в прошлый раз. Зачем лишний
раз вас беспокоить?.. И когда же она нас ждет?

— Рождественские каникулы начнутся у нее, если
не ошибаюсь, двадцать первого декабря. Почему бы
вам не приехать к нам именно в это время?

— Она что — будет работать до этих пор?

В ответ Берни улыбнулся.

— Меня всю жизнь окружали недалекие женщины...
Она собирается работать до самых пасхальных каникул
и только после этого выйти в отпуск. Ее будет замещать Трейси — ее лучшая подруга. Они уже обо всем
договорились.

— Мешуггенех! Сумасшедшая! Ей в это время уже
нужно будет лежать!

Он пожал плечами:

— Вряд ли. По крайней мере, доктор говорил, что
она может работать до самого-самого... Лучше скажи — вы приедете или нет?

В глазах у матери засверкали озорные искорки.

— А как ты думал? Неужели я могу бросить сына в
этом богом забытом месте?

Берни рассмеялся:

— Я так его никогда не называл.

— Но это, согласись, все же не Нью-Йорк.

Берни печально вздохнул и стал смотреть на стремительные потоки машин, несущихся мимо магазинчиков Мэдисон-авеню... Он по-прежнему был верен Нью-Йорку, считая Сан-Франциско местом вынужденной ссылки.

— Сан-Франциско — не самый плохой город, мама.

Он до сих пор пытался убедить в этом самого себя. Да, он был счастлив с Лиз, но насколько им было бы лучше, живи они в Нью-Йорке!

Мать пожала плечами и грустно посмотрела на Берни.

— Скорей бы ты возвращался домой... Давно пора это сделать. Особенно сейчас. — Все думали о Лиз и ее будущем ребенке. Мать вела себя так, словно это был подарок, предназначенный именно ей и никому больше. — Береги себя, Берни.

Она крепко обняла его и со слезами на глазах направилась к подъехавшему такси.

— Мазел тов и ей, и тебе.

— Спасибо, мама.

Он пожал матери руку, кивнул отцу и медленно побрел к своему отелю, думая о родителях, Лиз, Джейн... Нет, пусть он и жил в Сан-Франциско, он был редким счастливчиком. Проблема переезда заботила его сейчас не так сильно. В любом случае Лиз в этом году больше подходил климат Сан-Франциско. Непогода, гололед и снегопады еще успеют ей опостылеть. Берни вдруг подумал, что вновь пытается успокоиться, убедить себя в том, что так лучше и для него, и для всех... На следующий день, когда он улетал из Нью-Йорка, шел проливной дождь. И все-таки он любил город и таким. Едва самолет взмыл над затянутым серой дымкой Нью-Йорком, Берни вновь вспомнил о родителях. Они наверняка тоже страдают из-за того, что он живет так далеко от них. Теперь, когда у него должен был родиться собственный ребенок, он относился к этому совсем иначе. Разве он позволил бы своему ребенку жить так далеко? Он откинулся на спинку кресла и заулыбался, вспомнив вдруг о Лиз и об их ребенке... Он не возражал бы и против того, чтобы это была девочка. Маленькая девочка, похожая на Лиз. Он заснул и спал до тех пор, пока самолет не начал снижаться.

Неделя в Париже прошла стремительно, оттуда он, как всегда, отправился в Рим и Милан. Затем последовали Дания, Берлин и, наконец, Лондон. Поездка оказалась на редкость удачной, когда же он вернулся домой и увидел Лиз, то не мог удержаться от смеха. Живот ее стал таким большим, что она уже не могла надевать свою обычную одежду.

— Что бы это значило? — спросил Берни с усмешкой.

— О чем это ты? — пожала плечиками Лиз, но тут же смущенно добавила: — Не смотри на меня! Я сама себе кажусь противной!

— Что? Ты, наверное, сошла с ума! Ты никогда не выглядела лучше!

Берни нежно обнял ее и спросил как бы невзначай:

— Как тебе кажется, кто это?

Лиз улыбнулась и пожала плечами.

— Когда я ходила с Джейн, на этом сроке живот у меня был поменьше... Впрочем, это ничего не значит. — Она задумалась. — Может быть, это мальчик... Ты ведь хочешь мальчика?

Он посмотрел на нее, склонив голову набок.

— На самом деле мне совершенно все равно. Как будет, так и будет. Когда мы должны идти к доктору?

— Ты уверен, что хочешь этого?

Она посмотрела на Берни так, что он моментально встревожился.

— Что это с тобой? — Но тут его осенило: — Наверное, с тобой успела поговорить моя мамочка, так?

Лиз густо покраснела и растерянно пожала плечами.

— Пойми, для меня нет никого красивее тебя! Я хочу делить с тобою все: и хорошее, и плохое — понимаешь? Это наш с тобой ребенок, поэтому и там мы должны быть вместе. Разве не так?

Лиз облегченно вздохнула:

— А ты меня после этого не разлюбишь?

— Разве я могу тебя разлюбить?

— Прости... Прости меня... Это я так.

Раздался звонок в дверь. Это были Трейси и Джейн. Берни подбросил визжащую от счастья Джейн над головой и стал показывать ей подарки, привезенные из Франции. Прошел не один час, прежде чем Берни и Лиз вновь остались одни.

Они легли в кровать поздно за полночь, но и здесь продолжали говорить — о его работе, о магазине, о Европе, об их ребенке... Лиз теперь волновал только он, и Берни нисколько не обижался на это — ведь это был их общий ребенок. Берни обнял Лиз и забылся мирным, покойным сном.

Глава 15

Родители Берни приехали во второй день рождественских каникул. Лиз и Джейн встречали их в аэропорту. К этому времени Лиз была уже на шестом месяце. Руфь привезла с собой не только массу детских вещей от Бергдорфа, но и целую кипу буклетов, посвященных проблемам здоровья матери и ребенка, которые Лу принес из больницы. Руфь тут же принялась одаривать Лиз советами, восходящими едва ли не к ее бабке, и, едва взглянув на живот невестки, пришла к заключению, что родиться должен мальчик, и это не могло не вызвать общей радости. Прожив неделю в городе, родители вместе с Джейн отправились в Диснейленд, предоставив Берни и Лиз возможность отпраздновать свой юбилей наедине. Праздновали они его целых три дня. В первый вечер пошли в «Звезду», во второй — участвовали в грандиозном благотворительном вечере, устроенном магазином, в третий — а это уже был канун Нового года — вместе с друзьями направились в бар все той же «Звезды». Это время они провели прекрасно, однако, когда Руфь и Лу вернулись, Руфь тут же заметила, что Лиз выглядит ужасно: она была бледной,

усталой и изможденной. Вдобавок ко всему Лиз уже
месяц мучали боли в бедрах и пояснице.

— Почему бы тебе не свозить ее куда-нибудь?

— Пожалуй, я это действительно сделаю...

Работа отнимала у Берни столько сил, что он просто
не вспоминал о подобных вещах. Кроме того, год этот
был на редкость напряженным, а время его обычной
поездки в Нью-Йорк и Европу в точности совпадало со
временем рождения ребенка. Берни предполагал отложить поездку на более поздний срок, хотя подобная от-
срочка могла привести к проблемам со снабжением
магазина товарами.

— По крайней мере, постараюсь сделать.

Мать погрозила ему пальцем.

— Бернард! Не пренебрегай своими обязанностями!

Он рассмеялся:

— Слушай, чья ты, в конце концов, мать? Ее или моя?

Он часто вспоминал о том, что у Лиз нет никого,
кроме него, Джейн и его родителей. Какой бы ужасной
ни была порой его мать, Лиз все-таки была ей небез-
различна.

— Ладно. Не горячись. Я сделаю это сейчас — пока
она еще в состоянии путешествовать.

И действительно, уже через пару дней он и Лиз полетели на Гавайи, но на сей раз без Джейн, из-за чего
та дулась на них не одну неделю. Берни пришел из магазина с массой летних вещей для Лиз и с заказанными
билетами. Когда они вернулись, Лиз вновь выглядела
здоровой и хорошо отдохнувшей, это была все та же,
прежняя Лиз... Впрочем, у нее то и дело ныло сердце,
кололо в боку и ломило в спине, отекали ноги и, в довершение всего, мучила бессонница. Больше всего она
страдала от болей в спине и бедрах. Врач, однако, считал, что все идет совершенно нормально.

— Господи... Берни, я боюсь, что мне никогда уже
не стать такой, как прежде...

И хотя Лиз была уже на восьмом месяце и прибави-
ла в весе тридцать фунтов, Берни по-прежнему считал
ее чрезвычайно привлекательной. Лицо у нее несколько располнело, но от этого Лиз стала выглядеть только

моложе. Как и прежде, она была чрезвычайно опрятна. В конце марта Лиз стала чувствовать себя так скверно, что с трудом передвигалась. К счастью, теперь ей уже можно было не ходить на работу. Каждый день занятий оборачивался для Лиз сущей мукой: стоять у доски, объясняя детям правила сложения и вычитания, было выше ее сил.

В школе ее просто завалили подарками. Здесь были и ботиночки, и кофточки, и шапочки, а также, помимо прочего, три картинки, пепельница, колыбелька и пара крошечных сабо. Что ни день, Берни приносил из магазина все новые и новые вещички для ребенка. Вместе с теми вещами, которые прислала из Нью-Йорка бабушка, их хватило бы по меньшей мере на пятерых. В любом случае, рассматривать это приданое Лиз очень нравилось. Она теперь стала заметно нервничать, отчего сон ее стал хуже, по ночам она или бесцельно бродила по комнатам, или вязала, сидя у телевизора, или сидела в кресле, думая о том недалеком времени, когда у нее появится еще один ребенок.

Однажды днем, когда она сидела в кресле-качалке и ожидала возвращения Джейн из школы, зазвонил телефон. Лиз хотела было не отвечать на звонок, но потом, вспомнив, что Джейн еще не вернулась и этот звонок может быть как-то связан с нею, она все-таки подняла трубку, для чего ей пришлось перейти из детской в гостиную.

— Алло?

— День добрый. — Голос этот показался ей удивительно знакомым. — Как поживаешь?

Лиз почувствовала, как по спине побежали мурашки.

— Кто это?

Она попыталась внушить себе, что ничего особенного не происходит, но это ей удалось плохо: в голосе звонившего ей почудилось нечто зловещее.

— Не помнишь меня?

— Нет.

Она уже хотела повесить трубку, решив, что кто-то разыгрывает ее, но тут в трубке раздалось:

— Лиз, постой!

Теперь голос звучал жестко и властно. Лиз слышала его и прежде — теперь она в этом не сомневалась. Она замерла.

— Я хочу поговорить с тобой.

— Я не знаю вас.

— Так уж и не знаешь?

Странный ее собеседник засмеялся. Смех его был недобрым и неприятным. Вот теперь Лиз точно знала, с кем она говорит. Единственное, чего она не понимала, — как он смог разыскать ее. Впрочем, это ее не очень интересовало.

— Где мой ребенок?

— Какая разница?

Это был не кто иной, как сам Чендлер Скотт, отец Джейн, не имевший к собственной дочери никакого отношения. Конечно, в жизни Лиз он сыграл определенную роль — и немалую, но этим все и ограничилось. Настоящим отцом Джейн был Берни Файн. С этим же человеком Лиз не хотела иметь ничего общего.

— Что-то я тебя не пойму...

— Ты не видел ее все эти пять лет, Чен. Она и понятия не имеет, кто ты такой. — О том, что Джейн считает своего папу умершим, Лиз говорить не стала. — Мы не хотим тебя видеть.

— Я слышал, ты снова вышла замуж, это верно? — Лиз посмотрела на свой живот и улыбнулась. — Наверняка у твоего нынешнего муженька деньжата водятся...

Последнее замечание разозлило Лиз.

— Тебе-то какое дело?

— Просто хочу узнать — все ли в порядке с моим ребенком, только и всего. Вернее, так: я хочу ее увидеть. В конце концов, должна же она знать о том, что у нее есть настоящий отец, который любит ее.

— Да что ты говоришь?! Если бы это было так, ты бы давным-давно объявился.

— Откуда я мог знать, куда вы подевались? Вы же исчезли, не подумав меня предупредить.

От гнева Лиз какое-то время была не в силах сказать ни слова. Сердце ее бешено колотилось. Встреться она с Ченом пораньше, сказала бы ему многое, но теперь, когда Джейн исполнилось уже семь, в этом не было никакой необходимости.

— Как же тебе удалось разыскать меня?

— Это было несложно. Нашел тебя в старом телефонном справочнике. Твоя прежняя хозяйка тут же сообщила мне фамилию твоего супруга... Как поживает Джейн?

Лиз непроизвольно стиснула зубы и еле слышно процедила:

— Хорошо.

— Думаю, на днях я заеду к вам поздороваться с дочерью.

— Не теряй время понапрасну. Я не позволю тебе видеться с нею.

Девочка считала, что ее отец мертв, и Лиз совершенно не хотелось разубеждать ее в этом.

— Ты не вправе прятать ее от меня, Лиз.

В его голосе вновь зазвучали мерзкие нотки.

— Не вправе? Что ты хочешь этим сказать?

— Тебе придется объяснить судье, почему ты прячешь девочку от ее родного отца.

— Сначала ты расскажешь судье о том, как мы расстались шесть лет тому назад. После этого он вряд ли станет разговаривать с тобой. — Раздался звонок в дверь. Это была Джейн. — Исчезни, Чен. Исчезни, чтобы тебя здесь никто и близко не видел!

— Охо-хо... Должен заметить, сегодня днем я уже беседовал с юристом.

— Ну и что?

— Я хочу повидаться со своей дочерью.

В дверь снова позвонили. Лиз крикнула, прося минуту подождать.

— Зачем?

— Затем, что я имею на это полное право.

— И что потом? Исчезнешь еще на шесть лет? Почему бы тебе не оставить девочку в покое?

— Если ты этого действительно хочешь, тебе придется поговорить со мной.

«Вот оно что!» — подумала Лиз. Опять мошенничество. Он хочет на этом подзаработать, и как же она не поняла сразу.

— Где ты находишься? Я позвоню тебе попозже.

Он дал ей номер, сказав, что находится по другую сторону Золотых Ворот, на полуострове Марин.

— Надеюсь услышать тебя сегодня вечером.

— Договорились.

Она повесила трубку и, стиснув зубы, поспешила в прихожую, чтобы открыть Джейн. Все это время та стучала по двери своей коробкой для завтраков. Черная блестящая краска местами облупилась. Заметив это, Лиз ужаснулась и накричала на дочку, отчего та в слезах умчалась к себе в комнату. Лиз пришла туда же и тяжело опустилась на кровать, чувствуя, что еще немного, и она тоже заплачет.

— Прости меня, моя хорошая. У меня был тяжелый день.

— У меня тоже! Я свой поясок потеряла.

Розовое платье она носила с белым поясом, который ей очень нравился. Этот поясок, так же как и многое другое, ей подарил Берни, и поэтому он был особенно дорог Джейн.

— Папочка принесет тебе другой.

Джейн тут же успокоилась, хотя все еще продолжала шмыгать носом, и поспешила в объятия матери. Всем им сейчас приходилось непросто. Лиз устала. Берни совершенно издергался в ожидании, ведь ребенок мог родиться со дня на день. Джейн тоже не понимала, радоваться ей или огорчаться, рождение малыша теперь не казалось ей таким уж замечательным событием. Внезапное появление Чендлера Скотта вряд ли могло улучшить кому-либо настроение. Лиз поставила перед Джейн тарелку с горячими булочками и стакан молока. Дождавшись, когда та сядет делать уроки, Лиз тихонько вышла из комнаты и направилась в гостиную. Немного помедлив, она набрала номер Берни. Тот поднял трубку сам; судя по тону, он был чем-то занят.

— Здравствуй, милый. Можешь говорить?

Она чувствовала себя совершенно разбитой.

— Нет, нет, все нормально. — Внезапно Берни всполошился: — Что — началось?!

— Нет.

Она рассмеялась. До срока оставалось еще две недели, к тому же доктор предупредил ее, что скорее всего она будет ходить дольше срока.

— С тобой все в порядке?

— Да... Более или менее. — Она хотела поговорить с Берни прежде, чем он вернется домой. Рассказывать о Чендлере Скотте при Джейн она бы не рискнула. — Сегодня произошла одна очень неприятная вещь.

— Ты что — ушиблась?

Можно было подумать, что это говорит не Берни, а бабушка Руфь. Лиз усмехнулась.

— Нет. Мне позвонил один мой старинный приятель. Вернее, мой давний враг.

Берни недоуменно нахмурился. Разве у нее были враги? Ему, во всяком случае, она о них ничего не говорила. Он не знал об этом ровным счетом ничего.

— И кто же это такой?

— Чендлер Скотт.

Надолго установилось молчание.

— Если не ошибаюсь, это твой бывший супруг, верно?

— Если так можно выразиться. Мы прожили с ним в общей сложности месяца четыре — не больше. А официально — и того меньше.

— Откуда он взялся?

— Наверное, вышел из тюрьмы.

— Но каким образом он сумел разыскать тебя?

— Он общался с моей прежней хозяйкой. Она назвала ему мою новую фамилию и сказала, где мы живем. Только и всего.

— Прежде чем говорить это незнакомому человеку, ей бы следовало посоветоваться с тобой.

— Я думаю, она ни о чем таком даже не подозревала.

Лиз попыталась сесть поудобнее. Что бы она ни делала, она постоянно испытывала крайнюю неловкость. Она не могла ни сидеть, ни стоять, ни лежать. Даже дышать ей стало труднее — дитя теперь постоянно двигалось.

— Что ему надо?

— Он заявляет, что ему хочется увидеть Джейн.

— Но зачем? — ужаснулся Берни.

— Я думаю, на самом деле ему нужна совсем не дочь. Он сказал, что собирается «обсудить» с нами эту проблему. Если мы откажемся от встречи с ним, он обратится к адвокату, и тот просто обяжет нас отпускать девочку на встречи с отцом.

— Очень уж это похоже на вымогательство.

— Так оно и есть. И все же я думаю, нам следует переговорить с ним. Я обещала позвонить ему сегодня вечером. Он остановился где-то на Марине.

— Я с ним поговорю. Ты в эти дела не вмешивайся. — Берни забеспокоился. Лиз в ее нынешнем положении только этого еще и не хватало...

— Я думаю, нам тоже стоит поговорить с адвокатом. Возможно, у него уже нет никаких прав.

— Это неплохая идея, Лиз. Я займусь этим прямо сейчас.

— У тебя есть с кем связаться?

— У нас есть свои юрисконсульты. Кого-то они мне обязательно порекомендуют.

Берни повесил трубку, и Лиз снова пошла в детскую — посмотреть, сделала ли Джейн работу по математике. Та уже начала собирать учебники. Заметив Лиз, девочка вопросительно посмотрела на нее и спросила:

— Папа привезет мне новый поясок?

Лиз тяжело вздохнула и опустилась на кровать.

— Ой, миленькая... Я совсем забыла... Мы попросим его об этом сегодня вечером.

— Мамочка...

Джейн зарыдала. Лиз готова была расплакаться сама. Ей и без того было тяжело; видеть же, как страдает Джейн, было выше ее сил. Бедняжка Джейн понимала, что с появлением ребенка ее жизнь станет совсем иной. Она хотела быть этим ребенком сама. Продолжая всхлипывать, Джейн забралась на колени к матери.

Они сидели так довольно-таки долго. После того как Джейн успокоилась, Лиз взяла ее с собой на прогулку. По дороге домой Джейн вдруг захотела купить для папы букет цветов, и Лиз позволила ей выбрать несколько ирисов и нарциссов.

— Ты думаешь, ребенок родится уже скоро?

Джейн посмотрела на мать не то с опаской, не то с надеждой. Педиатр сказал Лиз, что девочка уже выросла, и поэтому особых проблем не предвидится, — она, мол, быстро привыкнет к тому, что у нее появился братик или сестренка. Однако Лиз уже начинала в этом сомневаться.

— Не знаю, моя хорошая. Надеюсь, что скоро. Мне уже надоело быть такой толстой.

Они обменялись улыбками.

— Ты выглядишь совсем неплохо. Не то, что мама Кэти. У нее лицо стало, как у хрюшки. — Джейн смешно раздула щеки. — А на ногах появились такие синие штуки.

— Это варикозные вены...

К счастью, у Лиз ничего подобного не было.

— Как это ужасно — иметь ребенка... Правда?

— Ну что ты! Конечно же, нет! Это прекрасно, пусть у некоторых и случаются подобные вещи. Все это не так страшно, как кажется, и потом совершенно забывается... Если у тебя и у человека, которого ты любишь, есть ребенок, лучше этого нет ничего.

— А ты любила моего настоящего папу? — внезапно посерьезнев, спросила Джейн.

Лиз на мгновение растерялась, пораженная тем, что девочка решила спросить об этом именно в тот день, когда ей позвонил Чендлер Скотт, человек, которого она ненавидела больше всего на свете. Сказать об этом Джейн она не могла — ни сейчас, ни потом, ведь она так любила ее.

— Да. Любила. И даже очень сильно.

— А как он умер?

Джейн никогда не спрашивала ее об этом. Оставалось надеяться, что девочка все-таки не слышала сегодняшнего телефонного разговора...

— Он погиб в катастрофе.

— В автокатастрофе?

Этот вариант был не хуже и не лучше любого другого.

— Да. Он сразу умер — мгновенная смерть. Даже не успел ничего понять.

Лиз казалось, что для Джейн этот момент должен иметь значение. Так оно и оказалось.

— Это хорошо... Представляю, как ты тогда расстроилась...

— Конечно... — не сморгнув, солгала Лиз.

— А сколько мне тогда было?

Они уже подошли к дому. Лиз запыхалась так, что едва могла говорить.

— Всего несколько месяцев, милая.

Они поднялись на крыльцо. Лиз открыла ключом дверь дома и, войдя вовнутрь, поспешила сесть. Джейн тем временем нашла вазу и поставила в нее цветы, предназначавшиеся для Берни. Она посмотрела на мать с улыбкой.

— Я так рада, что ты вышла замуж за папу. А то бы у меня никого, кроме тебя, не было.

— Я тоже очень рада.

Знала бы девочка, как отличается один ее папа от другого.

Джейн отнесла цветы в другую комнату, а Лиз занялась ужином. Она настояла на том, что будет, как и прежде, готовить все сама, и старалась кормить Джейн и Берни их любимыми блюдами. Она не знала ни того, как будет чувствовать себя после рождения ребенка, ни того, будет ли у нее время на готовку, и поэтому спешила побаловать их сейчас, пока у нее есть такая возможность. За последний месяц благодаря ее стараниям Берни прибавил в весе десять фунтов, что чрезвычайно его забавляло.

В этот вечер он вернулся домой необычно рано, был очень веселым и общительным, благодарил Джейн за цветы и вообще всячески пытался угодить ей. Посерьезнел же он только тогда, когда Джейн отправилась спать и они с Лиз остались вдвоем. Говорить о столь серьезных вещах при ребенке Берни в любом случае не стал бы. Он прикрыл двери комнаты Джейн и спальни и включил телевизор. И лишь после этого обратился к Лиз:

— Пибоди, наш юрисконсульт, посоветовал мне переговорить с неким Гроссманом, что я тут же и сделал... — Берни не мог не доверять Гроссману, ибо тот не только был родом из Нью-Йорка, но и учился в Колумбийском университете. — Он сказал, что эта ситуация не столь проста, как может показаться. У этого типа действительно есть определенные права.

— Неужели?! — Лиз неловко уселась на кровать. Она вновь стала задыхаться. — После стольких лет? Как это вообще возможно?

— Просто наш штат отличается особым либерализмом — только и всего. — Берни с грустью подумал о том, что в этой ситуации во многом повинен Берман, так и не позволивший ему вернуться в Нью-Йорк. — Конечно, если бы я удочерил Джейн, все выглядело бы совершенно иначе. Но, увы, я этого не сделал. Это была ошибка. Казалось, что нам вовсе ни к чему связываться с властями, коль скоро ребенок и так носит мое имя...

Как Берни корил себя теперь за свое легкомыслие!

— Но разве тот факт, что он оставил... что он бросил нас — меня и ее, — не имеет никакого значения?

— Возможно, это обстоятельство и может решить исход дела в нашу пользу, но это, к сожалению, не очевидно. Все будет решать судья. Он и даст заключение — покидали вас или нет... Если мы выиграем, прекрасно. Если же проиграем, придется подавать дело на апелляцию. При этом суд, вне всяких сомнений, примет решение, позволяющее Чендлеру Скотту встречаться с дочерью по крайней мере до момента принятия окончательного решения. Это будет продиктовано так называемыми «соображениями гуманности».

— Но ведь он уголовник, мошенник, подлец!

Еще никогда Берни не видел Лиз такой разъяренной. Она действительно люто ненавидела своего бывшего мужа, и ее можно было понять. Подобные же чувства по отношению к нему начал испытывать уже и сам Берни.

— Они заставят меня показать ему ребенка?

— Скорее всего да. Понимаешь, отец девочки априори будет считаться нормальным, хорошим человеком до тех пор, пока не будет доказано обратное. Сначала они позволят ему встречаться с Джейн, потом дело будет рассмотрено в суде, и только после этого мы узнаем — выиграли мы или проиграли. При этом нам придется объяснить девочке, что это за человек, зачем он хочет встретиться с ней и что мы обо всем этом думаем. — Берни видел, что Лиз встревожилась уже не на шутку, но все же решил продолжить свой рассказ: — Гроссман считает, что с большой вероятностью мы можем проиграть дело. В последнее время о правах отцов стали много говорить. Вполне возможно, судья примет сторону Чендлера Скотта, каким бы мерзавцем тот ни был.

В соответствии с теорией, согласно которой отцы — если, конечно, они не колотят своих детей — имеют такие же права, как и матери. Даже в тех случаях, когда отец ведет себя по отношению к детям жестоко, ему все-таки позволяется видеться с ними. Понимаешь, в чем дело?

Только теперь Берни заметил, что Лиз плачет. Конечно, говорить ей подобные вещи сейчас было по меньшей мере глупо.

— Деточка, ты уж прости меня... Мне не следовало рассказывать тебе всего этого...

— Я должна знать всю правду, какой бы горькой она ни была, — всхлипывая, ответила Лиз. — Скажи, а можем ли мы каким-то образом избавиться от него?

— И да, и нет... Гроссман был со мной откровенен. Конечно, откупаться от этого типа — значит, поступать не вполне законно, но в подобных случаях именно так и делается. Вряд ли по прошествии семи лет он вдруг начнет учить девочку кататься на велосипеде, верно? Просто парень решил немножко подзаработать... Главная проблема состоит в том, что он будет делать это снова и снова. Это как бездонная бочка.

На самом деле для себя Берни уже все решил: он даст этому типу десять тысяч долларов и потребует, чтобы тот убрался с его глаз раз и навсегда. Давать больше было бы неразумно — у Скотта мог разгореться аппетит, и это ни к чему хорошему уже не привело бы. Берни поделился этими мыслями с Лиз, и она тут же согласилась с ним.

— Может быть, позвоним ему?

Ей хотелось побыстрее покончить с этим делом. Когда она подала Берни листок, на котором был записан телефон Скотта, у нее заныло сердце.

— Я поговорю с ним сам. Я хочу, чтобы ты в этом не участвовала. Так будет лучше и для тебя, и для дела.

Спорить с этим было невозможно. Бернард набрал нужный номер и попросил позвать к телефону Чендлера Скотта. Они ждали ответа целую вечность. Берни передал трубку Лиз, чтобы исключить ошибку. Услышав голос, Лиз молча кивнула и вернула трубку Берни.

— Господин Скотт? Моя фамилия Файн.

— Что? Ах, ну да... Вы женаты на Лиз, верно?

— Все правильно. Насколько я понимаю, сегодня днем вы звонили по важному делу. — Гроссман строго-настрого запретил Берни говорить по телефону о девочке и о деньгах. Чендлер Скотт мог записывать разговор. — У меня есть что сообщить вам по этому поводу.

Скотт тут же все понял. Ему понравилось, что звонивший не пытается тянуть время или водить его за нос. Впрочем, он предпочел бы говорить не с ним, а с Лиз...

— Вы полагаете... для обсуждения наших проблем нам лучше встретиться?

Он говорил столь же туманно, как и Бернард, очевидно, боясь какого-то подвоха. Было понятно, что он побаивается полиции. Судя по всему, Скотт продолжал заниматься какими-то темными делишками.

— Не думаю, что в этом есть необходимость. Мой клиент назначил свою цену. За все, про все — десять тысяч. Один раз — и сразу за все. Насколько я понимаю, он хочет откупить вашу долю.

Смысл этих слов был понятен всем троим. На том конце линии установилось долгое молчание.

— Мне нужно что-нибудь подписывать?

Скотт вел себя крайне осторожно.

— В этом нет нужды.

Совсем недавно Берни думал иначе, но Гроссман сумел переубедить его, однозначно заявив, что в данном случае подпись не будет стоить ровным счетом ничего.

В голосе Чендлера зазвучали алчные нотки.

— А как я их получу?

В другой ситуации Берни бы рассмеялся, услышав такое, но сейчас ему было совсем не смешно. Он хотел как можно быстрее отделаться от этого подонка, прекрасно понимая, что Лиз нельзя нервничать.

— Я буду рад лично встретиться с вами.

— Речь идет, надеюсь, о наличных?

— Разумеется.

Сукин сын. Единственное, что ему нужно, это деньги. На Джейн ему наплевать. В этом Лиз не ошиблась.

— Позвольте мне вручить их завтра.

— Где вы живете?

В телефонном справочнике не был указан их адрес, и это обстоятельство не могло не радовать Берни. Встречаться со Скоттом в своем офисе он тоже не хотел. Местом встречи, по его мнению, должен был стать ресторан, бар или нечто подобное. Вся история начинала смахивать на дешевый фильм. Впрочем, ответ он должен дать в любом случае.

— «Гарри», Онион-стрит, обед.

Оттуда до его банка было пять минут ходу. Он отдаст этому типу деньги и тут же пойдет домой, к Лиз.

— Отлично. — Голос Чендлера Скотта теперь звучал так, будто он был самым счастливым человеком на свете. — Тогда до завтра.

Он тут же повесил трубку. Берни посмотрел на Лиз.

— Он клюнул на это.

— Думаешь, ему больше ничего не нужно?

— Пока нет. Ему эта сумма представляется огромной — о чем-то большем он и не мечтал. Как говорит

Гроссман, основная проблема состоит в том, что рано или поздно он снова вернется, поэтому мы должны подготовиться к этой встрече. — Выплачивать этому прохвосту ежемесячное жалованье Берни не собирался. — Если нам повезет, то к тому моменту, когда он вновь проголодается, мы уже будем в Нью-Йорке. Найти нас там будет невозможно. В любом случае мы предупредим хозяйку о том, что говорить о нас с посторонними людьми ей не следует. Верно?

Лиз согласно кивнула. Берни был прав. Окажись они в Нью-Йорке, Чендлеру Скотту уже никогда не найти их.

— Чего я не хочу, так это встречаться с ним в магазине. Где-где, а уж там-то он всегда может с легкостью разыскать меня.

— Мне так жаль, что я втянула тебя в историю, милый... Как только я начну зарабатывать, я верну тебе эти деньги.

— Не говори глупости. — Он обнял Лиз. — Завтра с этим делом будет уже покончено.

Она серьезно посмотрела на Берни, вспоминая о той боли, которую причинил ей Чендлер Скотт.

— Ты можешь обещать мне одну вещь?

— Все, что ты хочешь.

Кажется, еще никогда он не любил ее так сильно, как сейчас, когда она сидела рядом с ним, такая беззащитная и такая доверчивая.

— Если со мной что-то произойдет, ты защитишь от него Джейн, хорошо?

Она посмотрела на него своими огромными глазами. Берни нахмурился.

— Не говори таких вещей. — Он чувствовал себя в достаточной степени евреем для того, чтобы быть, пусть самую малость, но все-таки суеверным, хотя в этом смысле до матери ему было очень далеко. — Ничего с тобой не случится.

Врач предупредил Берни о том, что женщины перед родами бывают очень мнительны, это порой доходит у них до патологии. Обычно подобные состояния свидетельствуют о близости родов.

— Но ты можешь мне это пообещать? Я не хочу, чтобы он появлялся где-то рядом с нею, понимаешь? Дай слово...

Она возбудилась настолько, что Берни пришлось успокаивать ее и обещать сделать все, от него зависящее, чтобы этого никогда не произошло.

— Я люблю ее как родную, ты ведь знаешь. Можешь на этот счет не беспокоиться.

В эту ночь Лиз мучили кошмары. Нервничал и Берни, когда он шел к «Гарри» на встречу со Скоттом. В кармане его лежал конверт с сотней стодолларовых билетов. Лиз объяснила ему, что он должен найти высокого худощавого человека с золотистыми волосами, и предупредила, что Скотт совершенно не похож ни на жулика, ни на вымогателя.

— С такими людьми плавают на яхтах или знакомят с ними своих сестренок...

— Это ужасно. А что, если я передам конверт не тому человеку? Меня или побьют или — того хуже — лишат конверта с его содержимым...

Берни стоял за стойкой бара «Гарри», изучая взглядом всех входящих и выходящих из него и чувствуя себя чем-то вроде русского шпиона. Чендлера Скотта он узнал мгновенно. Как Лиз и говорила, он был хорош собой и со вкусом одет. На нем был блейзер и серые слаксы. Однако при ближайшем рассмотрении блейзер оказался дешевым и обтрепанным, а туфли так и вовсе изношенными вконец. Его униформа требовала серьезного ремонта. Больше всего Чендлер Скотт походил на старшеклассника-переростка, слоняющегося по злачным местам. Стоило ему войти в бар, как он тут же заказал виски и, взяв стакан дрожащей рукой, принялся настороженно озираться. Берни не сказал ему, как он выглядит, и поэтому имел определенное преимущество. Сам он практически не сомневался в том, что видит перед собой именно Чендлера Скотта. Тот от нечего делать стал болтать с барменом. Рассказал ему, что только-только приехал из Аризоны, а еще через полминуты добавил, что сидел там в тюрьме.

— Что поделаешь, если эти ребята не понимают

шуток... Парочка каких-то там чеков, а вон оно чем обернулось... Охо-хо... Как здорово опять оказаться в Калифорнии...

Последняя фраза вновь напомнила Берни о том, что им как можно скорее нужно уезжать в Нью-Йорк. Он решил не тянуть больше время и направился к Чендлеру.

— Господин Скотт?

Он сказал это еле слышно, встав у стойки рядом с ним. Заметно было, что Чендлер очень нервничает. Теперь Берни видел, что у него такие же, как у Джейн, голубые глаза, впрочем, голубоглазой была и Лиз... Лицо у Чендлера было достаточно приятным, но выглядел он куда старше своих двадцати девяти лет. Густые светлые волосы лезли ему в глаза, придавая облику что-то мальчишеское, пусть на вид ему и было далеко за тридцать. Эти бесшабашность и непосредственность располагали к нему людей. Ему доверяли, и он этим пользовался... Эдакий наивный паренек из глубинки. В последнее время, судя по виду Скотта, дела у него шли далеко не блестяще. Настороженный взгляд его голодных глаз говорил об этом яснее ясного.

— Да?

Скотт еле заметно улыбнулся, глаза его оставались при этом такими же холодными, как и прежде.

— Моя фамилия Файн.

Берни знал, что ничего иного ему говорить не следует.

— Отлично. — Чендлер просиял. — Вы что-нибудь принесли?

— Принес, — кивнул Берни, но отдавать конверт не торопился.

Чендлер Скотт скользнул взглядом по его одежде и перевел взгляд на его часы. Берни предусмотрительно не стал надевать ни «Патек Филипп», ни даже «Ролекс». Это были часы, подаренные ему отцом еще в ту далекую пору, когда он учился в школе бизнеса. Но даже и они не были слишком уж дешевыми, и Скотт это прекрасно понимал. Он тут же сообразил, что в его сети попала настоящая добыча.

— Да, я смотрю, Лиз нашла себе неплохого муженька...

Берни молча достал из внутреннего кармана пиджака конверт с деньгами.

— Если не ошибаюсь, вы хотели именно это. Можете пересчитать. Здесь все.

Чендлер скользнул по Берни взглядом.

— А если они фальшивые?

— Вы что — серьезно? — Берни искренне удивился. — Неужели вы думаете, что я стал бы подделывать деньги?

— Такое бывает...

— Сходите с ними в банк — пусть на них посмотрят... Я подожду вас здесь.

Берни старался говорить совершенно невозмутимо. Скотт принялся пересчитывать купюры, не вынимая их из конверта. Было очевидно, что он никуда не пойдет. Все было в порядке. В конверте лежало ровно десять тысяч долларов.

— Прежде чем вы уйдете, я хочу сказать вам одну важную вещь. Не появляйтесь больше. В следующий раз вы не получите ни гроша. Понятно?

Он посмотрел в глаза Чендлеру. Тот криво улыбнулся.

— Принято. — Он опорожнил стакан, сунул конверт в карман блейзера и вновь посмотрел в лицо Берни. — Передавайте привет Лиз. Жаль, что мы с ней не свиделись.

Берни так и подмывало пару раз наподдать этому мерзавцу, который только что, не моргнув, продал родную дочь за десять тысяч долларов. Чендлер же, помахав бармену, вышел из бара и тут же свернул за угол. Берни так и не дотронулся до своего бокала. Он хотел только одного — поскорее вернуться домой, к Лиз, и немного побаивался, как бы Чендлер в его отсутствие не заявился к ним. Впрочем, он понимал, что вероятность этого очень мала — Чендлера, похоже, не интересовало ничего, кроме денег.

Он поспешил на улицу, сел в свой автомобиль и поехал в направлении Бьюкенена и Вальехо. Оставив машину перед гаражом, побежал вверх по крутым ступеням. Берни очень спешил; он влетел в дом, и ему показалось, что там никого нет. Лишь через некоторое время, выйдя зачем-то на кухню, он обнаружил здесь Лиз. Она пекла булочки для него и Джейн.

— Привет.

Он заставил себя улыбнуться. Лиз улыбнулась ему в ответ, и от этого у него на душе стало неожиданно легко. Как он был рад тому, что она дома, что с ней все в порядке... Лиз казалась ему сказочной принцессой, вот только живот для принцессы был несколько великоват...

— Здравствуй, моя хорошая.

Он нежно погладил Лиз, и она положила голову ему на плечо. Она беспокоилась о Берни все это утро, чувствуя себя повинной во всем: и в треволнениях, и в расходах.

— Все в порядке?

— Нормально. Он выглядел именно так, как ты его описала. Насколько я могу судить, ему очень нужны были деньги.

— Ну, значит, в скором времени он снова окажется за решеткой. Он куда больший мошенник, чем это может показаться на первый взгляд.

— Для чего ему могли понадобиться эти деньги?

— Для того, чтобы как-то выжить. Иначе зарабатывать он просто не умеет. Занимайся он с той же энергией честным трудом, он был бы уже главой «Дженерал моторс». — Она улыбнулась. — Он говорил с тобой о Джейн?

— Ни слова. Деньги в зубы — и бежать.

— Отлично. Надеюсь, он больше никогда не вернется.

Лиз с облегчением вздохнула и вновь улыбнулась Берни. Как она была ему благодарна, сколько он уже для нее сделал...

— Я тоже на это надеюсь, Лиз.

В глубине души он считал, что от Чендлера Скотта избавиться будет непросто. Слишком скользким и изворотливым человеком, судя по всему, он оказался. Впрочем, вслух Берни этого не произнес. Лиз и так досталось. Он хотел было поговорить с ней об удочерении Джейн, но потом подумал, что лучше перенести этот разговор на то время, когда у нее уже кто-то родится.

— В любом случае тебе следует выбросить все это из головы. Все осталось позади, все в прошлом — понимаешь?.. Лучше скажи, как там поживает наш дружок?

Он погладил Лиз по животу, отчего та засмеялась.

— Он так брыкается! Такое ощущение, что вот-вот родится.

Ребенок был уже таким крупным и тяжелым, что ей было трудно ходить. Ночью Лиз стали мучить острые боли, и Берни заставил ее позвонить доктору. Однако того ее рассказ нисколько не впечатлил, он сказал, что все идет нормально, и посоветовал Лиз поспать.

Дни тянулись бесконечно долго. Прошло еще три недели. Лиз переходила уже десять дней, и это чрезвычайно угнетало ее. Однажды, вернувшись с работы, Берни застал ее плачущей. Лиз была расстроена тем, что Джейн ничего не ест. Он предложил им немного прогуляться, но оказалось, что Джейн простужена, а Лиз — чрезвычайно утомлена. Помимо прочего, ее постоянно мучили боли в бедрах. Берни уложил Джейн, немного почитав ей перед сном, и на следующее утро сам отвел ее в школу, решив не ждать школьного автобуса. Едва он вошел в свой кабинет и занялся просмотром данных за март, пришедших из Нью-Йорка, как тут же с ним связалась секретарша.

— Да?

— На четверке госпожа Файн.

— Спасибо, Айрин. — Он переключил коммутатор, так и не отрывая глаз от отчета. — Что там у тебя, милая?

Вряд ли он что-то оставил дома, скорее всего Джейн стало хуже, и Лиз хочет, чтобы он забрал ее из школы.

— С тобою все в порядке?

В ответ Лиз захихикала, и это означало, что настроение ее успело кардинально измениться. Когда он уезжал на работу, Лиз была раздраженной настолько, что на его предложение пообедать вместе в каком-нибудь ресторане ответила криком, чего не было еще никогда.

Впрочем, Берни прекрасно понимал теперешнее ее состояние и поэтому нисколько не обижался.

— Все прекрасно.

В голосе ее звучали торжествующие, радостные нотки.

— Что-то ты сегодня веселая. Что-нибудь случилось?

— Может быть.

— Что ты хочешь этим сказать?

— У меня отошли воды.

— Вот так раз! Я срочно выезжаю домой!

— Можешь не спешить. Ничего серьезного пока не происходит.

Она сказала это едва ли не победно. Еще бы — они ждали этого момента девять с половиной месяцев.

— Ты, надеюсь, позвонила доктору?

— Конечно. Он сказал, что пока не начнутся серьезные схватки, звонить ему не надо.

— И сколько же до этого может пройти времени?

— Нам же говорили об этом в классе — вспомни! Все может начаться уже через полчаса, а может — и завтра утром. В любом случае ждать уже недолго.

— Я выезжаю. Тебе что-нибудь нужно?

— Кроме тебя — ничего! Ты уж прости меня за то, что все это время я была такой злющей... Я сама себе казалась такой отвратительной... Ты не представляешь...

О том, что все это время ее мучили боли в бедрах и спине, она не сказала ни слова.

— Я все понимаю. Об этом можешь не думать. Все уже почти позади...

— Как мне хочется увидеть нашего ребенка...

И тут Лиз впервые за все время испугалась. Когда Берни вернулся домой, она решила принять душ, и с этого-то все действительно и началось. Когда она оделась и села в кресло, у нее начались такие схватки, что она застонала. Берни посоветовал ей дышать так, как их учили на курсах, а сам, достав свои любимые часы, принялся заводить их.

— Ты что — хочешь их носить? — Она вновь стала

раздражительной. О том, как и почему возникают подобные состояния, им тоже говорили на курсах. — Как тебе могут нравиться такие часы? Они же совершенно безвкусные.

Он улыбнулся, понимая, что роды вот-вот начнутся. Ее раздражительность была верным признаком этого.

Он позвонил Трейси и попросил ее забрать из школы Джейн. Услышав о том, что у Лиз начались схватки, та безумно разволновалась. К часу схватки следовали одна за одной так часто, что Лиз даже не успевала перевести дух. Было понятно, что им нужно срочно выезжать в больницу. Доктор их уже поджидал. Берни сам катил кресло, в котором сидела Лиз, медсестра шла немного сзади. Когда у Лиз начиналась очередная схватка, она делала знак Берни остановиться. Едва они подошли к двери родильной палаты, Лиз вдруг неистово замахала рукой. Одна схватка тут же сменилась второй, вторая — третьей, третья — четвертой... Лиз стала кричать. Они помогли ей встать с каталки и перейти на койку, где с Лиз сняли одежды.

— Миленькая, все хорошо... Все в порядке...

Недавние страхи совершенно оставили Берни. Теперь ему даже казалось странным, что в момент рождения ребенка отец обычно отсутствует. Он мог быть только здесь, и нигде больше. Вновь начались схватки. Лиз завизжала. Еще более страшный крик она издала, когда ее начал осматривать доктор. Берни держал ее за руки, пытаясь при этом говорить с ней, но все было напрасно, она его не слышала... Доктор, закончив осмотр, удовлетворенно кивнул головой.

— Дела идут хорошо, Лиз.

Это был добродушный голубоглазый человек с совершенно седой головой. И Берни, и Лиз он понравился с первого взгляда. От него исходили тепло и уверенность, правда, Лиз сейчас было совершенно не до него. Вцепившись в руку Берни, она самозабвенно кричала при каждой новой схватке.

— Восемь сантиметров... Еще два — и начнете тужиться...

— Я не хочу тужиться! Я хочу домой!

Берни улыбнулся доктору. Следующие два сантиметра прошли быстрее, чем предполагал доктор. С начала родов минуло уже восемь часов, которые летели для Берни совершенно незаметно, для Лиз же они показались вечностью: боль буквально раздирала ее на части.

— Я больше не могу! — вдруг выкрикнула Лиз.

Они закрепили ремнями ее ноги, и доктор сказал ей, что ему придется сделать эпизиотомию.

— Делайте что хотите! Только избавьте меня от ребенка! Слышите? Я больше не могу!

Теперь она уже плакала навзрыд. Берни заволновался. Смотреть на то, как она корчится от боли, было выше его сил. Доктор же вел себя как ни в чем не бывало.

— Может, ей дать что-нибудь? — шепотом спросил Берни. Доктор отрицательно помотал головой. Две женщины в зеленых хирургических халатах подкатили к нему детскую кроватку с рефлектором. Значит, все шло действительно нормально. Берни наклонился к Лиз и сказал ей об этом на ухо.

— Я... Я не могу... Мне больно...

Она выглядела смертельно усталой. Берни посмотрел на часы и остолбенел. Было шесть, значит, Лиз тужилась уже два часа.

— Давай! — Голос доктора вдруг стал властным. — Давай же, Лиз, ну! Поднатужься посильнее... Еще раз! Еще! Еще! Давай, вон уже и головка его показалась!

Лиз взвыла, и тут вдруг раздался совсем другой голосок — куда более тонкий и тихий. Берни приподнял Лиз за плечи, чтобы ребеночка увидела и она. Лиз поднатужилась, и в следующее мгновение они увидели в руках доктора их сына. Лиз плакала — теперь уже от счастья, слезы навернулись и на глаза Берни. Это был праздник жизни; как им и говорили, о боли они мгновенно забыли. Доктор дождался выхода плаценты и перерезал пуповину. Он обработал ее и после этого передал младенца Берни. Лиз била крупная дрожь, но это тоже было нормально. Берни поднес младенца к ее лицу, и она поцеловала малыша в атласную щечку.

— И как же его зовут?

Доктор, улыбаясь, смотрел на счастливых родителей. Берни и Лиз переглянулись, и Лиз уверенно ответила:

— Александр Артур Файн.

— Моего дедушку звали Артуром, — пояснил Берни. Дать ребенку это имя просила и его мать. Он вновь повторил: — Александр Артур Файн.

После чего, так и не выпуская из рук младенца, он поцеловал Лиз. Ребенок уже спал блаженным сном.

Глава 16

Прибытие Александра Артура Файна произвело такой переполох, какого в истории семьи еще не было. Родители Берни привезли с собой огромные сумки, доверху набитые подарками и игрушками, предназначавшимися Джейн, Лиз и малышу. Бабушка Руфь особенно заботилась о том, чтобы Джейн не чувствовала себя обделенной. Она придавала этому моменту чрезвычайно важное значение, за что Берни и Лиз были ей крайне благодарны.

— Порой моя мама проделывает такие удивительные вещи, что я потом только диву даюсь — как это я мог ее ненавидеть?

Лиз заулыбалась. Теперь, когда у них родился Александр, они стали еще ближе друг другу. Они до сих пор не могли по-настоящему прийти в себя.

— Боюсь, когда-нибудь Джейн скажет то же самое и обо мне.

— Вряд ли.

— А я вот в этом, увы, не уверена, — усмехнулась Лиз. — Вряд ли я свободна от тех же недостатков. Мать — это всегда мать, и это значит...

— Не бойся. Я тебе этого не позволю. — Он потрепал по головке Александра, спавшего после кормления на материнской груди. — Не волнуйся, сынок. Если что-то будет не так, я ее тут же уму-разуму научу.

С этими словами он поцеловал Лиз в щеку. Та, удобно устроившись, сидела на их кровати в своей новой голубой пижаме, подаренной ей матерью Берни.

— Скоро меня твоя мама вконец избалует.

— Так и должно быть. Ты — ее единственная дочь.

Помимо прочего, Руфь вручила Лиз кольцо, подаренное ей Лу тридцать шесть лет назад, в день рождения Берни. Центральный изумруд был окружен крохотными алмазами. Символическое значение этого жеста не могло не трогать.

Родители вновь остановились в «Хантингтоне». В Сан-Франциско они провели три недели. Пока Джейн была в школе, Руфь помогала Лиз управляться с ребенком. После обеда она и Джейн отправлялись на прогулку. Для Лиз эта помощь значила очень много, тем более что она запретила Берни нанимать прислугу. Она поддерживала порядок в доме и готовила еду, она же занималась и ребенком.

— Я не могу доверить это кому-нибудь другому, — неизменно говорила Лиз.

Она была столь непреклонной в этом отношении, что Берни не оставалось ничего иного, как согласиться с нею. И все же он заметил, что к Лиз так и не вернулись прежние ее силы. Мать перед отъездом в Нью-Йорк сказала ему то же самое:

— Я полагаю, кормить ребенка грудью ей не следует. Слишком уж многого это ей стоит. Она совершенно измождена.

Доктор предупреждал Лиз о том, что подобные вещи случаются достаточно часто, и поэтому она не обратила особого внимания на слова Берни.

— Ты говоришь прямо как твоя мама. — Прошло уже четыре недели, но Лиз, как и прежде, большую часть дня проводила в постели. — Очень важно, чтобы ребенок получал естественное кормление. Иначе ни о каком иммунитете не может идти и речи.

Это была основная идея сторонников естественного вскармливания, но для Берни она звучала малоубедительно. Замечание матери по-настоящему встревожило его — усталость Лиз стала казаться ему ненормальной.

— Не будь такой занудой.

— А ты занимайся своим делом.

Лиз засмеялась. Она и слышать не хотела об искусственном кормлении. Что ее действительно огорчало — постоянные боли в бедрах, которые так и не проходили.

В мае, после того как родители уехали, Берни отправился в свою обычную поездку в Нью-Йорк и Европу. Лиз чувствовала себя слишком усталой, чтобы ехать вместе с ним, и, кроме того, категорически отказывалась расставаться с ребенком даже на пару недель. Когда он вернулся, она чувствовала себя точно так же; состояние ее не улучшилось и на Стинсон-Бич. Он понимал, что с Лиз что-то не так, однако она отказывалась говорить на эту тему и с ним, и с доктором.

— Сходила бы ты к доктору, Лиз.

Он уже настаивал на этом. Александру было четыре месяца — он рос сильным, здоровым мальчиком. Зеленые глаза достались ему от отца, золотистые кудри — от матери. Лиз же даже после двух месяцев, проведенных на море, оставалась такой же бледной и вялой. Последней каплей, переполнившей чашу терпения Берни, был ее отказ пойти вместе с ним на открытие оперного сезона. Она сказала, что заниматься подобной чепухой ей теперь некогда. Она готовилась к началу учебного года, предварительно договорившись с Трейси, что та на какое-то время возьмет часть ее часов.

— Что все это значит? Ты не хочешь выбирать платье, не желаешь в будущем месяце поехать со мной в Европу. — Лиз не раздумывая отклонила это его предложение, хотя Берни знал, как ей нравится Париж. — Ты не можешь даже работать в полную силу! Скажи — что с тобой происходит?

Он разволновался настолько, что этой же ночью позвонил отцу.

— Как ты думаешь, папа, что с ней такое?

— Я не знаю... Она обращалась к своему доктору?

— Она не хочет к нему идти. Говорит, что кормящая мать должна чувствовать себя именно так. Но ведь ему уже пять месяцев, а она все никак не желает отнимать его от груди.

— Возможно, она права. Это может быть и обычная анемия.

Столь простое решение проблемы мгновенно успокоило Берни, однако он по-прежнему настаивал на том, чтобы Лиз посетила врача. Не мог он исключить и того, что Лиз вновь беременна.

Гинеколог, к которому Лиз сходила на следующей неделе, нашел ее совершенно здоровой. Он послал ее к терапевту, чтобы она прошла простейшее медицинское обследование: ЭКГ, рентген, анализ крови и тому подобное. Лиз записалась на прием к терапевту, и Берни, узнав об этом, обрадовался. Через несколько недель он должен был лететь в Европу и хотел узнать о результатах обследования еще здесь, в Сан-Франциско, чтобы при необходимости переправить Лиз в Нью-Йорк и перепоручить ее отцу, который быстро бы разыскал нужных специалистов.

Терапевт, осматривавший Лиз, не нашел у нее ничего сколь-нибудь серьезного. Он сделал несколько простейших тестов. Давление было нормальным, кардиограмма хорошей, а кровь — вполне отвечающей норме. Однако, когда он стал прослушивать Лиз, ему показалось, что у нее может быть слабо выраженная форма плеврита.

— Если это так, то ваша усталость становится вполне объяснимой.

Доктор заулыбался. Это был высокий человек нордического типа с огромными руками и зычным голосом. С ним Лиз чувствовала себя спокойно. Он послал ее на рентген, и в пять тридцать она уже была дома. Войдя в детскую, она поцеловала Берни, читавшего Джейн книгу. Сегодня она оставила детей с сиделкой, что было ей несвойственно.

— Итак... Со мной все в порядке. Как я и говорила.

— Тогда почему ты так устаешь?

— Плеврит. Он послал меня на рентген, чтобы убедиться, что не ошибся. Во всем остальном я в полном порядке.

— А еще не хочешь ехать со мной в Европу... — Ее слова не показались Берни сколь-нибудь убедительными. — Кстати, как зовут доктора?

— Зачем тебе это?

Она удивленно посмотрела на Берни. Что ему от нее еще нужно?

— Я хочу, чтобы с ним переговорил мой отец.

— Господи...

Из соседней комнаты послышался плач ребенка, требовавшего поесть. Лиз поспешила к Александру, Берни же тем временем стал выписывать чек сиделке.

Светловолосый, зеленоглазый малыш стал радостно попискивать, завидев мать. Насытившись, он вновь заснул. Лиз на цыпочках вышла из комнаты и увидела у двери ожидавшего ее Берни. Она улыбнулась и потрепала его по щеке.

— Не надо так волноваться, милый, — еле слышно прошептала она. — Все хорошо.

Он привлек ее к себе и крепко обнял.

— Мне очень хочется, чтоб так оно и было.

Он посмотрел в лицо Лиз. У нее под глазами появились круги, которых никогда не было прежде, сама она стала куда тоньше. Он был бы только рад поверить, что с ней все нормально, но где-то в глубине души отчетливо понимал, что это не так, что она больна неведомой страшной болезнью. Когда Берни выпустил Лиз из объятий, она отправилась готовить ужин; он же решил немного поиграть с Джейн. Ночью он долго смотрел на спящую Лиз, пытаясь понять, в чем все-таки дело... Когда в четыре утра проснулся Александр, Берни не стал будить ее, подогрел заранее приготовленную им бутылочку с молочной смесью и покормил младенца сам.

Александра вполне удовлетворило содержимое бутылочки. Берни поменял ему пеленки и вновь уложил в кроватку. В пеленании младенцев Берни уже не было равных. Утром, когда зазвонил телефон, Лиз еще спала.

— Алло?

— Попросите, пожалуйста, госпожу Файн.

Голос звучал отрывисто и сухо. Берни пошел будить Лиз.

— Это тебя.

— Кто это?

Она смотрела на него ничего не понимающим взглядом. Была суббота, и часы показывали всего девять.

— Не знаю. Он не представился.

Берни понимал, что скорее всего это звонит доктор, но боялся признаться в этом самому себе.

— Мужчина? Меня?

Звонивший тут же представился ей и попросил ее прийти в его кабинет к десяти утра. Это был доктор Йохансен.

— Что-нибудь не так? — удивленно спросила Лиз, глядя на своего мужа.

Доктор долго не отвечал. Конечно, она чувствовала себя усталой, но ведь не настолько. Она нахмурилась и вновь посмотрела на Берни.

— А как-нибудь в другой раз нельзя?

Берни отрицательно покачал головой.

— Думаю, лучше с этим не тянуть, госпожа Файн. Приезжайте ко мне вместе со своим супругом. — Он говорил таким спокойным голосом, что это не могло не испугать Лиз. Она повесила трубку и сокрушенно покачала головой.

— Можно подумать, у меня сифилис.

— Что он тебе сказал? Чем ты больна?

— Он не сказал. Велел через час приехать к нему.

— Так мы и поступим. — Берни пытался держать себя в руках, однако было видно, что он напуган. Он позвонил Трейси, и та пообещала через полчаса быть у них. Она занималась своим садом, но была рада возможности провести с детишками часок-другой. Она взволновалась не меньше самого Берни, однако не подавала и виду, вела себя так, словно ничего особенного не происходило.

По дороге в больницу они молчали. Доктор, сидевший возле стенда, к которому были прикреплены два рентгеновских снимка, приветственно улыбнулся, но было в его улыбке что-то такое, отчего Лиз хотелось сбежать из этого места, чтобы не слышать всего того, что он им сейчас скажет...

Берни представился, после чего доктор Йохансен попросил их присесть. Он немного помедлил и заговорил подчеркнуто спокойным и безразличным тоном. Речь шла о чем-то действительно серьезном. Лиз замерла.

— Госпожа Файн, во время вчерашнего осмотра я предположил, что вы больны плевритом. Плеврит в смазанной форме. Сегодня я хочу сделать ряд серьезных уточнений.

Он повернулся вместе с вращающимся креслом и указал рукой на два темных пятнышка в ее легких.

— Мне не нравится, как они выглядят.

Он решил ничего не скрывать.

— И что это может значить? — с трудом выдавила из себя Лиз.

— Пока не знаю. Меня в данном случае интересует один из названных вами вчера симптомов. Боль в бедрах.

— Но при чем здесь легкие?

— Мы сделаем авторадиограмму, и она нам все покажет... — Он объяснил им смысл процедуры и сообщил, что необходимые приготовления уже сделаны. С помощью инъекции раствора, содержащего радиоактивные изотопы, они могли составить заключение о состоянии ее костных тканей.

— И что же это может быть?

Лиз было страшно задавать этот вопрос, но не задать его она не могла.

— Трудно сказать. Эти пятна могут свидетельствовать о том, что с вашим организмом что-то не так.

Они шли по больничным коридорам, держась за руки. Берни не терпелось позвонить отцу и посоветоваться с ним, но теперь он не мог оставить Лиз ни на минуту. Процедура была практически безболезненной и недолгой. Самое страшное ждало их впереди. Результаты обследования оказались, мягко говоря, обескураживающими. Доктор пришел к заключению, что Лиз больна остеосаркомой, раком кости, метастазы которой проникли уже и в легкие. Этим объяснялись боли в пояснице и бедрах и частая одышка, прежде объяснявшиеся ее беременностью. Она была больна раком. Биопсия должна была подтвердить этот диагноз, в котором доктор практически не сомневался. Лиз и Берни сидели, держа друг друга за руки, по их щекам катились слезы. Лиз все еще была в зеленом больничном халате.

Глава 17

Он пытался успокоиться... прийти в себя... Нужно вести себя здраво... Рак — это не всегда смерть, далеко не всегда... И потом — что может знать этот доктор? Не случайно же он порекомендовал им обратиться к четырем специалистам. Остеопату, пульмонологу, хирургу и онкологу. Он рекомендовал сделать биопсию, возможно, попытаться сделать операцию и, наконец, прибегнуть к помощи химиотерапии, если, конечно, с этим согласятся специалисты. По признанию самого доктора, в этой области он был не силен.

— Мне все равно! Я не стану этого делать!

Она была близка к истерике.

— Послушай же меня! — Он схватил ее за плечи. — Я хочу, чтобы мы поехали в Нью-Йорк вместе!

— Я не стану делать химиотерапию! Это ужасно. Все волосы выпадают... Я лучше умру, чем соглашусь на такое! Ведь я все равно теперь умру!

Они стояли обнявшись. Лиз рыдала, уткнувшись лицом ему в плечо. Он чувствовал, что еще немного, и у него разорвется сердце. Им надо было как-то успокоиться...

— Это не так. Мы будем бороться до последнего... Черт возьми, успокойся же ты наконец! Слушай, что я тебе скажу! Мы поедем в Нью-Йорк все вместе — и ты, и дети. Там тебя посмотрят лучшие специалисты.

— Чем они могут мне помочь? Я не хочу никакой химиотерапии!

— Сначала мы послушаем, что они скажут. Еще никто не сказал, что нужно делать именно это. Ведь доктор Йохансен тоже в этом не был уверен, правда? Может быть, это всего-навсего артрит, который он ошибочно принял за рак.

Он все еще надеялся на это.

Впрочем, в данном вопросе ничего не значили мнения пульмонологов, остеопатов и хирургов — ответ могла дать только биопсия. Именно это сказал отец во время их телефонного разговора. Нью-йоркским докторам в первую очередь потребовалась бы эта информация — без нее разговор становился беспредметным. Биопсия подтвердила правильность диагноза, поставленного Йохансеном. Это была остеосаркома. Мало того, исследование показало, что оперативное вмешательство уже ничего не даст. Врачи предложили срочно прибегнуть к интенсивной радиотерапии, за которой тут же должна была последовать химиотерапия. Лиз казалось, что она видит страшный сон, от которого никак не может пробудиться. Они решили ничего не говорить Джейн, — мол, мама плохо чувствует себя после рождения ребенка, и только. Да и как они могли открыть девочке правду?

Берни сидел возле больничной койки Лиз. Было уже очень поздно. Лиз полулежала. Над каждой ее грудью, в тех местах, где производилась биопсия, было наклеено по кусочку пластыря. Теперь ей в любом случае пришлось бы отказаться от кормления ребенка грудью. Он плакал где-то дома, она же рыдала в объятиях Берни здесь, в больнице, пытаясь выразить весь ужас своего положения.

— У меня такое чувство, что я отравлю его, если буду продолжать кормить грудью... Какой ужас! Ты только подумай, что все это может значить!

Он сказал ей то, что было прекрасно известно им обоим:

— Рак не заразен.

— Откуда ты это знаешь? Может быть, я подхватила его где-то на улице! Какой-то микроб вошел в меня —

и все. Это могло произойти где угодно, даже в той больнице, где я рожала...

Она шмыгнула носом и вопросительно посмотрела на Берни. Они так до конца и не могли понять всей серьезности ситуации. Казалось, это происходит не с ними, а с кем-то другим...

В эти дни он звонил своему отцу раз по пять в сутки. В Нью-Йорке их уже ждали — к приезду Лиз все было готово. Перед тем как забрать Лиз из больницы, Берни вновь позвонил в Нью-Йорк.

— Как только вы приедете, они ею займутся, — мрачно ответил ему отец. Руфь, сидевшая возле него, рыдала в голос.

— Отлично. — Можно было подумать, что Берни получил радостное известие. — Это действительно лучшие специалисты?

— Да, несомненно. — Отец говорил очень тихо — сердце его было переполнено жалостью к своему единственному сыну и к женщине, которую тот любил. — Берни, об этом трудно говорить... Вчера я переговорил с Йохансеном... Метастазы чрезвычайно разрослись... — Как он ненавидел это слово. — Ее не мучают боли?

— Нет. Но она все время чувствует себя крайне усталой.

— Передавай ей привет от нас с мамой.

Лиз в этом нуждалась так же, как нуждалась и в их молитвах. Когда Берни повесил трубку, он увидел стоявшую в дверях спальни Джейн.

— Что случилось с мамой?

— Она... она просто очень устала, моя хорошая. Мы ведь тебе уже говорили об этом — помнишь? Рождение ребенка стоило ей дорого. — Он заставил себя улыбнуться, чувствуя, как к горлу подступил комок, и нежно взял девочку за плечи.

— Людей не берут в больницу, если они просто устали.

— Ну почему же, иногда как раз берут. — Берни поцеловал Джейн в носик. — Сегодня мама приедет домой. — Он вздохнул, понимая, что девочку надо будет как-то подготовить. — На той неделе мы все отправимся в Нью-Йорк — к бабушке и дедушке. Представляешь, как будет здорово?

— Маму опять положат в больницу?

Джейн знала слишком много. Наверняка она подслушала какой-то из его разговоров.

— Может быть. На пару деньков.

— Но зачем?! — Нижняя губа затряслась, а на глаза навернулись слезы. — Что с ней?

Отчаяние, с которым были произнесены последние слова, ясно говорило о состоянии души девочки: она прекрасно понимала, что с мамой ее что-то не так.

— Мы должны обходиться с ней очень-очень бережно, — сказал Берни сквозь слезы. — Ты понимаешь меня? Очень-очень бережно.

— Я знаю.

— Я понимаю... И я тоже это знаю...

Увидев, что он плачет, Джейн своей маленькой ручкой вытерла ему слезы.

— Ты очень хороший, папа.

На глаза Берни вновь навернулись слезы. Они с Джейн стояли так целую вечность. Это было хорошо для них обоих — общая тайна только сблизила их. Тайна общей любви и заботы.

Джейн ждала Лиз в машине, сжимая в руках букет нежных розовато-белых роз. Едва оказавшись в машине, Лиз посадила девочку себе на колени, и Джейн с Берни стали наперебой рассказывать ей о том, что делал Александр этим утром. Казалось, они оба понимали, что спасти Лиз могут теперь только их любовь и забота, и поэтому то и дело пытались рассмешить ее или сказать что-нибудь особенно приятное. Эта общая забота легла на их плечи тяжелой ношей.

Едва оказавшись дома, Лиз тут же поспешила к Александру, который, завидев ее, радостно заверещал и замахал ручками. Лиз подхватила ребенка и, расстегнув платье, стала кормить грудью, время от времени слегка морщась от боли в ранках, оставшихся после недавней биопсии.

— Ты долго собираешься кормить его грудью, мам?

Джейн стояла в дверях, глядя на мать широко открытыми голубыми глазами, в которых читалась тревога.

— Нет. — Лиз грустно покачала головой. Молоко у нее все еще было, но она наотрез отказывалась кормить им своего ребенка, что бы ей там ни говорили. — Он уже большой мальчик. Правда, Алекс?

Она боялась расплакаться и поэтому поспешила уйти в соседнюю комнату, где ее никто не видел. Джейн вернулась в детскую и, взяв в руки любимую куклу, уставилась в окно.

Берни и Трейси готовили на кухне обед. Дверь была закрыта, а кран включен на полную мощность. Берни плакал, вытирая глаза кухонным полотенцем. Трейси время от времени, пытаясь приободрить Берни, похлопывала его по плечу. Когда Лиз рассказала ей о том, что с ней, Трейси долго плакала, но теперь она уже была исполнена решимости помогать им всем: Лиз, Берни и детям, и поэтому была не вправе тратить силы понапрасну.

— Может, выпьешь что-нибудь?

Он покачал головой и, вздохнув, посмотрел в лицо Трейси.

— Что мы можем для нее сделать?

Он выглядел совершенно беспомощным. По щекам его катились слезы.

— Все, что в наших силах, — ответила Трейси. — Только в этом случае может произойти чудо. Так оно в жизни и бывает.

Онколог был так искренен с ними еще и потому, что он уже ничем не мог помочь Лиз. От химиотерапии же она, как и прежде, отказывалась наотрез. Оставалось уповать на бога или на чудо.

— Она не хочет делать химиотерапию.

Берни понимал: ему нужно как-то взять себя в руки. В таком состоянии, как сейчас, он был ни на что не способен. Ничего более страшного, ничего более ужасного с ними произойти не могло, и он никак не мог поверить, что все это правда, что Лиз действительно больна раком.

— Ты ее за это осуждаешь? — спросила Трейси, продолжая готовить салат.

— Нет... Но, говорят... иногда это дает какой-то эффект...

Как сказал Йохансен, речь могла идти только о ремиссии, длительной ремиссии... Пятьдесят лет, или десять, или пять, или... год...

— Когда же вы отправляетесь в Нью-Йорк?

— На этой неделе. Отец уже обо всем побеспокоился. Я известил Пола Бермана, своего босса, что поехать в Европу я не смогу. Он воспринял это как должное. Все сочувствуют нашему горю.

В магазине он не был уже два дня и не знал, когда же он сможет туда вернуться. Управляющие пообещали на время его отсутствия взять все в свои руки, заверив Берни, что ему не о чем волноваться. В магазине его действительно любили.

— Может быть, в Нью-Йорке они посоветуют что-то иное...

Но этого не произошло. Доктора в один голос сказали то же самое: химиотерапия. Молитвы. Чудеса. И ни слова больше. Берни вновь сидел у ее больничной койки. Ему стало казаться, что Лиз начинает таять на глазах. Лиз теряла вес, круги под ее глазами стали глубже. Казалось, она стала жертвой каких-то зловещих страшных чар. Берни взял жену за руку. Губы ее дрожали, им обоим было страшно. На сей раз он ничего не скрывал. Они держались за руки и плакали... Они все еще были вместе.

— Как дурной сон, правда?

Она пригладила волосы и вдруг с ужасом подумала о том, что их скоро не будет. Когда они вернулись в Сан-Франциско, Лиз согласилась на химиотерапию. Берни хотел уже было уволиться из «Вольфа» и вернуться в Нью-Йорк, но тут в дело вмешался его отец. Он сказал, что врачи в Сан-Франциско ничем не хуже нью-йоркских, зато атмосфера для Лиз там куда привычней. Помимо прочего, им не нужно было думать ни о новой квартире, ни о доме, ни о школе, в которую бы могла пойти Джейн. Сейчас же все это было нужно им как никогда: привычная обстановка, друзья... и даже ее работа. Об этом с Берни говорила и Лиз. Она хотела вновь выйти на работу. Доктор против этого не возражал. Сеансы химиотерапии вначале должны были проводиться раз в неделю, через месяц — раз в две недели, а затем — раз в три недели. Самым страшным обещал быть первый месяц: после каждого сеанса Лиз нужно было день-другой приходить в себя, но Трейси выразила готовность замещать ее в эти дни на работе. Школьная администрация тоже нисколько не возражала против этого. И Берни, и Лиз понимали, что так будет лучше для всех.

— Может быть, когда тебе станет получше, ты все-таки согласишься поехать со мной в Европу?

В ответ Лиз только улыбнулась. Он такой добрый... Самым странным было то, что ей уже не было страшно. Она чувствовала себя страшно усталой и знала, что умирает, — вот и все.

— Ты уж прости меня за все это... Знала бы я, что со мной такое приключится...

Он улыбнулся сквозь слезы.

— Теперь я могу не сомневаться в том, что ты — моя настоящая жена. — Он усмехнулся. — Такое могла сказать только еврейка.

Глава 18

Руфь держала Джейн за руку, сидя возле детской кроватки в темной комнате. Они только что помолились за ее маму. Берни этой ночью остался в больнице, и ребенком занималась Хэтти, старая экономка Руфь.

— Бабушка Руфь? — еле слышно пискнула Джейн. — Ты думаешь, с мамой будет все в порядке? — На глаза ее вновь навернулись слезы, она сжала руку Руфь. — Бог ведь не заберет ее к себе? Правда?

Девочка залилась слезами, и Руфь, заплакав, склонилась над нею, пытаясь хоть как-то успокоить малышку. Это было так чудовищно, так несправедливо...

Ей самой уже шестьдесят четыре, и она отдала бы все на свете, даже собственную жизнь, лишь бы Лиз снова была здорова... Такая молодая, такая красивая... Как ее любит Берни, как она нужна своим детям...

— Мы попросим Его оставить ее здесь, с нами, верно?

Джейн согласно кивнула и серьезно посмотрела на бабушку Руфь.

— Можно, завтра я пойду вместе с тобой в синагогу?

Она знала и то, что в синагогу ходят по субботам, и то, что бабушка бывает там всего раз в году — в Йом Кипур. На сей раз бабушка решила в порядке исключения отступить от обычного своего правила.

— Хорошо. Мы пойдем туда вместе с нашим дедушкой.

На следующий день все трое отправились в Вестчестерскую реформатскую синагогу, находившуюся здесь же, в Скарсдейле. Ребенка они оставили дома, с Хэтти. Когда Берни вечером вернулся домой, Джейн торжественно объявила ему, что этот день она провела вместе с дедушкой и бабушкой в синагоге. От умиления Берни прослезился — теперь его умиляло едва ли не все, связанное с Лиз. Он взял на руки Александра и лишний раз поразился тому, как его сын похож на мать.

Однако, когда Лиз вновь вернулась к ним, от былой подавленности и безнадежности не осталось и следа. Она выписалась из больницы уже через два дня, и вместе с ней в дом вернулись шутки, смех и веселье. Лиз терпеть не могла чужих слез, особенно ей не нравилось, когда плачут мужчины. Она с ужасом думала о химиотерапии, но старалась до времени не вспоминать о ней, благо забот у нее хватало и без этого.

Однажды они отправились в Нью-Йорк пообедать в каком-нибудь ресторане. Выбор пал на «Лягушку». Туда их отвез нанятый Берни для этой цели лимузин. Посреди обеда Берни заметил, что Лиз стало заметно хуже — ее буквально покачивало от слабости. Мать посоветовала ему бросить все и поскорее отвезти Лиз домой, что Берни и сделал. Всю обратную дорогу они молчали. Ночью, когда они уже лежали в постели, Лиз вдруг стала извиняться. Потом она ласкала его робко и нежно, Берни же не отвечал на ее ласки, боясь, что ей может стать хуже.

— Все в порядке... врач сказал, что можно... — прошептала Лиз.

Он уже не мог совладать со своей страстью и, к собственному ужасу, овладел ею. Ему все время казалось, что с каждой минутой она все дальше и дальше от него... В каком-то смысле Берни мало чем отличался от Джейн. Вместо того чтобы являть собой пример мужества, смелости и силы, он походил на маленького мальчика, который не мог сделать без Лиз и шага... Он хотел любыми средствами удержать ее, он готов был молить бога о чуде... Основные его надежды теперь были связаны с химиотерапией.

Перед их отъездом из Нью-Йорка бабушка вместе с Джейн отправились в «Шварц», откуда они пришли с куклой и огромным медведем. Бабушка попросила Джейн выбрать подарок и для братика — та остановила свой выбор на большом клоуне на колесиках, который, помимо прочего, еще и звонко тренькал. Александру эта игрушка действительно очень понравилась.

Последний вечер, проведенный ими вместе, был трогательным и теплым. Лиз сумела настоять на том, что поможет Руфь готовить обед. В этот день она была в куда лучшей форме, чем обычно — сильная, спокойная, уверенная в себе. Перед прощанием она коснулась руки Руфь и, заглянув ей в глаза, сказала:

— Спасибо вам за все...

Руфь покачала головой, изо всех сил стараясь не расплакаться. Она привыкла плакать по любому поводу, теперь же, когда у нее действительно была причина для слез, она не имела на них права. Стиснув зубы, Руфь ответила:

— Не надо благодарить меня, Лиз. Ты, главное, сделай все, что нужно.

— Обязательно. — Лиз казалось, что за последние несколько недель она сделалась вдвое старше и зрелей. — Я стала относиться к этому... иначе. Берни, по-моему, тоже. Пусть это не просто, но мы постараемся как-то справиться...

Руфь, которая была уже не в силах говорить, молча кивнула головой. На следующий день она и Лу проводили семью сына в аэропорт. Берни держал на руках младенца, а Лиз вела за руку Джейн. Когда они поднимались по трапу, престарелая чета Файн едва не всплакнула, и стоило самолету взлететь, как Руфь, которой недавнее спокойствие далось дорогой ценой, горько зарыдала. Почему судьба была так зла по отношению к столь горячо любимым ею людям? Теперь речь шла уже не о внуке Розенгардена или отце Фишбайна... Это была ее невестка. Это были Алекс, Джейн и Берни... Все это так чудовищно, нелепо и несправедливо, что Руфи совершенно расхотелось жить. Все окончательно потеряло смысл.

— Пойдем, Руфь. Пора домой, — сказал Лу.

Он нежно взял ее под руку и повел к их машине. И тут вдруг Руфь подумала о том, что рано или поздно что-то подобное произойдет и с ними. Она остановилась как вкопанная.

— Лу, я люблю тебя. Я так тебя люблю...

Он открыл перед ней дверцу машины и легонько поцеловал в щеку. Ничего более страшного в их жизни еще не было, сердце его переполняла жалость.

В Сан-Франциско Берни и Лиз встречала Трейси. Она приехала в аэропорт на их машине и назад поехала вместе с ними. Трейси взяла Александра на руки и всю дорогу трещала без умолку.

— Ребята, как здорово, что вы вернулись!

Она постоянно улыбалась, пусть ей и хотелось плакать. Перемены в Лиз были столь разительными, что лучше было лишний раз на нее не смотреть. Сеансы химиотерапии должны были начаться уже на следующий день.

Этим же вечером, после отъезда Трейси, когда они уже лежали в кровати, Лиз прошептала, глядя на Берни:

— Как бы я хотела стать такой же, как и прежде.

Она сказала это так, словно речь шла о каких-нибудь угрях.

— Мне хотелось бы того же самого. Рано или поздно это произойдет. — Оба они верили в действенность химиотерапии. — Если и это не поможет, мы всегда сможем прибегнуть к Христианской Науке.

— Не надо так шутить, — внезапно посерьезнев, сказала Лиз. — У нас один из учителей туда ходит. И знаешь... это — помогает... Да, да — это иногда помогает.

— И все же сначала мы прибегнем к химиотерапии. Берни, в конце концов, был евреем и в придачу — сыном врача.

— Думаешь, это будет действительно ужасно?

Берни вдруг вспомнился ее испуг перед родами, ее страдания, ее муки... Впрочем, тогда все было иначе. Теперь речь шла не о чем-нибудь, но о вечности.

— Хорошего, конечно, здесь мало. — Он не хотел лгать ей. — Но сначала тебе дадут такую штуку, которая буквально валит с ног. Валиум или что-то вроде того. Ты, главное, ничего не бойся — я все время буду рядом.

Лиз благодарно поцеловала его в щеку.

— Знаешь, ты один из последних великих супругов... Чего бы я действительно хотела, так это родить еще одного ребенка...

— Как знать, может, так оно и будет...

Берни прекрасно понимал, что об этом не приходится и мечтать. Нужно было благодарить бога уже и за то, что у них был Александр... На следующее утро Лиз долго держала малыша на руках, когда же тот заснул, она отправилась на кухню и приготовила завтрак и ленч для Джейн. По отношению к домашним это было жестоко — ведь случись с ней что-нибудь, ее утрата будет для них тем более заметной. Чем меньше на тебя обращают внимания, тем легче перенести потерю.

Берни отвез Лиз в больницу, где ее тут же пересадили в инвалидное кресло. Каталку везла молоденькая медсестра, Берни же шел рядом, держа Лиз за руку. Доктор Йохансен уже ждал их. Лиз переодели в больничный халат. Она с тоской смотрела на поблескивавшее за окном солнце. Стояло погожее ноябрьское утро. Лиз повернулась к Берни.

— Как мне этого не хочется.

— Мне тоже.

Ему казалось, что он помогает Лиз сесть на электрический стул. Лиз легла на кушетку. Появилась сестра в страшных асбестовых перчатках. Препарат, которым они собирались лечить Лиз, был таким едким, что мог сжечь кожу. Лиз сделали внутривенный укол валиума, от которого она тут же забылась сном. Начался сеанс химиотерапии, за которым наблюдал сам доктор Йохансен. После сеанса она мирно спала до самой полуночи, после чего ее вдруг стало выворачивать наизнанку. Эти муки продолжались дней пять. Жизнь ее обратилась в сплошной кошмар.

Примерно то же самое продолжалось целый месяц, в этом смысле не был исключением и День благодарения. Только к Рождеству Лиз хоть как-то стала приходить в себя. К этому времени она уже была совершенно лысой и худой как щепка. С другой стороны, теперь она уже была дома, и давешний кошмар повторялся реже — раз в три недели. Онколог, который вел Лиз, пообещал ей, что она будет приходить в себя за день-два. После рождественских каникул Лиз могла возобновить преподавание в школе. Джейн к этому времени сильно выросла, а Александр уже начал ползать.

Эти два месяца наложили отпечаток на всех. Учительница Джейн сказала, что девочка часто плачет в школе; Берни стал очень рассеянным, у него появилась отвратительная привычка кричать на подчиненных. Сиделки, которых Берни нанимал во время отсутствия Лиз, справлялись со своими обязанностями из рук вон плохо. Они то куда-то исчезали вместе с ребенком, то опаздывали, то не приходили вовсе, и тогда Берни приходилось брать младенца на деловые встречи. Они не умели делать ничего — даже готовить. Более или менее нормально питался в эти дни один только Александр, ибо давать ему нужно было лишь готовую смесь, и ничего более. К Рождеству Лиз стало получше, и постепенно все вернулось в норму.

— К нам собираются приехать мои родители, — сказал Берни однажды ночью. Лиз, сидевшая возле него в привычном уже платочке, прикрывавшем ее голову, грустно улыбнулась. — Ты как, не возражаешь?

Она не только не возражала, но даже хотела этого сама. Лиз понимала, что означает их приезд для Джейн и для Берни — пусть последний и стал бы спорить с этим. Год назад его родители увезли девочку в Диснейленд, дав им возможность немножко побыть одним... Она была в положении, и вся их тогдашняя жизнь была обращена к жизни, не к смерти...

Она сказала это вслух. Берни сердито посмотрел на нее.

— В этом смысле ничего не изменилось.

— Как сказать...

— Чушь! — Он вдруг неожиданно для самого себя взорвался. — Зачем тогда нужна вся эта химиотерапия?! Ты что — уже сдалась? Чего я никогда не ожидал, так это того, что ты окажешься таким малодушным человеком!

В глазах Берни заблестели слезы. Хлопнув дверью, он вышел из спальни и отправился в ванную. Когда через двадцать минут Берни вернулся в комнату, он нашел ее лежащей в том же положении. Она покорно ждала его. Берни сел возле Лиз и, взяв ее за руку, сказал:

— Ты уж меня прости. Я идиот, каких поискать.

— Нет, это не так. Я люблю тебя. Я представляю, как тебе сейчас трудно...

Она машинально провела рукой по голове. Та была круглой и бугристой. Можно было подумать, что Лиз снимается в фантастическом фильме...

— Это ужасно для всех. Лучше бы я утонула в ванне или попала под машину. — Она попыталась улыбнуться, но вместо этого вдруг заплакала. — Как противно быть лысой... Как страшно...

Страшно ей было совсем не от этого — просто она наперед знала о своей близкой кончине...

Он хотел коснуться ее головы, но Лиз выскользнула из-под его руки.

— Мне все равно — с волосами ты или нет.

Оба плакали.

— Так не бывает.

— Я люблю в тебе все, понимаешь?

Он понял это во время родов. Его мать ошиблась — он не испытал тогда ни отвращения, ни ужаса. Скорее, он был тронут — тронут до глубины души. Примерно то же самое Берни испытывал и сейчас.

— Все это не имеет никакого значения. Ты у нас теперь лысая. Когда-нибудь полысею и я — верно? — Он подергал себя за бородку. — Это всего-навсего своеобразная компенсация.

Лиз заулыбалась:

— Как я тебя люблю...

— Я тебя тоже. Но ведь это жизнь — жизнь, а не смерть — верно? — Они обменялись улыбками. У обоих на душе стало как-то полегче. Пока у них хватало сил держаться на плаву. — Так что же мне сказать родителям?

— Скажи, пусть приезжают. Они могут остановиться в «Хантингтоне».

— Мама считает, что Джейн захочет побыть с ними. Куда-нибудь съездить, и все такое прочее. Как ты к этому относишься?

— Вряд ли она захочет этого сейчас. Ты уж предупреди их об этом, чтобы они потом не обижались.

Джейн теперь боялась оставить Лиз даже на минуту: стоило Лиз выйти из ее комнаты, как девочка тут же разражалась слезами.

— Она поймет все, как надо.

Мать, в которой Берни привык видеть средоточие всего самого худшего, вдруг обрела совершенно иной ореол. Он звонил ей через день, каждый раз поражаясь ее отзывчивости и мудрости. Она не только не мучила его, но, напротив, была для него источником утешения.

Родители приехали перед самым Рождеством. Они привезли с собой горы игрушек для обоих детей. Руфь припасла замечательный подарок и для Лиз — именно то, что ей нужно. Лиз была тронута до слез. Руфь внесла в комнату две огромные шляпные коробки и прикрыла за собой дверь. Лиз по своему обыкновению отдыхала, лежа на кровати.

— Что это? — изумилась она и поспешила сесть.

— Я привезла тебе подарок.

— Шляпку?

Руфь отрицательно покачала головой.

— Нет. Кое-что иное. Надеюсь, ты на меня не обидишься.

Руфь потратила немало времени на то, чтобы подобрать нужный цвет: такие волосы, как у Лиз, были большой редкостью. Несколько смущенно Руфь сняла крышки с коробок, и Лиз вдруг увидела перед собой полдюжины париков знакомого золотистого цвета. Она разом засмеялась и расплакалась. Руфь посмотрела на нее с тревогой.

— Милочка, с тобой все в порядке?

— Конечно.

Лиз принялась вынимать парики из коробок — все они были разных фасонов. Здесь была и короткая мальчишеская стрижка, и длинное каре. От изумления и восторга Лиз надолго потеряла дар речи. Когда он вернулся к ней, она пробормотала:

— Конечно, я подумывала о парике, но, признаюсь, идти в магазин мне было как-то неудобно.

— Я думаю!.. А так оно выходит даже веселее — правда?

Веселее... Ничего особенно веселого в том, что ты осталась без волос, нет... И все же спасибо, Руфь...

Лиз подошла к зеркалу и стянула платок с головы. Руфь отвернулась. Такая красивая женщина и такая молодая... Как это несправедливо... Когда Руфь вновь посмотрела на Лиз, та была уже в парике. Длинное каре удивительно шло ей.

— Бесподобно! — Руфь захлопала в ладоши и довольно засмеялась. — Как тебе?

Лиз молча кивнула. Она снова выглядела вполне сносно... Более того — она снова стала красивой. Да, да — именно красивой, красивой привлекательной женщиной. Она громко рассмеялась, вновь почувствовав себя молодой и полной сил. Руфь подала ей другой парик.

— Ты знаешь, моя бабушка была совершенно лысой. Как и положено ортодоксальной еврейке. Они выбривают себе голову. Настоящая еврейка, выйдя замуж, обязана остричь себя наголо. — Она коснулась плеча Лиз. — Я хочу, чтобы ты знала, как мы все тебя любим...

Если бы любовь могла исцелить Лиз, она, наверное, уже была бы здоровой... Руфь с потаенным ужасом смотрела на свою невестку, поражаясь тому, как та похудела, как заострилось ее лицо, как глубоко запали глаза... И, тем не менее, после каникул Лиз собиралась выйти на работу.

Лиз примерила все парики один за другим. Они решили, что на первый раз ей лучше надеть каре. Заодно она решила сменить и блузку — то, во что она была одета сейчас, выглядело слишком уж просто. Принарядившись, Лиз как ни в чем не бывало вошла в гостиную. Берни раскрыл рот от изумления.

— Откуда у тебя это?

Он улыбался. Ее вид ему явно нравился.

— Бабушка Руфь. Как тебе — а? — спросила Лиз.

— Просто блеск.

Берни говорил совершенно искренне.

— Погоди, ты еще остальных не видел.

Подарок Руфь поднял Лиз настроение, Берни был бесконечно благодарен матери уже за одно это. Вбежавшая в комнату Джейн застыла.

— У тебя опять выросли волосы! — радостно воскликнула девочка, захлопав ручками. Лиз с улыбкой посмотрела на свою свекровь.

— Не совсем так, моя хорошая. Просто бабушка привезла мне их из Нью-Йорка.

Она рассмеялась, и, видя это, Джейн смущенно захихикала.

— Правда? А можно мне посмотреть?

Лиз кивнула и отвела ее в комнату, где стояли коробки. Джейн, разумеется, тут же стала примерять парики, чем несказанно насмешила Лиз.

В этот вечер они отправились обедать в ресторан. В течение всех рождественских каникул Лиз чувствовала себя заметно лучше, чем обычно. Сама она относилась к этому как к божьему дару. Они сумели выехать еще дважды и даже смогли побывать вместе с Берни и Джейн на рождественской елке в «Вольфе». Они отметили и Хануку. В пятницу вечером перед ужином они зажгли свечи. Свекор Лиз торжественным голосом начал читать молитвы. Лиз прикрыла глаза и про себя стала молиться своему богу — она молила Его о чуде, она хотела быть здоровой.

Глава 19

Вторая годовщина их свадьбы прошла совсем не так, как первая. Джейн и Александр отправились ночевать к Трейси, а родители Берни решили пообедать в ресторане. Лиз и Берни остались совсем одни, и вечер этот провели тихо. Берни хотел было повести Лиз в ресторан, но она наотрез отказалась, сославшись на усталость. Тогда Берни откупорил бутылку шампанского и предложил ей просто посидеть у камина.

Разговоры шли о чем угодно, но только не о ее болезни. В этот вечер Лиз совсем не хотелось вспоминать о ней, тем более что через неделю ее ждал очередной сеанс химиотерапии. Не говорить об этом было почти невозможно, но они усердно пытались занять себя другими темами. Лиз толковала о работе, о детях, об обеде, на который она собиралась пригласить своих подруг, о молнии, которую нужно было выпороть из куртки, прежде чем сдать последнюю в химчистку... Она соскучилась по простым проблемам. Взявшись за руки, они сидели у камина и вели свою неспешную беседу, пытаясь направлять ее в нужное русло, страшась невзначай задеть запретную тему... Берни вдруг вспомнил о том, какой хорошенькой была Джейн в ту пору, когда у них был медовый месяц. Тогда ей было всего пять,

теперь же — почти восемь. Лиз тут же оживилась и неожиданно заговорила о Чендлере Скотте:

— Помнишь, что ты мне обещал?

— Я тебя не совсем понимаю...

Берни подлил Лиз шампанского, хотя прекрасно
знал, что она не станет его пить.

— Я не хочу, чтобы этот мерзавец встречался с Джейн.
Ты пообещал, что этого никогда не произойдет.

— Я тебе это обещал?

— Зря ты думаешь, что я шучу.

Она не на шутку встревожилась, и Берни поспешил
успокоить ее, поцеловав в щеку.

— Раз обещал, значит, так оно и будет.

В последнее время он часто думал о том, что ему
нужно как можно быстрее удочерить Джейн, но он побаивался начинать судебный процесс сейчас — Лиз, по
его мнению, была еще слишком слаба для этого. Нужно было немного подождать.

Лиз так и уснула, сидя у камина. Он осторожно
перенес ее в спальню и, положив на кровать, сел рядом. Он думал о том, что может произойти с ними в
ближайшем будущем. Они все еще надеялись, что со
дня на день ей станет лучше.

Пятого января родители Берни вернулись в Нью-
Йорк. Руфь было предложила Лиз свою помощь, сказав,
что может задержаться в Сан-Франциско на неопреде-
ленное время, пока в ней будет нужда, но Лиз, поблагодарив свекровь, отклонила ее предложение, отгово-
рившись тем, что выходит на работу. Речь шла всего о
трех днях в неделю, но это было уже не принципиаль-
но. Последний сеанс химиотерапии Лиз перенесла
очень легко, и это не могло не радовать ее и всех близ-
ких. Она с нетерпением ждала того момента, когда
снова окажется в школе — ей хотелось работать.

— Ты уверена, что это следует делать? — спросила
Руфь у сына за день до отъезда в Нью-Йорк.

— Что поделаешь, если она этого хочет... — развел
руками Берни. Ему самому эта идея не очень-то нравилась, но Трейси убеждала его, что Лиз так будет легче,
и, вполне возможно, она была права. В любом случае

ничего дурного в этой идее не было, тем более что Лиз могла в любую минуту уволиться из школы.

— А что об этом думает доктор?

— Что хуже ей от этого не станет.

— Ей бы следовало побольше отдыхать...

Берни согласно кивнул — он говорил Лиз то же самое. Она же, понимая, что жить ей осталось совсем немного, даже обижалась на него. Так можно было проспать остаток жизни.

— Она вправе делать то, что хочет, мама. Я обещал ей, что так оно и будет.

За несколько последних дней Лиз умудрилась вытянуть из Берни ряд обещаний.

Он помог матери спуститься вниз. Говорить было особенно не о чем, все было понятно и без слов. Происходило что-то чудовищное...

— Не знаю, что и сказать тебе, моя радость.

Они стояли возле входа в «Вольф». Мать со слезами на глазах смотрела на своего единственного сына. Кругом сновали люди.

— Понимаю, мама... Понимаю...

На его глаза тоже навернулись слезы. Изумленно взиравшие на них люди понимали, что стали невольными свидетелями неведомой им трагедии, и тут же, вспоминая о собственных заботах, устремлялись прочь.

— Мне так жаль, Берни...

Он кивнул, не в силах вымолвить ни слова, легонько коснулся ее плеча и, по-прежнему не поднимая головы, отправился наверх. Его жизнь обратилась в кошмар, он не волен был изменить ее, и ему оставалось одно — относиться к происходящему, как к должному.

В канун отъезда родителей Лиз вновь настояла на том, что всю еду будет готовить сама. Как и обычно, все вышло у нее замечательно вкусным, но смотреть, как она мучается, занимаясь привычными вещами, не стоившими ей прежде никакого труда, было почти невозможно. Все ей теперь давалось с трудом.

Он проводил родителей до отеля. Поцеловав мать, пожелал ей спокойной ночи. В аэропорт родители должны были поехать сами — их никто не провожал. Берни повернулся к отцу, чтобы на прощание пожать ему руку, и встретился с ним взглядом. Он вдруг вспомнил то время, когда был совсем еще ребенком... Как он любил своего папу... Однажды летом они поехали ловить рыбу в Новую Англию... Ему было тогда лет пять, не больше... Отец, мгновенно понявший его настроение, нежно обнял Берни, и тот уже не смог сдержать слез. Мать отвернулась.

Отец вывел его на улицу. Они стояли под ночными небесами бесконечно долго.

— Ты зря стесняешься своих слез, сынок... — сказал отец, сам вытирая глаза.

Да, сейчас ему не мог помочь никто. Берни прекрасно понимал это... В конце концов он попрощался с родителями, поблагодарив их за все, что они сделали для него и для Лиз, и вернулся домой. Лиз уже лежала в кровати. На ней был один из париков, подаренных матерью. Теперь она носила их уже постоянно, над чем он порой подтрунивал, хотя в глубине души корил себя за то, что не догадался купить парики сам. Лиз очень любила их и постоянно говорила о них с Джейн.

— Нет, мамочка, мне больше нравится тот, длинный... — говорила Джейн, улыбаясь. — С вьющимися волосами ты такая смешная!

В любом случае, Лиз перестала стесняться самой себя, и это было главное.

— Как твои мама и папа? — Она вопросительно посмотрела на Берни. — Долго ты их провожал.

— Мы немного выпили. — Он виновато потупился, пытаясь скрыть свою печаль. — Ты ведь знаешь мою маму — разве она может так просто отпустить своего ребенка?

Он погладил Лиз по руке и пошел переодеваться. Когда он лег в кровать, Лиз уже спала. Берни долго сидел, прислушиваясь к ее затрудненному дыханию. С тех пор как Лиз был поставлен диагноз, прошло уже три месяца. Она продолжала мужественно бороться с недугом, хотя, по мнению доктора, это было не столько ее заслугой, сколько следствием химиотерапии. Впрочем, это уже не имело значения. Берни видел, что Лиз становится хуже. Ее делавшиеся огромными глаза западали все глубже, лицо все больше заострялось, ей стало трудно дышать, она потеряла в весе... И все же, несмотря ни на что, они обязаны были бороться до последнего — Берни повторял это Лиз снова и снова.

Этой ночью ему привиделось, будто она отправляется в путешествие, он же пытается остановить, помешать ей.

Работа на какое-то время вернула Лиз к жизни. Она любила своих учеников или, как она их называла, «своих детей». В этом году Лиз учила их только чтению. Математикой и прочими предметами с ними занималась Трейси. Школьная администрация во всем шла навстречу Лиз — известие, которое она сообщила им, ошеломило всех. Об этом не принято было говорить вслух, Лиз не хотела, чтобы о ее болезни узнала Джейн. Об этом должны были знать только учителя, но никак не ученики. Лиз прекрасно понимала, что на следующий год работать она уже не сможет, но была полна решимости довести класс до конца учебного года. Об этом она сказала и директору. Однако в марте слухи о ее болезни дошли и до учеников. Однажды Лиз заметила, что одна из ее учениц смотрит на нее со слезами на глазах.

У Нэнси было четыре брата, она была известной всей школе драчуньей. Лиз одернула ей блузку и улыбнулась. Нэнси была на год младше Джейн, которая училась уже в третьем классе.

— Ты что — опять с кем-то подралась?

Девочка согласно кивнула и, подняв глаза на Лиз, сказала:

— Я дала Билли Хитчкоку в нос.

Лиз рассмеялась. Где-где, а уж в школе соскучиться было невозможно.

— И зачем же ты это сделала?

Девочка, немного помешкав и испуганно глянув на Лиз, ответила:

— Он сказал, что вы скоро умрете... А я ему на это ответила, что он противный жирный врун!

Нэнси заплакала, вытирая слезы грязными кулачками, и, снова взглянув на Лиз, тихонько спросила:

— Ведь это неправда, госпожа Файн, да?

— Давай немножко поговорим...

Она придвинула девочке стул. Было время ленча, и в классе, кроме них двоих, никого не оставалось. Лиз взяла Нэнси за руку. Произошло именно то, чего она больше всего боялась.

— Ты ведь знаешь, что всем нам суждено умереть, верно?

Она почувствовала, как напряглась рука девочки. Первый подарок, сделанный ей перед рождением Александра, Лиз получила именно от маленькой Нэнси. Это был маленький шерстяной шарфик со спущенными то тут, то там петлями. Лиз очень дорожила этим подарком.

Нэнси вновь залилась слезами.

— В прошлом году умерла наша собака, но она была старенькая... Папа говорит, если бы она была человеком, ей бы было лет сто девяносто. Но вы же ведь молодая!

Лиз рассмеялась:

— Как тебе сказать. Мне уже тридцать. Конечно, я еще не старая, но, понимаешь... в жизни случается разное... Бог может забрать человека в любом возрасте... Бывает так, что люди умирают, едва родившись... И еще... Когда ты умрешь — а это произойдет через много-много лет, — мы встретимся с тобой на том свете, слышишь? Я буду ждать тебя там...

Она почувствовала, как на глаза наворачиваются слезы. Ждать кого-то там она совершенно не хотела. Она хотела жить здесь, жить вместе с Берни, Джейн и Александром.

Нэнси прекрасно это понимала. Заплакав еще горше, она обхватила шею Лиз своими ручками.

— Я не хочу, чтобы ты от нас уходила... Не хочу, чтобы тебя не было...

Ее мать пила, а отец находился в постоянных разъездах. Еще с детского сада Нэнси привязалась к Лиз, теперь же она могла ее потерять. Это было несправедливо. Лиз угостила Нэнси домашним печеньем и стала рассказывать ей о химиотерапии, которая могла помочь ей.

— Понимаешь, Нэнси, этого никто не знает... Я могу жить очень долго. Некоторые люди живут с этим годами... — Сама она на это не очень-то надеялась, каждый день видя в зеркале свое отражение. Зеркала с недавних пор стали ей ненавистны. — В любом случае, до конца учебного года я буду работать. Времени, как видишь, еще предостаточно. Можешь пока не беспокоиться. Договорились?

Крошка Нэнси Фаррелл послушно закивала головой и молча вышла из класса, держа в руках целую горсть шоколадного печенья.

В этот же день, когда они уже ехали домой, Лиз заметила, что Джейн ведет себя как-то необычно, у нее возникло ощущение, что дочь чем-то обижена. Всю дорогу Джейн смотрела в окно, когда же они подъехали к дому, пристально посмотрела на Лиз и спросила так, словно обвиняла ее в чем-то недостойном или неприличном:

— Ты скоро умрешь, да?

Лиз остолбенела, поразившись вопросу. Она тут же поняла, кто в этом повинен. Это была все та же Нэнси Фаррелл.

— Все мы умрем, моя хорошая.

Лиз прекрасно понимала, что говорить с Джейн и говорить с Нэнси — совсем не одно и то же. Она не была готова к этому разговору.

— Ты понимаешь, о чем я говорю... Эта... твоя химия... она не действует — так?

При слове «химия» девочка даже сморщилась.

— Ну почему же? Как-то действует.

В чем это проявлялось, Лиз и сама не знала. Это было очевидно не только для нее, но и для всех остальных. Иногда она даже думала, что сеансы химиотерапии лишь вредят ей, ускоряя и без того скорую кончину...

— А вот и нет.

Девочка сказала это без тени сомнения.

Лиз оставила машину возле дома. Она так и продол-

жала ездить на своем стареньком «Форде», который купила еще до того, как познакомилась с Берни. Она
всегда оставляла свою машину возле дома, а в гараже у
них стоял новенький «БМВ».

— Детка, поверь, сейчас тяжело не только тебе одной... Я изо всех сил стараюсь держать себя в форме.

— Но тогда почему ты так плохо выглядишь? — Огромные синие глаза девочки внезапно наполнились
слезами. — Почему тебе не становится лучше? Почему?.. Нэнси Фаррелл сказала, что ты скоро умрешь...

— Можешь больше ничего не говорить, моя родная. — Она, обливаясь слезами, обняла Джейн, и та
вдруг услышала, как хрипит у мамы в легких... — Не
знаю, что тебе и сказать. Когда-нибудь все мы умрем...
Возможно, отпущенный мне срок уже подходит к концу... Кто знает... В том, что рано или поздно это должно было произойти, сомнений нет... С каждым из нас
это может случиться в любую минуту. На нас, к примеру, может упасть бомба, понимаешь?

Шмыгнув носом, девочка посмотрела в лицо матери.

— Лучше бы так и было... Я хочу умереть вместе с
тобой.

Лиз сжала ее руку так, что Джейн стало больно.

— Замолчи! Никогда не говори таких вещей! Тебе
еще жить да жить...

Но ведь и ей самой было всего тридцать...

— Почему это произошло именно с нами?

Джейн задала ей тот же вопрос, которым они зада-
вались все это время. Но никто, никто не мог дать на
него ответа.

— Чего не знаю, того не знаю... — еле слышно прошептала Лиз.

Глава 20

В апреле Берни должен был принять окончательное
решение — ехать ему в Европу или нет. В глубине души
он надеялся на то, что Лиз согласится поехать вместе с

ним, но особенно на это рассчитывать не приходилось. На путешествия у нее уже не хватало сил. Самое большее, на что она могла отважиться, так это на поездку к Трейси в Саусалито. Она, как и прежде, ходила на работу, но теперь лишь два раза в неделю.

Берни пришлось звонить Полу Берману.

— Мне очень неловко подводить тебя, Пол. Но ты понимаешь, сейчас я просто не могу куда-то ехать...

— Я все прекрасно понимаю. — Говорить с Берни ему было необыкновенно трудно. Пол был очень ранимым и чувствительным человеком. — На сей раз вместо тебя мы пошлем кого-то другого.

От поездки в Европу Берни отказывался уже второй раз, но никому и в голову не приходило ставить ему это на вид, тем более что дела в магазине по-прежнему шли как нельзя лучше.

— Даже не знаю, как тебе удается работать в таких условиях, — поспешил добавить Пол. — Если тебе вдруг понадобится уйти в отпуск, ты мне сразу об этом сообщи...

— Спасибо. Пока вроде бы такой необходимости нет... Может быть, через несколько месяцев...

В последние недели жизни Лиз он хотел быть рядом с нею, хотя понимал, что предсказать сколько-нибудь точно время ее кончины было практически невозможно. Ей могло на несколько дней стать получше, и тогда она оживала, но за улучшением неизменно следовал новый кризис, повергавший Лиз в панику. Ситуация усугублялась еще и тем, что понять, как она чувствует себя на самом деле, было сложно: Лиз могла скрывать от него правду. Он так и не знал — подействовала ли на нее химиотерапия, и если да, то на какой срок они могли рассчитывать: на годы, на месяцы или на недели. Доктор тоже не мог дать вразумительного ответа.

— А как ты насчет того, чтобы вернуться назад? В таких обстоятельствах я не хочу удерживать тебя там силой, Бернард.

Поступить иначе Пол действительно не мог — вот уже много лет он относился к Берни как к сыну. Теперь, когда речь шла о жизни его жены, говорить о том, что он должен оставаться в Калифорнии, было бы, мягко говоря, непорядочно. Но Берни повел себя странно, хотя в правдивости его слов Пол не сомневался. Он всегда говорил с ним искренне. Пол одним из первых узнал о том, что Лиз больна раком. Известие это потрясло и его, было невозможно поверить в то, что прекрасная хрупкая блондинка, с которой он танцевал всего два года тому назад, умирает.

— Пол, если уж говорить начистоту, сейчас я не хочу ехать никуда. Если у тебя есть человек, который может взять на себя импортные поставки и готов два раза в год выезжать за границу, я буду только рад этому. Нам сейчас не до поездок. В Сан-Франциско Лиз дома, понимаешь? Срывать ее с места сейчас было бы неправильно.

Они с Лиз долго думали, прежде чем принять такое решение. Впрочем, Лиз с самого начала говорила о том, что она предпочла бы остаться в Сан-Франциско. Она никому не хотела быть в тягость — ни самому Берни, ни его родителям, она не хотела срывать Джейн из школы, и, наконец, она ни в какую не хотела расставаться сейчас со своими друзьями, в особенности с Трейси. Даже такие люди, как Билл и Марджори Роббинс, казались ей сейчас особенно близкими — они были дороги ей по-своему...

— Я прекрасно тебя понимаю.

— Да, Пол, но имей в виду, речь идет только о настоящем моменте.

— Хорошо. Если у тебя что-то изменится, дай мне знать — я тут же начну подыскивать на твое место человека. Нам не хватает тебя здесь, в Нью-Йорке. Кстати... — Он взглянул на календарь. — Ты не смог бы на будущей неделе поприсутствовать на совете правления?

Берни нахмурился.

— Мне надо сначала поговорить с Лиз. — На этой неделе сеансов у нее не было, но оставлять ее одну Берни все равно не хотелось. — Тогда я смогу ответить определенно. Когда он должен состояться?

Пол назвал ему число, и Берни записал его в блокнот.

— Все это займет не больше трех дней. Ты сможешь

вылететь к нам в понедельник и вернуться домой в среду вечером или в четверг утром. Что бы ты ни решил, я пойму тебя, можешь на этот счет не беспокоиться.

— Спасибо, Пол.

Как всегда, Пол был великодушен. Этим же вечером Берни спросил у Лиз, как она посмотрит на то, что он на несколько дней отлучится в Нью-Йорк. Более того, он даже предложил ей поехать туда вместе с ним. Грустно улыбнувшись, Лиз отрицательно покачала головой.

— Я не смогу, милый. У меня слишком много дел в школе.

Причина была совершенно в ином, и они оба прекрасно понимали это. Через две недели они должны были отметить день рождения Александра, на котором собиралась присутствовать и мать Берни. Отец на сей раз приехать не мог — у него было слишком много работы. Руфь ехала к ним не только для того, чтобы отметить это знаменательное событие, но и для того, чтобы повидаться с Лиз.

Берни, прилетев из Нью-Йорка, отметил то же самое, что вскоре отметила и его мать. Лиз менялась прямо на глазах. Нескольких дней отсутствия было вполне достаточно, чтобы понять это. Вернувшись домой, он полночи провел, запершись в ванной и проплакав. Берни боялся, что его может услышать Лиз, но сдержать себя был уже не в состоянии. Она была бледной и слабой, и сильнее всего его поразило, как она истаяла буквально на глазах. Он стал покупать ей в гастрономе, работавшем при «Вольфе», все мыслимые и немыслимые деликатесы — от земляничного торта до копченой лососины, но это, увы, не шло ей впрок. Она совершенно потеряла аппетит и ко дню рождения Александра похудела на девятнадцать фунтов. Приехавшая на день рождения внука Руфь была убита тем, как стала выглядеть Лиз, хотя не подала и виду. За то время, что они не виделись, плечики Лиз стали еще более хрупкими — Руфь не могла не заметить этого, когда обнимала свою невестку, встречавшую ее в аэропорту. Лиз наотрез отказалась ехать к багажному отделению в инвалидной коляске, и Берни пришлось нанимать для нее специальную тележку. О том, чтобы идти туда пешком, не могло быть и речи.

По дороге домой они говорили только о пустяках. Руфь везла детям два замечательных подарка, купленных ею в «Шварце»: коня-качалку для Александра и куклу для Джейн; ей не терпелось встретиться с малышами. Обед, которым ее встретила Лиз, потряс Руфь еще больше — ведь невестка так и продолжала работать в школе, вести дом и готовить замечательно вкусные обеды, хотя легко можно было представить, чего это ей стоило. Более замечательных женщин Руфь еще никогда не встречала. При ней состоялся и один из сеансов химиотерапии. Берни отправился в госпиталь вместе с Лиз, оставив детей на Руфь. Кроватку Александра он перекатил в ее комнату.

Александр живо напоминал ей Берни в младенчестве — он был таким же крепеньким и резвым малышом. Укладывая его этим вечером спать, Руфь не смогла удержаться от слез, подумав о том, что он даже не будет помнить своей матери...

— Когда же вы приедете к нам в гости? — спросила Руфь у Джейн, когда они сели играть в игру под названием «пачиси».

Джейн рассеянно улыбнулась. Она очень любила бабушку Руфь, но понимала, что сейчас им придется забыть о поездках. «Когда маме станет лучше», — вот что она должна была ответить, но сказать такое у нее не повернулся бы язык.

— Не знаю, бабуля. Как только закончатся занятия, мы поедем на Стинсон-Бич. Мама хочет немножко отдохнуть — она так устает на работе...

Обе они знали, что усталость ее вызвана совершенно иными причинами, но говорить об этом вслух боялись.

Берни снял тот же дом, в котором они провели и прошлое лето. Они планировали провести на море все три месяца, чтобы Лиз хоть как-то могла восстановить свои силы. Доктор посоветовал ей оставить работу, и Лиз на сей раз уже не стала с ним спорить. Берни она сказала, что такое положение вещей ее очень устраивает. Она могла больше времени проводить с ним, с Джейн и с малышом. Возражать против этого Берни, естественно, не стал. Теперь все их думы были связаны с летним отдыхом на море. Переезжая на Стинсон-Бич, они словно переводили стрелки часов назад. Берни взял за руку спящую на больничной койке Лиз. Она легонько шевельнулась, и тут он заметил на ее губах блаженную улыбку. Сердце его екнуло — ему вдруг показалось, что Лиз умирает.

— Что случилось?

Она смотрела на него ничего не понимающим взглядом. Берни тут же изобразил на лице что-то вроде улыбки.

— Как ты себя чувствуешь, дорогая?

— Хорошо.

Она вновь опустила голову на подушку. И Лиз, и Берни знали, что препараты, которыми ее лечили, были настолько сильнодействующими, что в любой момент могли вызвать у нее сердечный припадок. Их предупредили об этом еще до начала лечения. Но иного выбора не было. Отказ от химиотерапии означал бы неминуемую смерть.

Лиз вновь уснула. Берни вышел в холл и позвонил домой. Звонить из палаты он не стал, боясь, что его голос может разбудить ее. Вместе с Лиз в палате осталась сиделка. Берни за это время успел привыкнуть к больнице. Теперь здешняя обстановка казалась ему совершенно нормальной, она уже не шокировала его, как это было вначале. Конечно, он предпочел бы оказаться на парочку этажей пониже, там, где всего год назад Лиз родила Александра, где люди рождались, а не умирали, но, увы, это было не в его власти...

— Привет, мама. Как у вас дела?

— Все в порядке, мой хороший. — Она глянула на Джейн. — Твоя дочь в два счета обставила меня в «пачиси». Александр уже спит. Он такой хорошенький. Выпил целую бутылочку, улыбнулся мне и тут же — прямо у меня на руках — заснул. Мне оставалось только положить его на кроватку.

Берни усмехнулся. Если бы то же самое ему рассказала Лиз, а не его мать... Вместо этого она лежала здесь, в больнице, отравленная патентованными препаратами...

— Как она себя чувствует?

Мать задала этот вопрос очень тихо, так, чтобы Джейн не знала, о чем идет речь. Девочка, однако, слушала ее так внимательно, что даже машинально двинула по полю чужую фишку, в чем Руфь не замедлила ее уличить. Джейн и так понимала, что происходит с ее мамой. Но ей было всего восемь лет, а для детей в таком возрасте подобная ноша непосильна, они привыкли жить в мире, в котором действуют совсем иные законы.

— С ней все в порядке. Она спит. Завтра к ленчу мы уже вернемся.

— Мы будем вас ждать. Берни, может быть, тебе что-то нужно? Может, ты голоден?

Подобная заботливость матери была для Берни полной неожиданностью. В Скарсдейле все было иначе — там за все отвечала служанка Хэтти.

— Спасибо, мне ничего не нужно. Передавай привет Джейн. До завтра.

— Спокойной ночи, милый. Когда Лиз проснется, передай ей от нас привет.

Джейн смотрела на Руфь расширившимися от ужаса глазами.

— С мамой все хорошо?

— Все в порядке, моя золотая... Мама просила передать тебе привет.

Руфь решила, что привет, переданный не Берни, а Лиз, будет обладать для девочки большей значимостью.

Утром Лиз проснулась от боли. Появилось такое чувство, будто у нее разом сломались все ребра. Прежде подобных болей она не испытывала, и поэтому поспешила известить о них доктора Йохансена; тот, в свою очередь, вызвал к ней онколога и ортопеда. Они послали Лиз наверх — делать рентген и авторадиографию. После этого она могла пойти домой.

Полученные несколько часов спустя результаты не

принесли утешения. Химиотерапия не помогла. Метастазы продолжают распространяться. Лиз разрешили вернуться домой. Но Йохансен предупредил Берни, что конец близок. С этого момента боль начнет усиливаться, и хотя врачи всеми силами постараются облегчить ее, наступит время, когда они уже практически ничем не сумеют помочь его жене. Разговор между Йохансеном и Берни происходил в маленьком кабинете неподалеку от палаты Лиз. Выслушав врача, Берни стукнул кулаком по столу, за которым они сидели.

— То есть вы практически ничем не сумеете ей помочь? Что это значит, черт побери! — Йохансен прекрасно понимал, что негодование Берни более чем оправданно: судьба нанесла Лиз чудовищный удар, а врачи оказались бессильны. — Чем вы тут занимаетесь целыми днями, разрази вас нелегкая? Вытаскиваете занозы и вскрываете чирьи на задницах? Человек умирает от рака, а вы говорите, что не можете даже снять боль? — Сидевший за столом Берни начал всхлипывать, не сводя глаз с Йохансена. — Что же нам теперь делать... Господи... помогите ей кто-нибудь... — Он сознавал, что беда непоправима. А они еще говорят, что почти ничем не сумеют помочь. Лиз умрет, мучаясь от невыносимой боли. Это несправедливо. Это кошмарная насмешка над всем, во что он верил в этой жизни. Ему хотелось схватить кого-нибудь и трясти его до тех пор, пока ему не скажут, что Лиз можно спасти, что она будет жить, что все это просто дикая ошибка и у нее нет рака.

Уронив голову на стол, он заплакал от чувства глубокой жалости к себе, от сознания полнейшей беспомощности.

Доктор Йохансен помедлил, а затем пошел и принес стакан воды. Он покачал головой, грустно глядя на Берни светлыми скандинавскими глазами.

— Я понимаю, как это ужасно, мистер Файн, и мне очень жаль. Мы сделаем все, что в наших силах. Мне просто хотелось, чтобы вы знали: наши возможности не беспредельны.

— Что вы имеете в виду? — Берни смотрел на врача

с тоской умирающего. Ему казалось, что сердце вот-вот разорвется у него в груди.

— Для начала мы пропишем ей демерол в таблетках или перкодан, как она захочет. Со временем переведем ее на уколы. Дилаудид, демерол или морфин, посмотрим, что будет лучше действовать. Мы будем постепенно увеличивать дозу, чтобы ей как можно меньше пришлось страдать от боли.

— Можно, я сам буду делать ей уколы? — Он был готов на все, лишь бы облегчить ей боль.

— Да, если хотите, или наймите ей потом медсестру. Я знаю, что у вас двое маленьких детей.

И тут Берни вспомнил о планах на лето.

— Как вы думаете, нам можно будет выехать в Стинсон-Бич или стоит поселиться где-нибудь поближе к городу?

— Я не вижу греха в том, чтобы отправиться на море. Пожалуй, смена обстановки будет полезна всем вам, и особенно Лиз, а езды до города всего полчаса. Я и сам порой туда езжу. От этого поднимается настроение.

Берни мрачно кивнул и поставил принесенный доктором стакан с водой на стол.

— Она так любит это место.

— Значит, непременно поезжайте туда.

— А как быть с ее работой? — Внезапно вся их жизнь перевернулась, и стало необходимо обдумать все заново. А на дворе еще только весна. И до конца занятий осталась не одна неделя. — Ей придется уволиться прямо сейчас?

— Это зависит только от ее желания. Не бойтесь, работа не причинит ей вреда. Впрочем, если боли значительно усилятся, она может оказаться ей просто не по силам. Попробуйте предоставить решение ей самой. — Врач поднялся из-за стола, и у Берни вырвался вздох.

— Что вы намерены ей сказать? Вы хотите сообщить ей, что метастазы распространились по всему организму?

— Я не вижу в этом необходимости. Она ощущает боль и наверняка понимает, что болезнь продолжает развиваться. По-моему, не стоит говорить ей о результатах обследования, чтобы не подрывать ее душевные силы. — Он бросил на Берни вопросительный взгляд. — Или вы полагаете, что лучше сказать? — Берни тут же замотал головой, думая о том времени, когда поток дурных известий окончательно сломит их всех. А может, они выбрали неправильный путь? Возможно, ему следует отвезти ее в Мексику, к индейским колдунам, или посадить на макробиотическую диету, или же надо обратиться к последователям учения Христианская Наука? Он не раз слышал поразительные истории о людях, излечившихся от рака с помощью какой-нибудь экзотической диеты, гипноза или веры, а ведь средства, которыми они пользовались до того момента, никак не помогали. Но он понимал и то, что Лиз не пойдет на это. Она не станет метаться из стороны в сторону и колесить по всему свету, гоняясь за химерами. Ей хочется быть дома с мужем и детьми, преподавать в школе, где она проработала много лет. Есть вещи, которые она ни за что не станет делать, и для нее важно, чтобы их жизнь как можно меньше отличалась от прежней, когда все шло нормально.

— Привет, милый. Ну как, уже все? — Дожидаясь Берни в своей палате, Лиз успела одеться и натянуть на голову новый парик, привезенный его матерью. Он оказался таким удачным, как будто у нее отросли свои волосы, и если не обращать внимания на худобу и темные круги под глазами, Лиз выглядела просто замечательно. Она надела голубое отрезное платье спортивного покроя и сандалии такого же цвета. Светлые пряди волос парика рассыпались по плечам, почти как прежде, когда у нее еще не выпали свои собственные.

— Что они тебе сказали? — спросила она, встревоженно глядя на Берни. Лиз догадывалась, что дела идут неважно. Она стала ощущать боль в ребрах, сильную и резкую, чего прежде никогда не бывало.

— Ничего особенного. Никаких новостей. Похоже, химиотерапия оказывает какое-то действие.

Приподняв голову, Лиз посмотрела на врача.

— Тогда почему же у меня так болят ребра?

— Вам часто приходится брать малыша на руки? — спросил врач с улыбкой. Лиз призадумалась и кивнула. Ей приходилось чуть ли не все время носить его на руках. Ходить он еще не начал и то и дело просился на руки.

— Да.

— А сколько он весит?

Вопрос вызвал у нее улыбку:

— Доктор собирается посадить его на диету. Он весит двадцать шесть фунтов.

— Разве это не убедительный ответ на ваш вопрос?

Нет, не убедительный, но врач поступил благородно, и Берни почувствовал признательность к нему.

Медсестра довезла Лиз до вестибюля на кресле, и они с Берни вышли за дверь рука об руку. Но ходить она стала гораздо медленней, и он заметил, как она поморщилась, садясь в машину.

— Родная, тебе очень больно? — Она замялась, потом кивнула. Ей было трудно говорить. — Попробуй поделать дыхательные упражнения для беременных, вдруг поможет.

Идея оказалась гениальной. На обратном пути Лиз занялась дыхательной гимнастикой и сказала Берни, что ей полегчало. А в кармане у нее лежали прописанные врачом таблетки.

— Я не хочу принимать их без крайней необходимости. Подожду до вечера.

— К чему такое геройство?

— Геройство проявляете вы, мистер Файн. — Лиз потянулась к Берни и нежно поцеловала его.

— Я люблю тебя, Лиз.

— Лучше тебя нет никого на свете... Мне очень жаль, что из-за меня тебе приходится так трудно. — Каждому из них приходилось нелегко, и она это понимала. Ей самой было тяжко, и она злилась из-за этого, злилась, потому что они тоже мучаются, а изредка на нее накатывала ненависть к ним, потому что она умирает, а они нет.

Берни отвез ее домой, помог подняться по ступенькам. Джейн и Руфь сидели, поджидая их. Джейн волновалась, потому что они долго не возвращались — на сканирование костных тканей и на рентген потребовалось немало времени. И пока не наступило четыре часа дня и они не приехали домой, она все приставала к матери Берни.

— Бабушка, она всегда возвращалась утром. Что-то случилось, я уверена. — Она упросила Руфь позвонить в больницу, но оказалось, что Лиз уже на пути домой, и когда хлопнула входная дверь, Руфь многозначительно посмотрела на Джейн.

— Вот видишь! — Но при этом она заметила то, что ускользнуло от взгляда Джейн: судя по виду, Лиз сильно ослабла и измучилась от боли, хотя сама ни словом не обмолвилась об этом.

И все же Лиз наотрез отказалась уйти с работы. Она твердо решила довести свой класс до конца учебного года, чего бы это ни стоило, и Берни не стал с ней спорить, хотя Руфь зашла к нему в магазин перед отъездом из Сан-Франциско и попыталась втолковать, что это безумие.

— Неужели ты не видишь, что ей не по силам такая нагрузка?

Берни закрыл дверь кабинета и заорал:

— Черт возьми, мама, врач сказал, что работа никак ей не повредит!

— Она ее просто доконает!

И тут он вылил на мать всю злобу, клокотавшую в его душе.

— Да нет же! Ее доконает рак! Ее убьет не что-нибудь, а эта проклятая зараза, которая уже успела распространиться повсюду и потихоньку пожирает ее! И теперь уже совершенно все равно, будет ли она сидеть дома, ожидая, когда ей придет конец, или будет по-прежнему учить детей в школе, согласится ли она продолжать курс химиотерапии или нет, или даже если она отправится в Лурд, ничего не изменится, и она умрет. — К глазам его подступили слезы, словно где-то внутри его прорвалась плотина, и он принялся мерить шагами комнату, не глядя матери в лицо. В конце концов он повернулся к ней спиной и уставился в окно, хотя ничего уже не мог видеть. — Прости меня. — По его голосу Руфь поняла, что он совершенно пал духом, и от боли за сына у нее сжалось сердце. Она тихо подошла к нему и обняла за плечи.

— Мне очень жаль, родной... очень... несправедливо, когда с людьми случается такая беда, особенно с теми, кого ты любишь...

— Такого не заслужил ни один человек, даже если он тебе ненавистен. — Он никому не смог бы пожелать такого. Никогда. Медленно повернувшись, он поглядел матери в лицо. — Меня не оставляет мысль о том, что же будет с Джейн и с малышом... Как нам жить без Лиз? — На глазах у него снова выступили слезы. Ему показалось, будто он, не переставая, плачет уже несколько месяцев, и это была правда.Они узнали о болезни Лиз полгода назад и на протяжении последних шести месяцев неотвратимо катились в бездну, моля бога, чтобы это падение каким-нибудь чудом прекратилось.

— Хочешь, я побуду с вами еще какое-то время? Я вполне могла бы. Твой папа прекрасно все поймет. Собственно говоря, он сам предложил мне задержаться здесь, я звонила ему вчера вечером. Еще я могла бы забрать детей к нам домой, но, по-моему, это было бы нечестно по отношению к Лиз и к ним самим. — Мать привела Берни в изумление — она оказалась таким славным, способным на тонкое понимание человеком. Куда подевалась женщина, которая донимала его рассказами о том, как миссис Финкельштейн страдает от мочекаменной болезни, и грозилась, что умрет от сердечного приступа, всякий раз, как Берни отправлялся на свидание с девушкой, которая не была еврейкой. Он улыбнулся, вспомнив о вечере, который они провели в «Береге басков», когда он заявил ей, что женится на католичке по имени Элизабет О'Райли.

— Ты помнишь, мама? — Они оба заулыбались. С тех пор прошло два с половиной года, а кажется, что целая вечность.

— Да. И все надеюсь, что ты когда-нибудь об этом забудешь. — Но теперь воспоминания о том вечере вызывали у него лишь улыбку. — Ну так как, ребятки, хотите, я останусь и помогу вам? — Ему пошел тридцать восьмой год, и он чувствовал себя не ребенком, а столетним стариком.

— Мама, я благодарен тебе за предложение, но мне кажется, для Лиз важно, чтобы наша жизнь как можно меньше отклонялась от привычного русла. Как только в школе кончатся занятия, мы переберемся на взморье, а я стану ездить оттуда на работу и обратно. Собственно говоря, я даже возьму отпуск на шесть недель до середины июля, а если понадобится, смогу его продлить. Пол Берман вошел в мое положение.

— Хорошо. — Она спокойно кивнула головой. — Но если что, я могу вылететь к вам первым же самолетом. Ясно?

— Да, мадам. — Он отдал ей честь, а потом обнял. — А теперь иди, поброди по магазину. И, если у тебя останется время, постарайся подобрать что-нибудь симпатичное для Лиз. Размер у нее стал, как у двенадцатилетней девочки. — От Лиз почти ничего не осталось. Раньше она весила сто двадцать фунтов, а теперь всего восемьдесят пять. — И все же новые одежки доставили бы ей радость. У нее не хватает сил, чтобы пойти и что-нибудь купить для себя.

Или для Джейн, хотя он и так очень часто приносил домой коробки с детскими вещами. Джейн покорила сердце заведующего отделом детской одежды, и тот начал передавать подарки для Александра, когда мальчишки еще не было на свете, и продолжал делать это до сих пор. Сейчас внимание, которое к ним проявляли, вызывало у Берни чувство глубокой признательности. Сам он пребывал в невероятной растерянности, и ему казалось, что он не слишком справедливо обходится с детьми. Такое впечатление, будто он ни разу не взглянул на Алекса с тех пор, как ему исполнилось шесть месяцев, и он все время ворчит на Джейн лишь потому, что она всякий раз подворачивается под руку, а ведь он любит ее, и оба они чувствуют себя такими беспомощными. Всем приходится крайне трудно, и Берни пожалел, что они не послушали совета Трейси и не обратились к психоаналитику. В свое время Лиз восприняла эту идею в штыки, а теперь он стал думать, что зря с ней согласился.

На следующий день, когда Руфь пришло время отправляться в аэропорт, настал один из тяжелейших моментов. С утра она заехала к ним домой, чтобы застать Лиз до ухода в школу. Трейси давно уже взяла за правило забирать Джейн с собой, а Берни еще раньше успел уйти на работу. Александр заснул, и Лиз ждала прихода няни. Она открыла дверь и тут же поняла, что привело сюда Руфь. На мгновение обе застыли у порога, глядя в глаза друг другу и не пытаясь притворяться. Потом Лиз подалась вперед и обняла свекровь.

— Спасибо тебе, что пришла...

— Мне захотелось попрощаться, Лиз. Я буду молиться за тебя.

— Спасибо. — У нее перехватило горло, и она постояла, молча глядя на Руфь полными слез глазами. — Бабушка, присматривайте за ними, когда меня не станет... — проговорила она шепотом. — И за Берни тоже.

— Обязательно, обещаю тебе. А ты береги себя. И делай все, что тебе велят. — Она прижала к себе эти хрупкие плечи и вдруг заметила, что Лиз надела платье, которое она купила ей накануне. — Лиз, мы очень, очень тебя любим...

— Я тоже вас люблю.

Руфь постояла еще чуть-чуть, обнимая невестку, а затем повернулась и пошла прочь. Лиз осталась стоять в дверях, и Руфь подняла руку в знак прощания. Такси тронулось, а Руфь все махала и махала ей рукой, пока Лиз окончательно не скрылась из виду.

Глава 21

Лиз так и не оставила свой класс до самого конца занятий. Ни Берни, ни врач не могли понять, как ей это удалось. Ей приходилось ежедневно принимать снотворное в начале вечера, и Джейн жаловалась на то, что мама теперь все время спит, но, в сущности, девочка сокрушалась о другом, хотя и не могла выразить этого словами. Ведь на самом деле она горевала о том, что мама умирает...

Последний день занятий в школе пришелся на девятое июня. Лиз надела одно из новых платьев, которые Руфь купила ей перед отъездом. Теперь они часто разговаривали друг с другом по телефону, и Руфь развлекала ее забавными рассказами о жителях Скарсдейла.

На этот раз Лиз сказала, что сама отвезет Джейн в школу, и девочка ответила ей радостным взглядом. Мама такая красивая и бодрая, у нее большие глаза, и выглядит она совсем как раньше, только похудела, а завтра они переберутся в Стинсон-Бич. Джейн с нетерпением ждала этого события. А сегодня после окончания уроков состоится праздник, все будут пить молоко и угощаться пирожными и печеньем, и бабушка Руфь помогла ей выбрать розовое платье и черные кожаные туфельки специально для этого случая. И Джейн вприпрыжку побежала к одноклассникам.

Войдя к себе в класс, Лиз тихонько притворила за собой дверь и повернулась лицом к своим ученикам. Все на месте, двадцать один человек, чистенькие сияющие личики, ясные глаза, солнечные улыбки. Лиз ни капли не сомневалась в том, что они любят ее. И с такой же уверенностью знала, что сама их любит. Но сейчас пришло время попрощаться с ними. Она не смогла бы просто взять и расстаться с ними, исчезнуть, ни о чем их не предупредив. Лиз повернулась к доске, нарисовала розовым мелком большущее сердце, и детишки захихикали.

— Поздравляю всех вас с Днем святого Валентина, праздником любящих сердец. — Она чувствовала себя счастливой, и лицо ее светилось от радости. Ей удалось довести до конца очень важное для нее дело. Тем самым она сделала подарок своим ученикам, себе самой и Джейн.

— Сегодня не День святого Валентина! — крикнул Билли Хитчкок. — Сегодня Рождество! — Лиз рассмеялась, вечно он отпускает шуточки.

— Нет. У нас с вами сегодня День святого Валентина. И у меня появился удобный случай сказать вам, как сильно я вас люблю. — Лиз почувствовала комок в горле, но заставила себя справиться с ним. Пожалуйста, постарайтесь ненадолго утихомириться. Я приготовила по «валентинке» для каждого из вас... а потом мы устроим свой собственный праздник перед тем, как вы отправитесь на общешкольный! — Это сообщение заинтриговало ребят, и в классе воцарился небывалый для последнего дня занятий порядок. Лиз стала вызывать их по очереди к доске. Она вручила каждому по «валентинке», в которой говорилось об их успехах, достижениях и чертах характера, которые ей особенно понравились. Она сумела напомнить всем без исключения о каком-нибудь отлично выполненном поручении, даже если речь шла лишь о том, чтобы подмести школьный двор, и о тех случаях, когда им довелось повеселиться вместе. Она украсила каждую из открыток картинками, наклейками, сделав забавные надписи, которые особенно полюбились ребятам, а те, слегка ошеломленные, возвращались на свое место и тихо сидели, сжимая в руках «валентинку», словно бесценный дар. И впрямь бесценный: Лиз потратила не один месяц и почти все оставшиеся силы, чтобы смастерить их.

Затем она достала два подноса с кексами, выпеченными в форме сердечка, и еще один, с красиво разукрашенным печеньем. Она приготовила угощение для всех, но постаралась скрыть это от Джейн и сказала ей, что печет для школьного праздника. Она и вправду припасла кое-что для праздника, но это угощение — особенное, ведь оно предназначалось для учеников «ее» второго класса.

— И вот что мне хочется сказать вам напоследок: я очень вас люблю и всей душой горжусь вами, вы замечательно учились весь год... и я совершенно уверена, что вы добьетесь таких же успехов, когда перейдете в третий класс и продолжите занятия, но уже вместе с миссис Райс.

— Миссис Файн, а вы больше не будете нас учить? — донесся тоненький голосок с последней парты, и маленький черноволосый мальчик с темными глазами грустно поглядел на нее, сжимая в одной руке «валентинку», а в другой кекс. Он не решился съесть его, ведь кекс такой красивый.

— Нет, Чарли, не буду. Мне придется уехать на какое-то время. — На глазах у нее все же выступили слезы. — И я буду ужасно по вас скучать. Но когда-нибудь мы снова с вами встретимся. С каждым из вас. Не забывайте об этом... — Она глубоко вздохнула, уже не пытаясь скрыть своих слез. — И поцелуйте за меня при встрече мою дочку Джейн. — Сидевшая на первой парте девочка, Нэнси Фаррелл, громко всхлипнула, а затем подбежала к Лиз и обвила ее шею руками.

— Миссис Файн, пожалуйста, останьтесь... Мы так вас любим...

— Нэнси, я бы с радостью. Честное слово, мне совсем не хочется... но, похоже, придется... — Дети потянулись вереницей к ее столику, и Лиз обняла и расцеловала всех по очереди. — Я люблю вас. Всех до единого. Тут прозвенел звонок. Лиз глубоко вздохнула и посмотрела на детей. — Кажется, пришло время отправляться на общешкольный праздник. Но они продолжали стоять, очень серьезно глядя на нее, а Билли Хитчкок спросил, будет ли она навещать их.

— Если удастся, Билли.

Он кивнул, и ребята выстроились в коридоре как никогда ровненько, держа в руках пакетики с угощением и «валентинки». Они все смотрели на Лиз, и она улыбнулась. Теперь она навеки стала частичкой каждого из них. Она застыла, глядя на ребят, и тут появилась Трейси, которая сразу же поняла, что происходит. Она заранее знала, что последний день занятий окажется очень трудным для Лиз.

— Как все прошло? — спросила она шепотом.

— Кажется, неплохо. — Лиз высморкалась и вытерла глаза, и Трейси ласково обняла ее.

— Ты им сказала?

— Не так, чтобы прямо. Я сослалась на то, что уезжаю. Но, по-моему, можно считать, что сказала. Кое-кто из них понял, что я имею в виду.

— Ты сделала им прекрасный подарок вместо того, чтобы тихо исчезнуть из их жизни.

— Я ни за что не могла бы так с ними поступить. И ни с кем другим тоже. — Именно поэтому Лиз была глубоко благодарна Руфи за то, что та заехала к ней по дороге в аэропорт. Пришла пора прощаться со всеми, и Лиз ни за что не хотела упускать возможность сделать это. Ей трудно далось расставание с учителями, когда наступило время уходить из школы, и она повезла Джейн домой, чувствуя, что силы у нее совсем на исходе. Джейн вела себя так тихо, что Лиз испугалась: она подозревала, что дочка узнала об ее «дне святого Валентина» и рассердилась на нее. Джейн все еще старалась не думать о том, что неминуемо произойдет вскоре.

— Мама? — Лиз остановила машину возле дома и повернулась к дочке. Ей еще ни разу в жизни не приходилось видеть столь мрачного детского личика.

— Да, солнышко?

— Тебе ведь так и не становится лучше?

— Ну, может быть, чуть-чуть. — Ей не хотелось говорить Джейн правду ради ее же блага, но обе понимали, что эти слова — обман.

— Неужели они не могут придумать что-нибудь особенное? — И впрямь, ведь случай из ряда вон выходящий: Джейн восемь лет, и она вот-вот потеряет свою любимую маму. Так почему же никто не приходит ей на помощь?

— Я прилично себя чувствую. — Джейн кивнула, но по щекам ее потекли слезы, и Лиз проговорила хриплым шепотом: — Мне очень больно расставаться с тобой. Но я всегда буду присматривать за тобой, за папой и за Алексом. Помни, я всегда буду рядом. — Джейн кинулась к ней в объятия, и они еще долго сидели в машине, а потом отправились в дом, держась за руки. Казалось, что Джейн стала чуть ли не больше своей мамы.

В тот же день к ним заглянула Трейси и позвала Джейн погулять в парке, пообещав угостить ее мороженым. Впервые за несколько месяцев Лиз увидела, что девочка уходит из дома с легким сердцем, и почувствовала, что они с дочкой стали ближе друг другу, чем ког-да-либо за время с начала ее болезни. Теперь все будет лучше. Не легче, но все-таки лучше.

Достав четыре листа бумаги, она написала каждому из родных письмо, пусть не длинное, но в нем ей уда-лось сказать дорогим ей людям о том, как сильно она их любит, и о том, как много они для нее значат и как ей горько расставаться с ними. Письмо для Берни, для Руфи, для Джейн и для Александра. Последнее далось ей труднее всех, потому что малыш никогда не сможет толком узнать, какая у него мама.

Она вложила эти письма в свою Библию, убрала ее на место, в ящик столика, и почувствовала, что у нее отлегло от души. Мысль о том, что она должна это сде-лать, не давала ей покоя долгое время. Вечером Берни вернулся домой, они собрали вещи для поездки в Стин-сон-Бич и на следующее утро в приподнятом настро-ении пустились в путь.

Глава 22

Двумя неделями позже, первого июля, Лиз должна была поехать в город на очередной сеанс химиотера-пии, но впервые отказалась это сделать. Накануне она сказала Берни, что ей не хочется в больницу. Поначалу он ударился в панику, а потом позвонил Йохансену и спросил, как теперь быть.

— Она говорит, что тут очень хорошо и ей не хочет-ся сидеть в одиночестве. Вероятно, она потеряла на-дежду на выздоровление, как, по-вашему? — Берни до-ждался, пока Лиз ушла с Джейн на прогулку. Они часто ходили к морю и сидели там, глядя на волны, а порой Джейн сама брала Александра на руки. Лиз уверяла, что во время прогулок ей не нужна помощь, она по-прежнему готовила на всех и всячески заботилась о ма-лыше. А Берни всегда оставался поблизости, чтобы по-мочь ей, и Джейн очень нравилось ухаживать за брати-ком.

— Это вполне возможно, — согласился врач. — И вряд ли мне стоит объяснять вам, что, если вы и заставите ее явиться на сеанс химиотерапии, это ничего уже не изменит. Пожалуй, ей будет совсем не вредно пожить еще недельку на приволье. Давайте отложим сеанс дней на семь.

Позже, днем, Берни рассказал Лиз о предложении врача, признавшись, что позвонил ему, и она отругала его, но при этом с лица ее не сходила улыбка.

— Знаешь, на старости лет ты вдруг сделался ужасным хитрюгой.

Она потянулась к мужу, чтобы поцеловать его, и ему вспомнились счастливые времена и тот день, когда он впервые отправился в Стинсон-Бич к ней в гости.

— Папа, помнишь, как ты подарил мне купальники? Я храню их до сих пор! — Джейн очень дорожила купальниками и ни за что не соглашалась с ними расстаться, хотя они давно уже стали ей малы. Ей вот-вот исполнится девять лет. Как тяжело потерять маму в таком возрасте. Александру уже год и два месяца, и в тот день, когда Лиз должна была отправиться на химиотерапию, он сделал первые в своей жизни шаги. Нетвердо ступая, он немножко прошел по песку, но тут с моря пахнуло ветерком, он покачнулся, взвизгнул и под общий хохот упал прямо на руки Лиз. Она торжествующе посмотрела на Берни.

— Вот видишь, как хорошо, что я сегодня не уехала!

Но все же согласилась отправиться в больницу на следующей неделе, «может быть». Лиз постоянно донимали боли, но она справлялась с ними, принимая таблетки. Ей пока не хотелось переходить на уколы. Лиз боялась, что сильнодействующие лекарства уже не помогут ей в нужный момент, если она слишком рано начнет их принимать. И она, не таясь, сказала об этом Берни.

Вечером того дня, когда Александр начал ходить, Берни спросил Лиз, не хочет ли она навестить Билли и Марджори Роббинс. Он позвонил им, но оказалось, что их нет дома, и тогда Лиз набрала номер Трейси, просто чтобы поболтать. Они проговорили долго-долго и вволю насмеялись, а когда Лиз повесила трубку, на губах ее по-прежнему играла улыбка. Она любила Трейси.

В субботу вечером она приготовила им на обед любимое блюдо. Берни зажарил мясо на вертеле, а Лиз запекла в духовке картошку и спаржу под голландским соусом, а на сладкое заварила горячий молочный крем с орехами и фруктами. Александр ткнулся носом в крем и размазал его по всему лицу, чем страшно развеселил папу с мамой и сестру. Лиз специально остудила его порцию, чтобы он не обжегся, а Джейн напомнила Берни про банановый десерт, которым он угощал ее, когда она потерялась в магазине «Вольф». Казалось, наступил самый удачный момент для воспоминаний... Гавайи... их общий медовый месяц... свадьба... первое лето, проведенное в Стинсон-Бич... первое посещение открытия сезона в оперном театре... первая поездка в Париж... Они с Лиз проговорили всю ночь напролет, делясь воспоминаниями, а на следующее утро боли у нее так усилились, что она не смогла подняться с постели, и Берни кинулся просить Йохансена, чтобы тот приехал и осмотрел ее. Как ни странно, врач согласился, и Берни почувствовал, что от души благодарен ему. Йохансен ввел Лиз морфин, и она заснула с улыбкой на лице, а днем опять проснулась. Трейси приехала, чтобы помочь Берни с детьми; она усадила Александра в рюкзак-кенгуру, который специально прихватила с собой, и отправилась с ним и с Джейн на пляж побегать.

Врач оставил ампулы с лекарством для Лиз, а Трейси умела делать уколы. Им очень повезло, что она оказалась рядом. Лиз не проснулась даже к обеду. Дети тихонько поели и легли спать, но в полночь Лиз вдруг окликнула Берни.

— Любимый!.. А где Джейн? — Берни отложил книгу и с удивлением отметил, что вид у Лиз весьма оживленный. Трудно поверить, что она проспала весь день, что ее мучает сильная боль. Она так прекрасно выглядела, что Берни вздохнул с облегчением. Ему даже показалось, что ее прежняя худоба куда-то подевалась, и на мгновение он подумал: а вдруг у нее все же началась ремиссия? Но началось нечто совсем иное, только Берни еще не успел этого понять.

— Джейн уже легла, милая. Ты не хочешь поесть? — Видя, как похорошела Лиз, он чуть было не побежал разогревать обед, который она проспала, но в ответ она с улыбкой покачала головой.

— Я хочу ее видеть.

— Сейчас?

Лиз кивнула, и по ее взгляду он почувствовал, насколько это срочно. Чувствуя себя немного глуповато, он накинул халат и на цыпочках пробрался мимо спавшей на диванчике Трейси. Она решила переночевать у них на случай, если Лиз понадобится сделать ночью укол, а утром помочь Берни с детьми.

Он поцеловал Джейн в макушку, затем в щеку, и она заворочалась во сне, а потом открыла глаза и посмотрела на него.

— Папа, привет, — пробормотала она сонным голосом и вдруг резко приподнялась и села. — С мамой все в порядке?

— Все хорошо. Но она соскучилась по тебе. Может, зайдешь поцеловать ее на ночь? — Джейн обрадовалась, что ее позвали по такому важному делу. Она тут же выскочила из постели и пошла следом за Берни к ним в спальню, где ее ждала мама. Казалось, у Лиз не осталось сна ни в одном глазу.

— Привет, детка, — проговорила она звучным чистым голосом. Джейн наклонилась, чтобы поцеловать маму, и заметила, какие ясные у нее глаза. Ей подумалось, что мама вдруг стала еще красивее, чем прежде, и вроде бы гораздо здоровей на вид.

— Привет, мамочка. Ты получше себя чувствуешь?

— Гораздо лучше. — Даже боль куда-то пропала, на мгновение она освободилась от всех мучений. — Мне просто захотелось сказать тебе, что я очень тебя люблю.

— А можно, я заберусь к тебе в постель? — спросила Джейн с надеждой. Лиз улыбнулась и откинула одеяло.

— Конечно. — И тут они обе заметили, как чудовищно исхудало ее тело, но лицо вроде бы немного округлилось. Хотя бы на этот час.

Какое-то время они лежали, болтая шепотом, а потом Джейн начала задремывать. Она приоткрыла напоследок глаза и улыбнулась маме, а Лиз поцеловала дочку и еще раз сказала, что очень ее любит. Джейн заснула, обнимая маму, а потом Берни на руках отнес ее обратно. Вернувшись, он обнаружил, что Лиз уже нет в постели, заглянул в ванную, но ее не оказалось и там, и тут он услышал, что из соседней с их спальней комнаты доносится ее голос, и увидел, что она стоит, склонившись над кроваткой Александра, поглаживая мягкие завитки его светлых волос. «Спокойной ночи, маленький красавец...» И вправду, какой красивый у них сын. Лиз поднялась на цыпочки и тихонько вернулась в спальню. Берни посмотрел на нее.

— Солнышко, может, тебе лучше поспать? А то утром у тебя совсем не будет сил.

Но вид у нее был такой веселый и такой живой, что он позволил ей примоститься у него под боком, и они принялись перешептываться. Он обнимал ее и ласкал ее грудь, слушая, как она вздыхает от удовольствия и говорит о том, как нежно его любит. Лиз как будто вдруг понадобилось прикоснуться к каждому из членов семьи — то ли в попытке оттолкнуть от себя смерть, то ли в преддверии встречи с ней. Она начала погружаться в сон, лишь когда солнце уже взошло. Они с Берни провели в разговорах всю ночь, и он заснул следом за ней, крепко обнимая ее и ощущая тепло ее тела. Лиз еще раз открыла глаза и увидела, какое счастливое и сонное у него лицо. Она тихонько улыбнулась, и глаза ее закрылись. А наутро, когда Берни проснулся, Лиз уже не стало. Она умерла во сне, лежа в его объятиях. И успела перед разлукой попрощаться с каждым из них. Он долго стоял, глядя на лежащую в постели жену. Трудно поверить, что она вовсе не спит. Сначала он попытался растормошить ее, взял за руку, притронулся к ее лицу... и наконец понял. Громкое рыдание вырвалось у него из груди. Он запер дверь в спальню изнутри, чтобы никто не мог туда войти, и распахнул окна, выходившие на море, а потом вышел из дому, тихо прикрыв дверь, и побежал. Он долго-долго бегал по пляжу, и ему казалось, что Лиз рядом, и они все бегут... и бегут... и бегут...

Вернувшись в дом, он отправился на кухню и увидел, что Трейси кормит детей завтраком. Он взглянул на нее, и она принялась о чем-то рассказывать и вдруг запнулась, догадавшись, что случилось, и посмотрела на него, а он кивнул. А потом Берни перевел взгляд на Джейн, сел рядом с ней, обнял ее и произнес слова, страшней которых она не услышит никогда в жизни, ни от него, ни от кого-либо другого. Никогда.

— Малышка, мамы больше нет...

— Как это нет? А где она? Опять в больнице? — Она высвободилась у него из рук, чтобы посмотреть ему в лицо, и вдруг все поняла. Она ахнула и заплакала, уткнувшись лицом в его грудь. И это утро запомнится им до самой смерти.

Глава 23

После завтрака Трейси повезла детей домой, в город, а в полдень в дверь постучали представители бюро похоронных услуг «Халстед». Берни остался один в доме, дожидаясь их. Вначале он не решался открыть дверь спальни, но потом все же отправился туда, взял Лиз за руку и прилег рядом с ней. Больше никогда не остаться им наедине друг с другом, больше никогда не лежать рядом в постели, и он пытался убедить себя, что и сейчас нет смысла цепляться за нее. Лиз уже нет. Но, глядя на нее, целуя ее пальцы, он подумал, что она все же здесь. Лиз стала частичкой его души и сердца, его жизни. И он знал, что это навсегда. Услышав, как к дому подъехала машина из похоронного бюро, он отпер дверь и вышел навстречу работникам «Халстеда». Не в силах смотреть на то, как будут выносить ее тело, покрытое простыней, он пригласил одного из представителей бюро в гостиную и отдал ему распоряжения насчет похорон. Берни предупредил его, что вернется в город лишь в конце дня: ему нужно собрать вещи и закрыть дом. Работник бюро сказал, что все понимает, и оставил Берни свою визитную карточку. Они приложат все старания, чтобы облегчить его положение. Облегчить? Он потерял любимую, жену, мать своих детей, какое тут может быть облегчение?

По просьбе Берни Трейси созвонилась с доктором Йохансеном, а сам он переговорил по телефону с владельцем дома, сказав, что с завтрашнего дня освобождает его. Берни решил, что больше никогда не поедет на взморье, ему было бы невыносимо больно находиться там. Внезапно возникла масса мелких забот, но все это казалось ему ненужным. Представитель похоронного бюро все выспрашивал, какой гроб ему больше нравится, сосновый, металлический или красного дерева, и какую взять подкладку, розовую, синюю или зеленую, но какая, к черту, разница? Лиз умерла... всего три года... и теперь он потерял ее. Берни казалось, что сердце его превратилось в камень. Он побросал вещи Джейн в один чемодан, сложил одежду Александра в другой, выдвинул ящик комода и наткнулся на парики Лиз. Резко опустившись на стул, он расплакался. Такое ощущение, будто он вечно будет лить слезы, не в силах остановиться. Он посмотрел на море и, вскинув голову к небу, закричал: «За что, бог мой? За что?» Кровать их опустела. Лиз больше нет. Прошлой ночью она поцеловала его и поблагодарила за жизнь, которую они делили друг с другом и с детьми, а потом ее не стало, он не сумел удержать ее, хотя всеми силами пытался.

Собрав вещи, он позвонил родителям. Было два часа дня, и к телефону подошла его мать. В Нью-Йорке стояла страшная жара, от которой не помогали даже кондиционеры. Они условились с друзьями о встрече, и, услышав звонок, Руфь подумала: наверное, их что-то задержало и они решили нас предупредить.

— Алло.

— Мама, привет. — Внезапно на Берни накатил приступ малодушия, и он побоялся, что у него не хватит духу сказать ей о случившемся.

— Что-нибудь стряслось, дорогой?

— Я... — Он помотал головой, потом закивал и опять заплакал. — Я... хотел сообщить тебе... — Нет, он не сможет произнести этих слов. Как будто ему пять лет, и весь мир вокруг него перевернулся... — Лиз... Ой, мама... — Он всхлипывал, как маленький, и Руфь тоже заплакала, слушая его. — Она умерла... этой ночью... — Берни не удалось больше ничего сказать. Лу стоял рядом с Руфью, встревоженно глядя на нее. Она махнула рукой.

— Мы сейчас же выедем к тебе. — Она посмотрела на часы, на мужа, на свое выходное платье, не переставая плакать, думая о женщине, которую так любил ее сын, о матери своих внуков. Ее не стало, просто уму непостижимо, и это жутко несправедливо. Ей не терпелось обнять Берни. — Мы вылетим первым самолетом. — Лу понял, что означают ее странные жесты, подошел к телефону и взял трубку у нее из рук.

— Сынок, мы очень тебя любим. Постараемся добраться до тебя как можно скорей.

— Хорошо... хорошо... я... — Он не знал, как себя вести, что при этом полагается говорить и делать... ему хотелось разразиться криками и плачем, топая ногами, требуя, чтобы Лиз вернулась, но ведь этому не бывать. Никогда. — Я не могу...

Нет. Может. Он должен. Должен. У него двое детей, и он обязан о них заботиться. Он остался один. Кроме них, у него никого нет.

— Откуда ты звонишь, сынок? — Лу испытывал отчаянную тревогу за Берни.

— Из Стинсон-Бич. — Ему хотелось поскорей покинуть дом, в котором она умерла. Он торопливо огляделся по сторонам, радуясь тому, что чемоданы уже в машине. — Это произошло здесь.

— С тобой кто-нибудь есть?

— Нет... я отправил детей домой с Трейси, а... Лиз недавно забрали отсюда. — Он ужаснулся собственным словам. Они прикрыли ее тело брезентом... и голову, наверное, тоже, и лицо... при мысли об этом на него накатила тошнота. — А теперь мне пора ехать в город. Надо все организовать.

— Мы постараемся добраться до тебя сегодня вечером.

— Мне хотелось бы побыть с ней в зале прощания. — Точно так же, как прежде, в больнице. Он не оставит ее до самых похорон.

— Хорошо. Мы приедем туда сразу, как сможем.

— Спасибо, папа.

Он говорил совсем как маленький мальчик, и от этого у Лу сжалось сердце. Повесив трубку, он повернулся лицом к Руфи. Она тихонько всхлипывала, и Лу обнял ее. И вдруг по щекам его тоже покатились слезы. Он плакал от горя за сына, которого постигла чудовищная трагедия. Лиз была замечательной женщиной, и они тоже очень ее любили.

Отменив обед с друзьями, они вылетели в Сан-Франциско девятичасовым рейсом и прибыли в полночь по местному времени. В Нью-Йорке было уже три часа ночи, но за время полета Руфь отдохнула и попросила, чтобы они сразу поехали по адресу, который дал им Берни.

Он сидел в зале прощания рядом с закрытым гробом, где покоилось тело его жены. Если бы он мог видеть ее на протяжении всего этого времени, он бы просто не выдержал, но и так ему тоже пришлось крайне тяжело. Помещение похоронного бюро давным-давно опустело, и Берни остался в полном одиночестве. Другие посетители ушли домой, но в час ночи приехали Руфь и Лу Файн, и двое неулыбчивых мужчин в черных костюмах открыли им дверь. По дороге родители успели завезти чемоданы в гостиницу. Руфь надела строгий костюм, черную блузу и черные туфли, купленные в «Вольфе» много лет назад, а ее муж — темно-серый костюм с черным галстуком. Берни переоделся в костюм цвета сажи и белую рубашку с черным галстуком. Он как-то разом постарел, казалось, ему куда больше тридцати семи лет. Вечером он заглянул на пару часов домой, чтобы повидаться с детьми, а затем вернулся сюда. Он попросил мать отправиться к детям, чтобы, проснувшись утром, они сразу же увидели ее. А Лу сказал, что проведет ночь вместе с ним в бюро «Халстед».

Они перемолвились лишь парой слов, и поутру Берни поехал домой, а его отец в гостиницу, чтобы принять душ и переодеться. Руфь уже начала готовить завтрак для детей, а Трейси взялась сделать необходимые звонки. Она передала Берни, что Пол Берман прилетит в Сан-Франциско в одиннадцать утра, чтобы поспеть к полудню на похороны. Они решили похоронить Лиз в тот же день, по еврейскому обычаю.

Руфь приготовила белое платьице для Джейн, а Александр должен был остаться дома с приходящей няней, которую Лиз раньше иногда нанимала. Малыш не понимал, что происходит в доме, и ходил вразвалку вокруг стола на кухне, покрикивая: «Маммм... маммм... маммм...» Так он всегда называл Лиз, и это словечко опять повергло Берни в слезы. Руфь похлопала его по плечу и велела ему прилечь ненадолго, но Берни подсел к столу рядышком с Джейн.

— Привет, солнышко. Тебе очень плохо? — А кому сейчас хорошо? Но спросить все-таки нужно. Ему тоже плохо, и Джейн это понимает. Плохо им всем. Она пожала плечами, и ее маленькая ладошка прижалась к его руке. По крайней мере, никто больше не спрашивает, почему с Лиз и с ними приключилась такая беда. Взяла и приключилась. Им ничего не остается, как смириться. Лиз больше нет. Но она хотела, чтобы они научились жить без нее. Берни нисколько в этом не сомневался. Только как это сделать? Вот в чем вся штука.

Берни вспомнил, что у Лиз хранилась Библия, которую она иногда читала, и решил: пусть во время похорон прозвучит двадцать третий псалом. Зайдя в спальню, он взял Библию в руки и почувствовал, что она стала толще, чем прежде, и тут к его ногам, выскользнув, упали четыре письма. Он наклонился, подобрал их и увидел, что это за письма. Не пытаясь сдержать поток слез, он прочел свое, затем позвал Джейн и вслух прочитал ей прощальное послание мамы. Он отдал Руфи письмо, которое Лиз написала для нее. А то, что предназначалось Александру, он уберет и достанет его лишь через много лет. Берни решил, что будет его хранить до тех пор, пока Александр не подрастет как следует и сможет понять его смысл.

День нескончаемой боли, неизбывной нежности, незабываемый день памяти. Во время похорон Пол Берман все время стоял рядом с Берни, а тот крепко держал Джейн за руку. Отец Берни поддерживал Руфь, и все плакали, а к гробу все шли и шли друзья, соседи и сотрудники Лиз. Директор школы сказал, что все они будут тосковать по ней, а Берни растрогался, заметив, что в толпе очень много работников магазина «Вольф». Какое множество людей, любивших Лиз, будет теперь грустить о ней... но их горе несравнимо с тем, что выпало на долю ее мужа и осиротевших детей. «Когда-нибудь мы снова встретимся», — пообещала она каждому из них. С теми же словами она обратилась к своим ученикам в последний день занятий... который назвала «днем святого Валентина»... Она дала им обещание. Берни надеялся, что так оно и будет... ему очень хотелось увидеться с ней снова... очень... но сначала ему придется вырастить двоих детей... И, слушая, как звучат строки двадцать третьего псалма, он стоял, сжимая руку Джейн в своей, отчаянно горюя о том, что Лиз не смогла остаться с ними, заливаясь слезами от тоски по ней. Но Элизабет О'Райли-Файн покинула их навсегда.

Глава 24

Лу пришлось улететь в Нью-Йорк, а Руфь задержалась в Сан-Франциско на три недели и уговорила Берни отпустить после этого детей к ней в гости хотя бы ненадолго. На дворе еще только конец июля, и заняться им нечем. Со временем Берни придется вернуться к работе, и Руфь считала, что это пойдет ему на пользу, хоть и держала свое мнение при себе. От дома в Стинсон-Бич они отказались, и пока Берни будет на работе, детям ничего не останется, как сидеть дома с приходящей няней.

— И к тому же тебе необходимо наладить быт, Бернард. — Руфь замечательно, ласково обходилась с ним, но Берни нередко срывался. Он досадовал на судьбу, которая так жестоко с ним обошлась, и ему хотелось выместить на ком-нибудь свое недовольство, а, кроме матери, никто не подворачивался под руку.

— Черт возьми, о чем ты толкуешь?

Дети уже легли спать, а Руфь только что вызвала такси, чтобы вернуться к себе в гостиницу. Она по-прежнему ночевала в «Хантингтоне», зная, что и сыну, и ей самой необходимо каждый день хоть недолго побыть наедине с собой. По вечерам она укладывала детей в постель и отправлялась в гостиницу, чувствуя облегчение. Но сейчас он стоит и сверлит ее злобным взглядом. Он явно набивается на ссору, только Руфи не хотелось бы с ним ругаться.

— Ты не понимаешь, о чем я веду речь? По-моему, тебе не помешало бы переехать куда-нибудь в другое место. Сейчас вполне удачное время для того, чтобы переселиться в Нью-Йорк, а если с этим все же придется погодить, переберитесь хотя бы в другой дом. Здесь все напоминает вам о Лиз. Джейн каждый день подолгу простаивает у шкафа с маминой одеждой, вдыхая аромат ее духов. Стоит тебе сунуться в комод, и ты тут же натыкаешься то на сумочку, то на шляпку, то на парик. Нельзя же так себя терзать. Вам надо уехать отсюда.

— Никуда мы не поедем. — Руфи показалось, что сын вот-вот затопает на нее ногами, но она решила не сдаваться.

— Не глупи, Бернард. Ты только мучаешь детей. И себя самого.

— Что за чепуха. Это наш дом, и мы из него не уедем.

— Он не ваш, ты просто снимаешь его. Да и что в нем такого особенного? — В этом доме жила Лиз, благодаря этому он стал особенным, и Берни не находил в себе сил расстаться с ним. Пусть все вокруг говорят что угодно, пусть это кажется им ненормальным. Берни не хотелось убирать вещи Лиз или ее швейную машинку. Ее кастрюли и сковородки по-прежнему стояли на привычных местах. Несколькими днями раньше к ним заходила Трейси и призналась в разговоре с Руфью, что в свое время прошла через такое же испытание и смогла раздать вещи мужа лишь через два года после его смерти. Но Руфь все равно тревожилась. Это не на пользу никому из них. Она была совершенно права, но Берни ни в какую не хотел ее слушать. — Позволь мне хоть забрать детей в Нью-Йорк на несколько недель, пока у Джейн не начнутся занятия в школе.

— Я подумаю на эту тему. — И он действительно подумал и отпустил их. Они уехали в конце недели, так и не оправившись от шока, и после этого Берни стал задерживаться на работе до девяти, а то и до десяти часов вечера. Вернувшись домой, он подолгу сидел в кресле в гостиной, уставясь в пространство, и мысли его устремлялись к Лиз. Он откликался, наверно, только на десятый звонок телефона, когда мать звонила ему.

— Бернард, тебе нужно нанять женщину для присмотра за детьми. — Руфи хотелось, чтобы он заново наладил распорядок жизни, а Берни хотелось, чтобы она оставила его в покое. Будь у него склонность к выпивке, он сделался бы алкоголиком, но он ни разу даже не взялся за бутылку, а все сидел без дела в каком-то тупом оцепенении и ложился спать не раньше трех часов ночи. Постель, в которой больше не было Лиз, стала ему ненавистна. А утром, с трудом добравшись до «Вольфа», он уходил к себе в кабинет и так же бессмысленно сидел там. Берни находился в состоянии шока, и Трейси первой догадалась об этом, но никто почти ничем не мог ему помочь. Она велела ему звонить в любое время, когда захочется, но он ни разу этого не сделал. Трейси неизменно вызывала у него воспоминания о Лиз. Вот и теперь он опять стоял у шкафа, вдыхая запах ее духов, совсем как Джейн.

— Я буду сам ухаживать за детьми, — всякий раз говорил он матери, а она всякий раз отвечала, что это безумие.

— Ты собираешься уволиться с работы?

Она перешла на ироничный тон, чтобы хоть немного растормошить его. Нельзя, чтобы он вот так просиживал целыми днями в бездействии, это опасно. Впрочем, отец Берни полагал, что рано или поздно это пройдет. Он куда сильней беспокоился за Джейн: за три недели девочка похудела на пять фунтов, и ей каждую ночь снились кошмары. А оставшийся в Калифорнии Берни сбросил двенадцать фунтов. Только Александр чувствовал себя хорошо, но если кто-то произносил при нем имя Лиз, на личике у него появлялось озадаченное выражение, как будто он пытался понять, куда она подевалась и когда вернется. Никто теперь не откликался на его зов: «Маммм... маммм... маммм...»

— Мама, мне нет нужды уходить с работы, чтобы ухаживать за детьми. — Он глупо упорствовал, и это доставляло ему какое-то удовольствие.

— Правда? Ты собираешься брать Александра с собой в магазин?

Он упустил это из виду, приняв в расчет только Джейн.

— Я могу обратиться к женщине, которую нанимала Лиз, пока в школе шли занятия. Да и Трейси будет помогать.

— И каждый день по вечерам ты будешь готовить обед, застилать кровати и пылесосить дом? Не говори чепухи, Бернард. Тебе нужна женщина, и в этом нет ничего зазорного, придется кого-нибудь найти. Когда дети вернутся домой, я могу приехать и подобрать тебе подходящую няню, хочешь?

— Нет-нет. — Он опять заговорил раздраженным тоном. — Я сам справлюсь. — Он постоянно испытывал досаду. На всех вокруг, а порой даже на Лиз, из-за того, что она его покинула. Так нечестно. Она столько всего ему обещала. И столько всего делала для него и для всех. Она готовила еду, пекла и шила, она так нежно их любила и вела уроки в школе чуть ли не до самого конца. Разве прислуга или гувернантка сможет заменить им такую замечательную женщину? Сама идея казалась ему ужасной; но на следующий день он позвонил в агентство и объяснил, что ему требуется.

— Вы в разводе? — звонким голоском спросила его

девушка. Семь комнат, домашних животных нет, двое детей, жены нет.

— Нет, не в разводе. Я — похититель, и мне нужно, чтобы кто-то присматривал за двумя детьми. О, черт. У детей... — Он чуть было не сказал «нет матери», но это было бы ужасно несправедливо по отношению к Лиз. — Просто я живу один. У меня двое детей. Сыну год и четыре месяца, а дочке почти девять. Можно считать, что девять. Она ходит в школу.

— Естественно. С ночевкой или без?

— Без ночевки. Она слишком мала, чтобы учиться в интернате.

— Я не о девочке, а о прислуге.

— Ах так... Не знаю, я как-то об этом не подумал. А она могла бы приходить к восьми утра, а вечером после обеда возвращаться на ночь домой.

— У вас найдется, где ее поселить? — Берни призадумался. Если она не будет возражать, можно поместить ее на ночь в комнате Александра.

— Пожалуй, да.

— Постараемся кого-нибудь подобрать для вас.

Но их старания не принесли ничего хорошего. Агентство прислало ряд претендентов на место, и когда те показались в магазине «Вольф», Берни впал в тихое недоумение по поводу выбора кандидатур. Почти никому из них раньше никогда не доводилось ухаживать за детьми, зачастую выяснялось, что они нелегально проживают в стране или что им глубоко плевать на все и вся. Выглядели они весьма неряшливо, а некоторые даже не трудились проявить хотя бы любезность. В конце концов пришлось нанять очень непривлекательную норвежку. Оказалось, что у этой девушки шестеро братьев и сестер, она отличалась крепким сложением и сказала, что ей хочется пожить здесь годик-другой, а также заверила Берни, что умеет готовить. Он взял ее с собой в аэропорт, когда поехал встречать детей. Джейн отнеслась к ней без восторга, зато Александр с любопытством посмотрел на девушку, а потом заулыбался и захлопал в ладоши. Но пока Берни разыскивал их чемоданы и складывал коляску для сына, она бросила мальчика без присмотра, и он чуть было не ушел на улицу. Джейн вовремя хватилась и привела его обратно. Она сердито посмотрела на норвежку, а Берни отрывисто бросил:

— Приглядывайте за ним, Анна, уж будьте так добры.

— Хорошо, — ответила она, приветливо улыбаясь длинноволосому молодому блондину с рюкзаком за плечами, а Джейн шепотом спросила Берни:

— И где ты такую выискал?

— Неважно. По крайней мере, она будет готовить еду. — И тут он улыбнулся, глядя на дочку с высоты своего роста. По приезде Джейн тут же кинулась к нему в объятия, и затесавшийся между ними Александр завизжал от радости, а Берни по очереди подкинул их в воздух, сначала сына, а потом дочку.

— Ребята, я отчаянно скучал по вас. — Руфь предупредила его, что Джейн мучают кошмары. — Особенно по тебе, Джейн.

— Я тоже. — Она до сих пор ничуть не повеселела. Да и сам он по-прежнему грустит. — Бабушка все время меня баловала.

— Она очень тебя любит.

Оба улыбнулись, и Берни пошел искать носильщика, а уже через несколько минут все погрузились в машину и отправились в город. Джейн устроилась на переднем сиденье рядом с ним, а норвежка с Александром разместились на заднем. Ничто в ней не произвело на Джейн впечатления: ни джинсы с фиолетовой рубашкой, ни светлые волосы, длинные и космматые, ни ее участие в общем разговоре на пути из аэропорта. Она никак не попыталась расположить к себе детей, а если к ней обращались, отвечала односложно или просто хмыкала. Обед, приготовленный ею по возвращении домой, состоял из хлопьев, предназначенных для завтрака, и недожаренных гренок. Берни пришел в отчаяние и заказал по телефону пиццу, которую Анна принялась уписывать прежде, чем кто-либо другой успел взяться за свою порцию. Внезапно Джейн бросила на Анну возмущенный взгляд.

— Откуда у вас такая блузка? — Девочка смотрела

на норвежку так, будто перед ней возникло привидение.

— Какая? Эта? — Анна покраснела. Она сменила фиолетовую блузку на зеленую, шелковую и очень изящную, а под мышками проступили темные пятна пота, которых прежде там не было.— Я нашла ее там, в шкафу. — Она махнула рукой в ту сторону, где находилась спальня Берни, и у Берни, как и у Джейн, глаза полезли на лоб. Она надела блузку Лиз.

— Не смейте больше никогда этого делать, — проговорил он, стиснув зубы. Девушка пожала плечами.

— А что от этого изменится? Все равно она больше не вернется. — Джейн вскочила из-за стола. Берни отправился следом за ней и попросил прощения.

— Мне очень жаль, солнышко. Когда я беседовал с ней перед тем, как взять на работу, она показалась мне довольно симпатичной. Вроде бы не грязнуля и моло-денькая, и я решил, что вам будет с ней поинтересней, чем с какой-нибудь старой бабкой.

Джейн грустно улыбнулась в ответ. В их жизни появилось столько трудностей. А ведь это лишь первый вечер, проведенный дома. Впрочем, интуиция подсказала девочке, что жизнь никогда больше не покажется ей легкой.

— Может, подождем еще пару дней, чтобы хорошенько к ней присмотреться, а если она нам не понравится, выставим ее за дверь?

Джейн с облегчением кивнула, радуясь тому, что ее не будут заставлять ни с чем мириться. Каждому из них приходится несладко. Но уже через несколько дней Анна довела их до исступления. Она то и дело наряжалась в одежду, принадлежавшую Лиз, а порой брала и вещи Берни. Он замечал на ней свои любимые свитера из кашемира, а однажды она позаимствовала его носки. Сама она никогда не мылась, в доме появилась жуткая вонь. Приходя из школы, Джейн обнаруживала, что Александр бегает по всему дому в замусоленных штанишках и футболке, что подгузники у него мокрые, а ножки грязные, Анна же все беседует по телефону со своим приятелем или слушает рок-музыку. Еду, которую она готовила, в рот не возьмешь; в доме творился жуткий кавардак, и Джейн взяла на себя чуть ли не все заботы о малыше. Вернувшись из школы, она бралась его купать и одевала во все чистенькое еще до того, как Берни приходил домой. Она кормила брата, укладывала его спать, а если он плакал ночью, вставала к нему. Анна при этом даже не просыпалась. Белье на постелях никто не менял и не сдавал в прачечную, гора детской грязной одежды все росла и росла. Анна постоянно приводила их в ярость, и они выгнали ее вон, не выдержав и десяти дней.

Берни объявил ей, что они в ней больше не нуждаются, в субботу вечером, когда увидел, как она сидит на полу в кухне и мелет языком по телефону, бросив Александра без присмотра в ванне, а на плите в большой грязной латке горит мясо. Джейн зашла в ванную, когда скользкий, как рыба, малыш пытался перелезть через край, и вовремя вытащила его, но ведь он мог бы утонуть, и при мысли об этом у всех, кроме Анны, волосы встали дыбом. Берни велел норвежке собрать вещи и скрыться с глаз, что она и сделала, даже не извинившись и прихватив с собой любимый свитер Берни из красного кашемира.

— Ладно, с этим все. — Он поставил латку с обуглившимся мясом в раковину и залил ее горячей водой. — Если я предложу вам пиццу на обед, это не вызовет у вас аппетита? — В последнее время им часто приходилось обедать пиццей, и они решили позвать к себе в гости Трейси.

Вскоре она приехала и помогла Джейн уложить малыша спать. Втроем они привели в порядок кухню. Казалось, снова наступили старые добрые времена, только рядом не было очень важного для них человека. И все очень остро это ощущали. К вящему их огорчению, Трейси объявила, что скоро переберется в Филадельфию. Это известие поразило Джейн, как громом. С отъездом Трейси она как будто утратила свою вторую мать и спустя много недель после того, как они проводили Трейси до аэропорта, все еще ходила как в воду опущенная.

Очередная няня отнюдь не облегчила положения. Из предварительной беседы с ней Берни узнал, что она родом из Швейцарии и в свое время прошла курс обучения по уходу за маленькими детьми. Он решил было, что это идеальный вариант, но несколько позже пришел к выводу, что обучалась она скорее всего в немецкой армии. У нее полностью отсутствовали такие качества, как мягкость, доброта и уступчивость. В доме воцарилась безукоризненная чистота, но обеды стали весьма скудными. Она ввела жесткие правила, требуя полного их соблюдения, и Александру то и дело попадало от нее. Бедный малыш плакал чуть ли не целыми днями, а у Джейн замирало сердце, когда в школе кончались уроки и нужно было тащиться домой, где ее ждала встреча с няней. Нельзя ни попить молока, ни съесть печеньица; всякие лакомства запрещены, а разговаривать за столом разрешается только тогда, когда папа уже дома. Смотреть телевизор — грех, если ты слушаешь музыку, господь непременно покарает тебя за это. Берни начал думать, что эта женщина не совсем в своем уме. В субботу, через две недели после того, как она появилась у них в доме, случилось так, что Джейн не удержалась и рассмеялась в ответ на слова няни. Та подошла к девочке и влепила ей звонкую оплеуху. Джейн так изумилась, что поначалу даже не расплакалась, но Берни затрясся от ярости. Он вскочил на ноги и указал рукой на дверь. «Убирайтесь вон из этого дома, мисс Штраус. И немедленно». Он взял на руки Александра, ласково обнял Джейн за плечи, и час спустя они услышали, как входная дверь с громким стуком захлопнулась за швейцаркой.

После этого Берни впал в уныние. Такое впечатление, будто он перебрал все возможные кандидатуры, но никто не вызвал у него доверия. Он первым же делом нанял женщину, чтобы та приходила делать уборку в доме, но это не особенно его выручило. Основная проблема заключалась в присмотре за Джейн и Александром. Ему хотелось, чтобы кто-нибудь как следует заботился о них. Берни казалось, что вид у них стал какой-то жалкий и неряшливый, но он потерял почти всякую надежду найти хорошую помощницу. Каждый день после работы он вне себя от беспокойства мчался домой к детям. На какое-то время он нанял приходящую няню, но та уходила домой в пять часов. И Руфь оказалась права. Очень тяжело после целого дня работы заниматься детьми и хозяйством, носить белье в прачечную, покупать и готовить еду, гладить вещи и допоздна наводить порядок во дворе.

Но через шесть недель после начала занятий в школе судьба сжалилась над ними. Берни снова позвонили из агентства, и он в очередной раз выслушал знакомую небылицу. Они отыскали Мэри Поппинс, и она готова предложить свои услуги. По их словам, лучшей помощницы ему не сыскать.

— Миссис Пиппин — как раз то, что вам нужно, мистер Файн. — Без малейшего воодушевления он записал это имя. — Ей шестьдесят лет, она уроженка Великобритании, проработала на последнем месте десять лет, ухаживая за двумя детьми, девочкой и мальчиком. И, — в голосе работницы агентства зазвучали торжествующие нотки, — у детей тоже не было матери.

— Вы полагаете, это повод для особой гордости? — Черт возьми, каким боком их это касается?

— Просто это значит, что подобная ситуация ей не внове.

— Прекрасно. А какие у нее недостатки?

— Никаких. — Угодить ему оказалось трудно, он отнесся с глубоким подозрением к каждому, кого ему успели предложить, и в агентстве уже не скрывали своего раздражения. Повесив трубку, женщина, с которой он разговаривал, сделала пометку: если миссис Пиппин его не устроит, впредь больше никого к нему не посылать.

Миссис Пиппин постучалась к ним в дверь в четверг в шесть часов вечера. Берни только что вернулся с работы и едва успел снять пиджак и галстук. Александр сидел у него на руках, а Джейн взялась помочь с приготовлением обеда. Как и в предыдущие два дня, меню ограничивалось гамбургерами, картофельными чипсами, зеленым салатом и булочками. В последний раз Берни удалось съездить в магазин за продуктами только в выходные, и к тому же мясо то ли потерялось по дороге, то ли он вообще забыл его купить.

Отворив дверь, Берни увидел перед собой сухонькую невысокую женщину с коротко остриженными седыми волосами и ярко-синими глазами. Синее пальто, шляпка и удобные черные туфли, которые напоминали тапочки для гольфа. Сотрудница агентства говорила правду. Она и впрямь похожа на Мэри Поппинс. И в руках она держала туго свернутый черный зонтик.

— Мистер Файн?

— Да.

— Меня прислали из агентства. Мое имя Мэри Пиппин. — Она говорила с шотландским акцентом, и Берни тихонько усмехнулся про себя. Не Мэри Поппинс. Зато Мэри Пиппин.

— Очень приятно. — Он улыбнулся, пропуская ее в дом, а затем жестом предложил ей присесть в кресло, стоявшее в гостиной. В этот момент Джейн вышла из кухни, держа в руках кусочек теста для гамбургеров. Ей захотелось посмотреть, кого им прислали на этот раз. Она заметила, что миссис Пиппин почти одного роста с ней самой, а та улыбнулась девочке и поинтересовалась, что она стряпает.

— Как замечательно, что ты ухаживаешь за папой и за братиком. Знаешь, я не большой мастер по части стряпни. — Стоило Берни увидеть улыбку на ее лице, как он сразу же проникся к ней расположением. И вдруг сообразил, что у нее за туфли. Это не тапочки для гольфа, а броганы. Она самая настоящая шотландка. Юбка из твида, белая накрахмаленная блузка, а когда она снимала шляпку, Берни заметил, как она вынула шпильку.

— Это Джейн, — сказал Берни, когда девочка ушла обратно на кухню. — Ей девять лет, вернее, почти девять. А Александру скоро исполнится полтора года. — Опустившись в кресло, Берни поставил малыша на ножки, и тот помчался во весь опор к сестре на кухню, а Берни с улыбкой сказал миссис Пиппин: — Он целыми днями крутится, как волчок, и по многу раз просыпается ночью. И Джейн тоже. — Он понизил голос: — Ей снятся страшные сны. И мне необходима помощь. Мы остались одни. — Ему было невыносимо говорить об этом, но эта женщина сдержанно кивнула и посмотрела на него с участием. — Мне нужна помощница, которая весь день ухаживала бы за Александром и встречала бы Джейн, когда она вернется из школы, которая занималась бы детьми и стала бы их другом... — Он впервые упомянул об этом, но ему показалось, что миссис Пиппин можно довериться. — Чтобы она кормила их и содержала в опрятности... и могла бы купить им обувь для школы, если сам я замотаюсь...

— Мистер Файн, — сказала она с мягкой улыбкой, — вам нужна няня. — Она прекрасно все поняла.

— Да, совершенно верно. — Ему вспомнилась неряха из Норвегии, и он взглянул на крахмальный воротничок миссис Пиппин. Берни решил ничего от нее не скрывать. — Мы успели изрядно намыкаться, и больше всего досталось детям. — Он бросил взгляд на дверь кухни. — Моя жена проболела целый год, а потом... — Вот и теперь он никак не смог произнести это слово. — Последние три месяца мы прожили без нее. Очень тяжелое испытание для детей. — Он не решился сказать «и для меня», но по глазам миссис Пиппин догадался, что она знает об этом, и вдруг ему захотелось вздохнуть, лечь на диван и предоставить ей заботиться обо всем. Что-то подсказывало ему, что эта женщина — идеальная помощница. — Работа не из легких, но непосильной ее тоже не назовешь. — Он рассказал ей о женщинах, которые побывали у них в доме, о тех, кого ему присылали из агентства, и объяснил, что требуется. Как ни странно, его запросы не показались ей чрезмерными.

— По-моему, условия отличные. Когда я могу приступить к работе? — Он смотрел в ее сияющее лицо, не смея поверить своим ушам.

— Прямо сейчас, если вы не против. Да, я забыл предупредить: вам придется ночевать в одной комнате с малышом. Вы не сочтете это за неудобство?

— Отнюдь. Так даже лучше.

— Возможно, в будущем мы переедем, но пока что я не пытаюсь строить никаких планов. — Он не стал вдаваться в подробности, и она кивнула. — Собственно говоря... — Мысли вихрем закружились у него в голове, и он несколько растерялся. Ему хотелось честно обо всем ее предупредить. — Не исключено, что когда-нибудь я переберусь обратно в Нью-Йорк, но я еще не успел ничего решить на этот счет.

— Мистер Файн, — сказала она с мягкой улыбкой, — я все понимаю. На сегодняшний день ни вам, ни детям не известно, как все пойдет дальше, и это совершенно естественно, ведь внезапно исчезло то, вокруг чего вращалась вся ваша жизнь. Вам необходимо время, чтобы оправиться от удара, и человек, который оказал бы вам поддержку. Я почту за честь, если вы поручите мне часть своих забот, и буду очень рада, если вы позволите мне ухаживать за вашими детьми. И если вы решите переселиться в другой дом, в другую квартиру, в Нью-Йорк или в Кению, это не имеет значения. Я вдова, детей у меня нет, и мой дом всегда находится там, где живет семья, в которой я работаю. Куда бы вы ни отправились, я поеду вместе с вами, если вы этого захотите. — Она сказала это с улыбкой, словно втолковывая что-то маленькому ребенку, и Берни едва удержался, чтобы не захихикать.

— Это замечательно, миссис Поппин... то есть Пиппин. Прошу прощения.

— Не за что. — Она рассмеялась следом за ним, и они отправились на кухню. Несмотря на свой маленький рост, миссис Пиппин внушала к себе глубокое почтение, и она, на удивление, понравилась детям. Джейн пригласила ее отобедать вместе с ними, и когда миссис Пиппин приняла ее приглашение, девочка поставила печься еще один гамбургер. Александр просидел у нее на руках все время, пока не пришла пора его купать, и тогда миссис Пиппин и Берни занялись обсуждением финансовой стороны дела. Плата, которую она просила за свои услуги, оказалась не особенно высокой. И она — тот самый человек, который ему нужен.

Миссис Пиппин пообещала вернуться на следующий день, прихватив свои вещи. «Уж какие ни на есть», — добавила она извиняющимся тоном. Она покинула прежнее место работы в июне. Дети в той семье выросли и перестали нуждаться в ее услугах. Она устроила себе небольшой отдых, посетила Японию, а на обратном пути оказалась проездом в Сан-Франциско. На самом деле она намеревалась добраться до Бостона, но этот город показался ей очаровательным, и она решила справиться в агентстве насчет работы здесь. И вот по воле небес они нашли друг друга.

Миссис Пиппин уехала к себе в гостиницу, и пока Джейн укладывала малыша спать, Берни позвонил матери.

— Я отыскал ее. — Впервые за много месяцев он заговорил радостным тоном, а на лице его засветилась улыбка. Он ощутил небывалое облегчение, и это чувствовалось по его голосу.

— Отыскал? Кого? — Руфь уже успела задремать. Часы в Скарсдейле показывали одиннадцать вечера.

— Мэри Поппин... точнее говоря, Мэри Пиппин.

— Берни, — она явно стряхнула с себя сон и строго спросила: — Ты случайно не напился? — Руфь укоризненно взглянула на мужа, который лежал рядом в постели, погрузившись в чтение медицинских журналов, но тот не проявил ни малейшей тревоги. Берни вполне имеет право выпить. Всякий в его положении сделал бы то же самое.

— Нет. Я нашел няню. Она шотландка, совершенно сказочная женщина.

— А что она за человек? — с подозрением спросила Руфь, и Берни посвятил ее во все подробности. — Ну что же, возможно, она тебе подойдет. А ты проверил, какие у нее рекомендации?

— Я сделаю это завтра.

Но рекомендации лишь подтвердили, что миссис Пиппин говорила чистую правду. Семейство из Бостона не могло нахвалиться на свою любимую няню. Они сказали Берни, что ему выпала редчайшая удача, и посоветовали никогда с ней не расставаться. После того, как она провела следующий день у них в доме, Берни и сам пришел к такому же решению. Она навела порядок в доме, собрала белье для отправки в прачечную, почитала Александру книжку, отыскала ему новенький чистый костюмчик. Вернувшись домой, Берни увидел, что его сын чисто умыт и аккуратно причесан, что обед готов, а Джейн улыбается, и на ней розовое платьице, а в волосах у нее розовые бантики. Он вдруг почувствовал комок в горле: ему вспомнилось, как он впервые повстречал ее, когда она потерялась в «Вольфе», и у нее были длинные косички с точно такими же бантиками, как те, что миссис Пиппин завязала ей сегодня.

Обед не отличался особой изысканностью, зато был вкусным и сытным, и миссис Пиппин красиво накрыла на стол, а после еды ушла с детьми к ним в комнату и заняла их играми. К восьми часам вечера она успела все убрать и вымыть, накрыть на стол к завтраку, почитать детям перед сном, и они легли спать умытые, причесанные, накормленные и обласканные. Берни зашел пожелать им спокойной ночи и поблагодарить миссис Пиппин, жалея лишь о том, что Лиз не может сейчас их видеть.

Глава 25

На следующий день после праздника Всех Святых, когда Берни вернулся с работы и сидел на диване, просматривая почту, миссис Пиппин, отряхнув испачканные мукой руки, вышла из кухни и передала ему записку.

— Вам кто-то недавно звонил, мистер Файн, — сказала она, улыбаясь. Какое удовольствие видеть ее по возвращении домой, и дети ее очень полюбили. — Какой-то джентльмен. Надеюсь, я правильно записала его имя.

— Уверен, что правильно. Спасибо. — Он взял записку и заглянул в нее, а миссис Пиппин вновь занялась своими делами. Поначалу ему не удалось вспомнить, что это за имя. Он зашел в кухню, налил себе выпить и попытался расспросить няню поподробнее. Она готовила рыбу на обед и как раз обваливала ее в муке, Джейн помогала ей, а Александр что-то строил из маленьких разноцветных кубиков, сидя на полу. Примерно такую же картину он заставал дома, когда хозяйством занималась Лиз, и, глядя на них, почувствовал, как от тоски у него сжалось сердце. Он по-прежнему на каждом шагу ощущал ее отсутствие. — Миссис Пиппин, это его имя или фамилия?

— Он назвал себя Скотт. — Она еще не закончила готовить рыбу и говорила, не поднимая глаз на Берни. Абсолютно пустой для него звук. — А зовут его Чендлер.

Сердце у Берни екнуло: вернувшись в гостиную, он еще раз взглянул на записанный ею номер телефона. Он еще долго размышлял над этим, но за обедом ни словом не выдал себя. Судя по номеру, Чендлер снова в Сан-Франциско и опять будет требовать денег. Берни решил было не откликаться на звонок, но в десять часов вечера телефон зазвонил снова, и он снял трубку, заранее предчувствуя недоброе. Он не ошибся. До него донесся голос Чендлера Скотта.

— Приветствую вас. — В тоне его звучали прежние нотки фальшивой бравады, но это не произвело на Берни ни малейшего впечатления.

— Мне казалось, я все вполне внятно объяснил вам при прошлой встрече, — сказал Берни без тени любезности.

— Я просто оказался проездом в Сан-Франциско.

— Надеюсь, вы не задержитесь тут надолго.

Чендлер расхохотался, как будто Берни отпустил крайне забавную шутку.

— Как там Лиз?

Берни решил не сообщать ему о случившемся. Это абсолютно его не касается.

— Прекрасно.

— А моя дочка?

— Она давно уже не ваша, а моя. — Но говорить этого не следовало, Скотт тут же заерепенился:

— Если я все правильно помню, дело обстоит иначе.

— Неужели? Видимо, у вас плохо с памятью, и вы

забыли о полученной сумме в десять тысяч долларов. — Берни взял суровый тон, но Чендлер и глазом не моргнул.

— С памятью у меня все в порядке, просто мои вложения оказались не слишком удачными.

— Сочувствую вам. — Значит, ему опять понадобились деньги.

— Спасибо. Вот я и подумал, не побеседовать ли нам еще разок на эту тему, ну, насчет моей дочки. — Берни почувствовал, как ему свело скулы, и он вспомнил об обещании, которое дал Лиз. Ему хотелось раз и навсегда избавиться от этого типа, чтобы не возвращаться каждый год к одному и тому же разговору. Если считать точно, с тех пор, как они вручили ему деньги, прошло полтора года.

— Скотт, я предупреждал вас в прошлый раз, что больше не пойду вам навстречу.

— Может, и так, друг мой, может, и так. — Берни испытал неодолимое желание расквасить ему морду. — Впрочем, не исключен вариант, в котором нам придется повторить знакомую процедуру.

— Не думаю.

— Вы хотите сказать, что источник иссяк? — Берни тошнило от его манеры выражаться. Нетрудно догадаться, кто он такой на самом деле. Мелкий мошенник.

— Я хочу сказать, что больше не намерен играть в эти игры. Все ясно, приятель?

— Тогда мне хотелось бы повидаться со своей дочкой. — Он хладнокровно выложил карты на стол, словно играя в покер.

— У нее нет желания встречаться с вами.

— Если я обращусь в суд, желание появится. Сколько ей уже лет? Семь? Восемь? — Он не помнил точно.

— А какое это имеет значение? — Девочке исполнилось девять лет, а он даже не подозревает об этом.

— А почему бы вам не спросить Лиз, какого она мнения на этот счет?

Столь явная попытка шантажа окончательно вывела Берни из терпения. Он решил объяснить, что Лиз никогда больше не попадется на его уловки. — У нее нет мнения на этот счет, Скотт. Она умерла в июле. — Последовало долгое молчание.

— Мне очень жаль. — Он словно на мгновение отрезвел.

— Надеюсь, на этом наш разговор закончен? — Берни вдруг обрадовался, что нашел силы сообщить ему об этом. Может, теперь этот негодяй оставит их в покое. Однако он явно его недооценил.

— Почему же? Ведь девочка жива, не так ли? А от чего умерла Лиз?

— От рака.

— Вот беда. Но как бы там ни было, ребенок все равно мой, и, как мне кажется, вам бы очень хотелось, чтобы я скрылся с глаз подальше. Готов оказать вам эту услугу за приемлемое вознаграждение.

— И через год явиться сюда снова? Нет уж, Скотт, с меня хватит. На это раз ничего у вас не выйдет.

— Очень жаль. Похоже, мне придется получить в суде разрешение видеться с ребенком.

Ни на секунду не забывая о данном Лиз обещании, Берни все же решил попробовать взять его на пушку:

— Валяйте, Скотт. Делайте, что хотите. Мне все равно.

— Дайте мне десять тысяч, и я исчезну. Я даже готов пойти на скидку. Восемь вас устроит?

Берни затрясло от омерзения.

— Черта с два, — ответил он и бросил трубку. Он с удовольствием показал бы этому типу, где раки зимуют, но через три дня стараниями Чендлера самому Берни пришлось узнать почем фунт лиха.

Он получил письмо за подписью юрисконсульта с Маркет-стрит с уведомлением о том, что Чендлер Скотт, отец Джейн Скотт и бывший супруг Элизабет О'Райли Скотт-Файн, просит разрешения на свидания с дочерью. Берни надлежало явиться в суд семнадцатого ноября, по счастью, без ребенка. Но когда он прочел письмо, сердце тревожно забилось у него в груди, и он тут же позвонил Биллу Гроссману в бюро.

— Что мне теперь делать? — в отчаянии спросил он.

Гроссман сразу же откликнулся на его звонок. Он помнил об их предыдущем разговоре на ту же тему.

— Похоже, вам придется явиться в суд.

— У него есть какие-нибудь права на девочку?

— А вы ее не удочерили?

Когда он задал этот вопрос, у Берни упало сердце. На них лавиной сыпались всяческие перипетии: рождение ребенка, болезнь Лиз, последние девять месяцев, затем необходимость заново устроить жизнь...

— Нет... не удочерил... Черт возьми, я собирался, но у нас не было причин спешить. Откупившись от него, я полагал, что он надолго оставит нас в покое.

— Вы давали ему деньги? — озабоченно спросил адвокат.

— Да. Полтора года назад я вручил ему десять тысяч долларов с условием, что он от нас отвяжется. — Точнее говоря, с тех пор прошел год и восемь месяцев. Берни точно запомнил день, ведь это произошло перед самым рождением малыша.

— А он может это доказать?

— Нет. Вы предупредили меня, что подобные действия противозаконны, и я это учел. — Гроссман сказал тогда, что они рассматриваются как нелегальная торговля детьми. По закону никто не может ни купить, ни продать ребенка, но по сути дела Чендлер Скотт продал Джейн Берни за десять тысяч долларов. — Я положил купюры в конверт и отдал ему.

— Ну что же. — Судя по тону Гроссмана, адвокат призадумался. — Проблема вот в чем: стоит хоть раз дать им денег, и рано или поздно они вернутся, чтобы потребовать еще. Он явился опять за этим?

— Вот как все вышло. Он позвонил мне несколько дней назад и потребовал десять тысяч долларов, пообещав, что снова исчезнет из нашей жизни. Собственно говоря, он даже предложил мне скидку и был готов удовольствоваться восемью.

— Боже милостивый, — не выдержал Гроссман, — какой очаровательный человек.

— Я решил сказать ему, что моя жена умерла, полагая, что после этого он утратит всякий интерес к ребенку. Мне хотелось, чтобы он знал: ему предстоит иметь дело со мной, а я не намерен терпеть это наглое вымогательство.

Некоторое время Гроссман молчал, а затем проговорил:

— Я не знал о том, что ваша жена скончалась. Примите мои искренние соболезнования.

— Это случилось в июле. — Голос Берни звучал бесстрастно, но при этом он думал о Лиз и о том, как она взяла с него обещание любой ценой не подпускать Чендлера Скотта близко к Джейн. Может, все-таки следовало дать ему эти десять тысяч? Может, он свалял дурака, решив взять его на пушку?

— Ваша жена не оставила завещания касательно ребенка? — Они с Лиз обсуждали этот вопрос, но все ее достояние ограничивалось вещами, которые подарил ей Берни, и ей хотелось, чтобы они достались ему и детям.

— Нет. Фактически у нее не было никакого имущества.

— А как она распорядилась опекой над ребенком? Она поручила ее вам?

— Разумеется, — слегка оскорбленным тоном ответил Берни. Разве она могла поручить заботу о детях кому-то другому?

— Она оставила письменное распоряжение на этот счет?

— Нет.

Билл Гроссман тихонько вздохнул. Берни вот-вот столкнется с крайне серьезной проблемой.

— Теперь, после смерти вашей жены, все законные права переходят к нему. Ведь он — кровный отец девочки. — Берни похолодел.

— Вы случайно не шутите? — Его чуть не бросило в дрожь.

— Нет.

— Но ведь он мерзавец и к тому же преступник, за которым числятся судимости. По всей вероятности, он и сейчас только-только вышел из тюрьмы.

— Это ничего не меняет. Согласно калифорнийским законам кровный отец сохраняет за собой права на ребенка, каким бы он ни был. Даже люди, осужденные за убийство, вправе видеться со своими детьми.

— И что теперь будет?

— Скорее всего ему предоставят право посещать ребенка на время, которое пройдет до окончательного слушания дела. — Он не стал говорить Берни о том, что он может и полностью лишиться полномочий опекуна. — Он общался с девочкой прежде?

— Никогда. Ей даже неизвестно о том, что он жив. Моя жена говорила, что в последний раз он видел дочку, когда той было меньше годика. Билл, все его притязания ничем не обоснованы.

— Вам не стоит питать иллюзий на этот счет. Основания у него есть, ведь он — кровный отец ребенка... А сколько времени продлился этот брак?

— Почти нисколько. Они поженились за несколько дней до появления ребенка на свет, а после этого он, по-моему, куда-то исчез. Потом вернулся на пару месяцев — Джейн тогда не исполнилось еще и года — и вновь скрылся, на этот раз окончательно. Лиз развелась с ним, мотивируя свой запрос тем, что он их бросил, при этом не потребовалось ни уведомлять его, ни спрашивать его о согласии. Мне кажется, Лиз пребывала в полном неведении относительно того, где он находится, вплоть до прошлого года.

— Вы допустили большую ошибку, не удочерив девочку до его появления.

— По-моему, с его стороны нелепо что-либо требовать.

— И я того же мнения, но совершенно неизвестно, как на это посмотрит судья. Как вы полагаете, он вправду стремится к общению с девочкой?

— А как вы сами думаете, если учесть, что он отказался от встреч с ней за десять тысяч долларов и три дня назад готов был сделать то же самое за восемь? Он смотрит на нее как на источник наживы, и только. Когда мы с ним встречались и я отдавал ему деньги, он даже не спросил о ней. Ни разу. Это ни о чем вам не говорит?

— Говорит о том, что он — скользкий проныра, который решил поживиться за ваш счет. Не исключено, что до суда он еще раз позвонит вам.

И Гроссман не ошибся. За три дня до того, как они должны были явиться на предварительное слушание, Скотт снова обратился к Берни с предложением: пусть ему дадут денег, и он оставит их в покое. Но при этом он увеличил сумму до пятидесяти тысяч долларов.

— Вы с ума сошли?

— Я навел насчет тебя кое-какие справки, милый друг.

— Не смей меня так называть, ублюдок.

— Теперь я знаю, что ты — богатый еврей из Нью-Йорка, который вдобавок заведует большим дорогим магазином. Как знать, может, он вообще тебе принадлежит.

— Отнюдь.

— Да это и неважно. Хотите, выкладывайте пятьдесят тысяч, а не хотите — не надо.

— Я мог бы заплатить десять, но не более того. — Он согласился бы и на двадцать, но не хотел сразу говорить об этом. Но Скотт рассмеялся в ответ.

— Пятьдесят, и ни центом меньше:

Речь идет о ребенке, а они торгуются, до чего же это гнусно.

— Вам не удастся заставить меня плясать под свою дудку, Скотт.

— Может, и удастся. Лиз больше нет, и суд во всем пойдет мне навстречу. Если я захочу, даже опеку передадут мне... И, пожалуй, исходя из этих соображений, вам придется заплатить мне уже не пятьдесят, а сто тысяч. — Когда Скотт повесил трубку, Берни почувствовал, что по спине у него побежали мурашки. Он кинулся звонить Гроссману.

— Он что, окончательно спятил? Неужели такое возможно?

— Этого нельзя исключать.

— О господи... — Берни пришел в ужас. Что, если суд отдаст Джейн Скотту? Ведь он обещал Лиз... К тому же Джейн давно уже ему как родная.

— С точки зрения закона у вас нет никаких прав на девочку. Даже в том случае, если бы ваша жена оставила завещание, назначив вас опекуном над Джейн, за Скоттом все равно сохранились бы его полномочия. В данной ситуации вы можете выиграть дело, если мы сумеем доказать, что он никак не годится на роль опекуна, и если нам не попадется совершенно выживший из ума судья. Впрочем, окажись вы оба работниками банка, юристами или бизнесменами, победа осталась бы за ним. На самом деле он может только изрядно попортить вам нервы и травмировать девочку.

— Он готов пощадить ее, — с горечью сказал Берни, — на сей раз уже за сто тысяч долларов.

— У вас есть запись этого разговора?

— Разумеется, нет! Чем я, по-вашему, занимаюсь, чтобы записывать на пленку свои беседы по телефону? Я же не наркотиками торгую, а всего лишь заведую крупным магазином! — Он наконец вспылил. Какая-то возмутительная ситуация. — Так что же будет дальше?

— Если вы не расположены к тому, чтобы заплатить ему сто тысяч, а я не советую вам этого делать, ибо через неделю он потребует новых денег, мы с вами посетим заседание суда и докажем, что отец из него никудышный. Вероятно, ему разрешат посещать ее до окончательного слушания дела, но это не очень страшно.

— Для вас, наверное, не очень. Но Джейн ни разу в глаза его ни видела. По сути дела, — мрачно сказал Берни, — она считает, что его и в живых-то нет. Много лет назад мать сказала ей, что он умер. А за последний год ей пришлось перенести немало потрясений. С тех пор как мать Джейн умерла, девочку преследуют кошмары.

— Если психиатр подтвердит этот факт, возможно, при окончательном слушании Скотту откажут в праве видеться с ней.

— А как быть с его просьбой встречаться с ней до тех пор?

— Суд удовлетворит ее в любом случае. Считается, что даже отпетый негодяй не может плохо повлиять на ребенка, если разрешение дается на ограниченный срок.

— И чем они это аргументируют?

— Аргументов никто не требует, суд автономен. Наличие заявления мистера Скотта дает судье право решать все вопросы за него и за вас.

И за Джейн. Теперь ее судьба будет зависеть от постановления суда, а он, Берни, не сумел этому помешать. Ему стало плохо, он представил себе, каким ударом оказалось бы это известие для Лиз. Она просто умерла бы от ужаса. И он не увидел в этой фразе ничего смешного. Немыслимая, жуткая ситуация.

Утро семнадцатого ноября выдалось пасмурное, хмурое, точь-в-точь под настроение Берни. Когда пришла пора отправляться в суд, Джейн уже уехала в школу, а миссис Пиппин, как обычно, занималась Александром. Берни никому ни словом не обмолвился о том, что происходит. Он еще надеялся, что все как-нибудь образуется. И, стоя рядом с Гроссманом в зале размещавшегося в здании мэрии суда, он тихо молился о том, чтобы этот кошмар сам собой развеялся. И тут он заметил, что у противоположной стены стоит Чендлер Скотт, и одет он куда приличней, чем при их прошлой встрече, а на ногах у него ботинки, явно приобретенные в магазине Гуччи. Аккуратная стрижка на голове, и если не знать заранее, что он за птица, можно принять его за вполне респектабельного человека.

Берни сказал Биллу, что Скотт уже на месте, и адвокат как бы случайно бросил взгляд в ту сторону, где находился Чендлер.

— Вид у него вполне достойный, — шепнул он Берни.

— Именно этого я и опасался.

Гроссман предполагал, что слушание навряд ли займет больше двадцати минут. В ходе выступлений тяжущихся сторон он постарался привлечь внимание суда к тому, что девочка даже незнакома с кровным отцом и недавно перенесла тяжелое потрясение в связи с кончиной матери, и указал на то, что в данных обстоятельствах было бы разумней повременить с посещениями вплоть до окончательного слушания дела. Он сообщил суду, что, по мнению ответчика, определенные нюансы возникшей ситуации окажутся особенно важны при окончательном решении вопроса.

— Нисколько в этом не сомневаюсь, — ответил судья, с улыбкой глядя на обоих отцов и их адвокатов. Он занимался разбирательством подобных дел чуть ли не каждый день, нимало не вдаваясь в эмоции. По счастью, ему никогда не доводилось сталкиваться с детьми, которым приходилось жить согласно вынесенному им вердикту. — Но было бы несправедливо лишить мистера Скотта права видеться с дочерью. — Он благодушно улыбнулся Скотту и с сочувствием посмотрел на Гроссмана. — Мистер Гроссман, я понимаю, что наше решение огорчит вашего клиента, и когда наступит время окончательного слушания, мы будем рады ознакомиться с ситуацией во всех подробностях, но пока что суд намерен позволить мистеру Скотту встречаться с дочерью раз в неделю. — Берни показалось, что он вот-вот упадет в обморок. Он зашептал на ухо Гроссману:

— Скотт — уголовник, он не раз сидел в тюрьме.

— Я не могу сказать им об этом сейчас, — шепотом ответил ему Гроссман, и Берни захотелось плакать. Он пожалел о том, что не дал ему десять тысяч сразу же после первого их разговора. Или пятьдесят после второго. Но ста тысяч ему бы все равно никак не удалось найти. Такая сумма ему не по силам.

Гроссман обратился к судье с вопросом:

— Где будут происходить эти встречи?

— Предоставим выбор места мистеру Скотту. Ребенку... — Сверившись с данными, судья снова улыбнулся и с пониманием посмотрел и на истца, и на ответчика. — Давайте подумаем... Девочке уже больше девяти лет, почему бы ей не отправиться куда-нибудь на денек с отцом? Мистер Скотт мог бы заезжать за ней и привозить ее обратно. Я предлагаю отвести для встреч субботу, скажем, с девяти утра до семи вечера. Такое решение приемлемо для обеих сторон?

— Нет! — громким театральным шепотом ответил Берни, обращаясь к Гроссману.

Но тот сразу же зашептал ему в ответ:

— Сейчас ваши слова ничего уже не изменят. И если вы не станете с ним препираться, может быть, потом он отнесется к вам помягче и вам больше повезет.

А как же Джейн? Насколько повезло при этом ей?

Когда они вышли из зала суда, Берни просто кипел от ярости.

— К чему вся эта грязная возня?

— Только не повышайте голоса, — тихонько сказал ему Гроссман, с непроницаемым выражением лица глядя на Чендлера Скотта и его адвоката, проходивших в этот момент мимо них. Скотт нанял одного из самых низкопробных юристов во всем городе, и Гроссман не сомневался, что в дальнейшем они попытаются возложить на Берни плату за издержки, но в тот момент не стал даже упоминать об этом и сообщил Берни о своих соображениях гораздо позже. Пока что забот хватает и без этого. — Вам придется подчиниться решению суда.

— Почему? Оно несправедливо. С какой стати я должен действовать во вред своей же дочке? — Он говорил со всей откровенностью, даже не задумываясь о своих словах. Но Билл Гроссман покачал головой:

— Она дочка Скотта, а не ваша, в этом-то все и дело.

— Все дело в том, что этому ублюдку ничего, кроме денег, не нужно. Но теперь он требует сумму, которой у меня нет.

— Вам в любом случае не удалось бы откупиться от него. Аппетиты у людей такого рода от раза к разу только разгораются. Лучше решить этот вопрос в суде. Слушание назначено на четырнадцатое декабря. В течение месяца вам придется мириться с его посещениями, а потом суд примет окончательное решение. Как вы полагаете, он долго станет донимать вас своим присутствием?

— С него станется. — Но Берни надеялся, что Скотта хватит ненадолго. — А вдруг он похитит Джейн? — Эта мысль тревожила его с тех пор, как Скотт впервые позвонил ему. Какой-то параноидальный страх. Но Гроссман сразу же постарался убедить Берни, что для беспокойства нет оснований.

— Не говорите глупостей. Он жаден, но вполне в

своем уме. Похитить ребенка во время разрешенной судом встречи может только сумасшедший.

— А если это все же случится? — Он настаивал на своем, желая досконально все выяснить, как будто пытался найти выход.

— Такое бывает только в кино.

— Будем надеяться, что вы не ошибаетесь на этот счет. — Берни поглядел на него, прищурив глаза. — Хочу предупредить вас заранее: если по его вине с девочкой случится что-нибудь подобное, я его убью.

Глава 26

Судья назначил день посещений на субботу, и времени у Берни оставалось совсем мало. В тот же день, когда состоялся суд, он позвал Джейн пообедать в ресторане, и долго не мог решиться рассказать ей о случившемся. Он повел ее в «Хиппо», ей всегда нравилось там больше всего, но в тот вечер она вела себя до непривычности тихо, подозревая, что стряслось что-то неладное, хотя никак не могла догадаться, что именно. Может, пришла пора переезжать в Нью-Йорк, а может, их ждет еще какая-нибудь катастрофа. В конце концов она вопросительно посмотрела на Берни, и когда он, горестно глядя на нее, подался вперед, чтобы взять ее за руку, Джейн подумала, что вот-вот подтвердятся худшие из ее страхов.

— Детка, я должен кое-что тебе сказать. — У нее отчаянно забилось сердце, и ей захотелось убежать от него. При виде ее испуганного личика у Берни сжалось сердце. Неужели же ей никогда не удастся вернуться к прежней безмятежности? Впрочем, благодаря миссис Пиппин она понемногу начала приходить в себя; плакала она теперь гораздо реже, а порой ему случалось слышать, как она смеется. — Солнышко, не надо так тревожиться, это далеко не самое страшное в жизни.

Джейн смотрела на него расширенными от ужаса глазами.

— Я думала, ты скажешь... — Ей не хватило духу договорить до конца, и он спросил, по-прежнему держа ее за руку и не сводя с нее взгляда:

— Что скажу, солнышко?

— Что у тебя рак. — Она говорила таким тихим грустным голоском, что он чуть было не заплакал. Берни покачал головой. И для нее, и для него это самые ужасные слова на свете.

— Нет-нет, ничего подобного. Речь совсем о другом. Скажи... ты помнишь, что до меня у мамы был другой муж? — Как-то странно говорить с ней об этом, но надо же объяснить ей все от начала и до конца.

— Да. Мама рассказывала, что была замужем за очень красивым актером, который умер, когда я была совсем маленькой.

— Ну да, примерно так. — Ему еще ни разу не доводилось слышать этой версии.

— Она сказала, что любила его от всей души. — Ни о чем не подозревая, Джейн подняла глаза на Берни, и он почувствовал, как внутри у него что-то перевернулось.

— Правда?

— Так она мне сказала.

— Хорошо. Она рассказывала мне обо всем немного иначе, но это неважно. — Внезапно он испугался: может, ему предстоит очернить в ее глазах человека, которого Лиз искренне любила? Что, если она на самом деле испытывала к нему глубокую любовь, но не решилась признаться в этом Берни? Но тут на память ему пришел тот день, когда Лиз потребовала, чтобы он торжественно пообещал ей кое-что. — Мама говорила, что тот человек, твой настоящий отец, куда-то пропал вскоре после твоего рождения, успев доставить ей массу огорчений. Кажется, он натворил тогда глупостей: не то обокрал кого-то, не то что-то в этом роде и в результате угодил в тюрьму.

Это известие ошарашило Джейн.

— Мой отец?

— М-м-м... да... Ну, во всяком случае, на некоторое время он исчез и появился только, когда тебе исполнилось девять месяцев. Тебе был годик, когда он опять скрылся, и больше твоя мама его не видела. Вот и все.

— И тогда он умер? — Эта история привела Джейн в замешательство, но, когда официант убрал тарелки, а девочка принялась в задумчивости за свой лимонад, Берни покачал головой.

— Нет, солнышко, он не умер, в том-то все и дело. Он просто пропал без следа, и через некоторое время твоя мама развелась с ним. А спустя еще несколько лет вы повстречались мне, и я на вас женился. — Он улыбнулся и легонько сжал ее руку в своей, и Джейн ответила ему улыбкой.

— Нам ужасно тогда повезло... мама часто об этом говорила. — Она явно ничуть не сомневалась в правоте маминых слов как на этот, так и на любой другой счет. Она и при жизни Лиз прислушивалась к ее мнению, а после смерти мама стала для девочки драгоценным идеалом. Но ее ошеломил рассказ Берни о том, что отец ее до сих пор жив.

— На самом деле повезло мне. Как бы там ни было, мистер Чендлер Скотт куда-то пропал и объявился лишь пару недель назад... он здесь, в Сан-Франциско...

— А почему он ни разу меня не навестил?

— Не знаю. — Берни решил выложить ей всю правду. — Примерно год назад он все же позвонил твоей маме, чтобы взять у нее денег. А когда она их ему дала, он опять уехал. Теперь он вернулся, но я считаю, что мы ничего ему не должны давать, поэтому я ему отказал. — Несколько упрощенная, но вполне правдивая версия. Он не упомянул о том, что Лиз возненавидела Скотта, что им пришлось от него откупаться, лишь бы не подпускать его близко к Джейн. Пусть девочка сама сделает выводы, когда встретится с ним. Хотя мысль о том, что он может ей понравиться, несколько тревожила Берни.

— А он не хотел повидаться со мной? — Ее воображение явно занимал тот самый красивый актер.

— Теперь хочет.

— А он не сможет прийти к нам пообедать? — Ей

казалось, что все очень просто, и она удивилась, когда Берни в ответ покачал головой.

— Все обстоит несколько сложнее. Сегодня мы с ним встречались в суде.

— Зачем? — Похоже, это удивило ее еще сильней и вдобавок немного напугало. Слово «суд» показалось ей зловещим.

— Я обратился в суд, потому что, по-моему, он — нехороший человек, и мне хотелось бы защитить тебя от него. Об этом меня в свое время просила твоя мама. — Он дал Лиз слово и приложил все силы, чтобы сдержать его.

— Ты думаешь, он может как-нибудь меня обидеть?

Берни не хотелось чересчур ее пугать, ведь через пару дней ей предстоит провести десять часов с Чендлером.

— Нет. Но, как мне кажется, он слишком много думает о деньгах. Да и, по сути дела, мы ничего о нем толком не знаем.

Она внимательно вгляделась в его лицо.

— А зачем мама сказала мне, будто он умер?

— Наверное, она решила, что так тебе будет проще. Иначе тебе пришлось бы без конца гадать, куда он подевался и почему он вас бросил. — Джейн кивнула, она нашла такой ответ разумным, но все же ей стало немного обидно.

— Я думала, мама всегда говорила мне правду.

— Уверен, что так и было за одним-единственным исключением. И при этом она считала, что так тебе будет лучше.

Джейн кивнула, стараясь понять.

— И что вам сказали в суде? — в голосе ее прозвучало любопытство.

— Через месяц нам нужно будет явиться туда снова, но до тех пор он имеет право встречаться с тобой. По субботам, с девяти утра и до обеда.

— Но ведь мы с ним даже незнакомы! О чем же мы будем разговаривать целый день?

Заботившая ее проблема показалась Берни забавной, и он улыбнулся Джейн.

— Что-нибудь придумаете. — Если бы с остальными затруднениями можно было так же легко справиться.

— А если он мне не понравится? Наверное, он не очень-то славный человек, раз он так подводил маму.

— Мне и самому всегда так казалось. — Берни решил честно признаться кое в чем. — Мы с ним однажды виделись, и он не вызвал у меня симпатии.

— Вы с ним виделись? — Джейн вконец изумилась, а Берни кивнул в ответ. — Когда?

— Когда он позвонил, чтобы взять денег у мамы. Это случилось незадолго перед тем, как родился Александр, и мама попросила, чтобы я передал ему эти деньги.

— Она не захотела с ним встречаться? — И, видя, как Берни качает головой, Джейн поняла, насколько это важно.

— Нет, не захотела.

— Может, она не так уж сильно его любила.

— Может быть. — Ему не хотелось подробно обсуждать этот вопрос.

— И он вправду сидел в тюрьме? — Берни кивнул, и Джейн совсем испугалась. — А если мне не захочется никуда с ним ходить в субботу?

Вот и настал трудный момент.

— Боюсь, детка, что тебе все равно придется.

— Почему? — Глаза ее вдруг наполнились слезами. — Я его вообще не знаю. А вдруг окажется, что он противный?

— Тебе придется как-то скоротать время. И так четыре раза, пока суд не состоится снова.

— Четыре? — По ее щекам потекли слезы.

— Каждую субботу. — Берни чувствовал себя так, словно он предал свою единственную дочку. Он возненавидел Чендлера Скотта, и его адвоката, и Гроссмана, и судью, и все суды на свете, потому что из-за них все так получилось. А Гроссман хуже всех, ведь это он велел ему вести себя тихо и не ерепениться. И теперь в субботу Чендлер Скотт явится к нему в дом и отберет у него дочку.

— Папочка, я не хочу, — плачущим голосом проговорила она.

— Ничего не поделаешь. — Он дал ей свой носовой платок, присел рядом с ней на диванчик и обнял девочку за плечи. Джейн прижалась к нему и заплакала еще громче. У нее сейчас такая тяжелая полоса в жизни, и вот опять новые трудности. Какая несправедливость. Черт бы побрал всех, кто тому виной.

— Попробуй взглянуть на это с другой стороны. Четыре разика, и все. А скоро День благодарения, и бабушка с дедушкой приедут к нам из Нью-Йорка. У нас появится немало приятных хлопот.

Берни опять пришлось отложить поездку в Европу, и Берман не торопил его, зная, какими сложными оказались для него поиски няни. Он уже несколько месяцев не виделся с родителями, с того августовского дня, когда Руфь уехала, забрав детей с собой. Миссис Пиппин пообещала испечь индейку на День благодарения. Хоть тут он не обманулся в своих ожиданиях: она и вправду оказалась подарком небес, и Берни не мог на нее нарадоваться. Однако трудно сказать заранее, понравится ли она его матери. Они примерно одного возраста, но так же не похожи друг на друга, как день и ночь. Руфь прекрасно ухожена, изысканно одета, несколько взбалмошна, а порой совершенно невыносима. Миссис Пиппин одевается очень аккуратно и незатейливо, в ней нет ни тени легкомыслия, она глубоко порядочный и ответственный человек, в ней масса тепла, она замечательно ладит с детьми и держится с достоинством подлинной британки. Когда они встретятся друг с другом, на это будет интересно посмотреть.

Он уплатил по счету в ресторане, и они с Джейн отправились к машине, а приехав домой, обнаружили, что миссис Пиппин еще не легла: она решила подождать Джейн, чтобы составить девочке компанию, пока та будет принимать ванну, а потом почитать ей перед сном. Едва ступив на порог, Джейн кинулась к няне — все они давно уже стали так ее называть — и, обхватив ее руками за шею, трагическим тоном сообщила: «Няня, у меня есть другой папа». Сочетание этих слов вызвало улыбку у Берни, а миссис Пиппин неразборчиво хмыкнула и повела Джейн купаться.

Глава 27

Как выразилась Джейн, «другой папа» появился у них в доме почти точно в назначенное время, в четверть десятого утра в субботу, за неделю до Дня благодарения. Берни, Джейн, миссис Пиппин и Александр собрались в гостиной и сидели, поджидая его.

Время все шло и шло, часы на полке громко тикали, отсчитывая минуту за минутой, и в какой-то момент Берни вдруг понадеялся, что Чендлер Скотт так и не придет. Но им не повезло. В дверь позвонили, и Берни пошел открывать, а Джейн подпрыгнула на месте. Ей по-прежнему не хотелось отлучаться из дому вместе с Чендлером, и она отчаянно нервничала. Стоя рядом с няней и продолжая играть с братиком, девочка старалась прислушаться к голосу человека, который разговаривал с Берни на входе. Разглядеть его пока никак невозможно, зато слышно, как он говорит, громко и вроде бы дружелюбно, наверное, потому, что он работает актером или работал когда-то.

Затем она увидела, как Берни отошел в сторону, пропуская его в гостиную, а он взглянул на нее, потом на Александра, как будто не мог догадаться, кто из них его дочь, посмотрел на няню и, наконец, остановил взгляд на Джейн.

— Привет, я твой папа. — Странно слышать такие слова, да и положение какое-то неловкое. Он не протянул ей руки, не попытался подойти к ней поближе, и что-то в его взгляде насторожило Джейн. Глаза у него были такого же цвета, как и у нее, но он все время рыскал взглядом по сторонам, осматривая разные вещи в комнате и, судя по всему, «настоящий папа» (так Джейн окрестила Берни) интересовал его куда сильней, чем сама девочка. Он заметил большие золотые часы «Ролекс» на руке у Берни и опрятную женщину в синей форменной одежде и синих броганах, сидевшую с Александром на руках и наблюдавшую за ним, и ни одна из деталей домашней обстановки не укрылась от его внимания. Он не стал ни с кем обмениваться любезностями.

— Ты готова?

Джейн съежилась, и Берни выступил вперед.

— Может, посидите тут и побеседуете, чтобы немного познакомиться, а потом уже отправитесь куда-нибудь?

Это предложение пришлось Скотту не по вкусу. Он глянул на часы, затем раздраженно посмотрел на Берни.

— Боюсь, у нас нет на это времени.

Почему? Куда он собрался? Берни не понравилась его реакция, но он побоялся растревожить Джейн еще сильней и потому промолчал.

— Ну, пара минут ничего не изменит. Не хотите чашечку кофе? — Берни вовсе не хотелось проявлять такую предупредительность, но он заставил себя сделать это ради Джейн.

Скотт отказался от кофе, но Джейн все сидела на ручке кресла рядом с няней, внимательно глядя на него. Свитер с высоким воротом, синие джинсы, кожаный коричневый пиджак... выглядит он привлекательно, но иначе, чем бы ей хотелось. Он весь какой-то скользкий, а она привыкла к мягкому, теплому Берни. И бороды у него нет, а без нее мужчины кажутся заурядными, решила она.

— Как зовут мальчика? — спросил он, без особого интереса взглянув на малыша, и няня ответила, что ребенка зовут Александр. Она успела хорошенько разглядеть Скотта и обратила внимание на его глаза. Все, что она заметила, не вызвало у нее одобрения, как и у Берни. Он так и стреляет глазами по сторонам и до сих пор не проявил ни малейшего интереса к Джейн.

— Очень жаль, что с Лиз так вышло, — сказал он, обращаясь к девочке, и та чуть не поперхнулась, услышав его слова. — Ты здорово на нее похожа.

— Спасибо, — вежливо ответила Джейн. Скотт поднялся с места и снова посмотрел на часы.

— До встречи. — Он не протянул Джейн руки, не сказал ей, куда они отправятся. Он просто пошел к дверям, ожидая, что она поплетется за ним, как собака. Казалось, Джейн вот-вот расплачется, и Берни ободряюще улыбнулся ей и обнял на прощание, пока она стояла, теребя розовый свитерок, подобранный в цвет к платьицу. Она нарядилась, словно на праздник.

— Все будет хорошо, солнышко, — шепнул ей Берни, — уж потерпи несколько часиков.

— До свидания, папа. — Она прильнула к нему. — До свидания, няня... до свидания, Алекс. — Она помахала им рукой, послала братику воздушный поцелуй и направилась к дверям. Берни вдруг показалось, что она стала маленькой, как раньше, и он вспомнил свою первую встречу с ней. В глубине его души что-то шевельнулось, и он едва удержался, чтобы не кинуться за ней и не остановить ее. Но вместо этого он продолжал следить за ними, стоя у окна. Чендлер Скотт сказал что-то Джейн и сел за руль старого обшарпанного автомобиля, а она осторожно забралась на сиденье рядом с ним. Когда дверца захлопнулась, на Берни накатило предчувствие недоброго, и он записал номер машины. Через минуту они скрылись из виду. Берни повернулся и заметил, что миссис Пиппин хмуро смотрит на него.

— В этом человеке есть что-то нехорошее, мистер Файн. Он произвел на меня дурное впечатление.

— И на меня тоже, я полностью согласен с вами, но суд решил иначе, по крайней мере на ближайший месяц. Боже мой, только бы с ней ничего не случилось. Я убью этого подонка, если.. — Он остановился посреди фразы, а няня удалилась на кухню и налила себе чашку чая. Уже скоро малыша нужно будет положить поспать, да и работы по хозяйству хоть отбавляй, и все же весь день ее, как и Берни, не оставляла тревога за Джейн. Он бесцельно слонялся по дому, хотя у него накопилась гора документов, которые нужно было оформить, да и проекты закупок для магазина ждали его одобрения, но он не мог ни на чем сосредоточиться. Он старался не уходить далеко от телефона на случай, если Джейн вдруг позвонит. В шесть часов он водворился в гостиной и, легонько притопывая ногой, принялся ждать ее возвращения. До назначенного времени оставался еще час, ему не терпелось увидеть девочку.

Няня принесла к нему Александра, пока тот еще не

лег спать, но даже сын не смог отвлечь Берни, и, покачав головой, она увела малыша в детскую. Она не решалась сказать, что человек, который забрал с собой Джейн, вызвал у нее самые неприятные опасения. У нее возникло тягостное предчувствие, ей казалось, что случилось нечто ужасное. Но она ни словом не обмолвилась об этом сидевшему в ожидании Берни.

Глава 28

Спустившись с крыльца, он коротко бросил ей: «Садись в машину», и Джейн чуть было не кинулась бегом обратно в дом. Ей не хотелось никуда с ним ехать, и она не могла понять, как мама смогла влюбиться в такого человека. Он показался ей отталкивающим. Глаза у него нехорошие, под ногтями грязь, а в манере разговаривать нечто пугающее. Открыв дверь машины, он сел за руль и велел ей забраться на переднее сиденье. Бросив последний взгляд на окошко, возле которого стоял Берни, Джейн сделала, как ей приказали.

Машина сразу же рванулась с места, и пока Скотт выруливал, огибая повороты, Джейн пришлось держаться за ручку дверцы, чтобы не свалиться на пол. Они помчались на юг, по направлению к автомагистрали.

— Куда мы едем?

— В аэропорт, прихватим там друга. — Он все рассчитал заранее и не собирался ничего с ней обсуждать. Ее это вообще не касается.

Джейн хотела попросить его немного сбавить скорость, но не осмелилась и рта раскрыть, а сам он не перемолвился с ней ни словом. Скотт поставил машину на стоянку, взял небольшую сумку с заднего сиденья, схватил Джейн за руку и, даже не потрудившись запереть дверцу, потащил ее за собой к зданию аэровокзала.

— Куда мы идем? — Она не могла больше сдерживать слезы. Он совсем ей не понравился, и ей хотелось вернуться домой. Прямо сейчас. Не теряя ни минуты.

— Я же сказал тебе: в аэропорт.

— А куда улетает ваш друг?

— Мой друг — это ты. — Он повернулся и посмотрел на нее. — И мы полетим в Сан-Диего.

— На денек? — Джейн знала, что там есть зоопарк, но ведь папа говорил, что к семи они должны быть дома. А этот человек явно из тех, с которыми родители запрещают своим детям разговаривать на улице, но почему-то ей пришлось остаться с ним один на один, и рядом никого нет, и теперь они полетят в Сан-Диего.

— Ну да. К обеду вернемся.

— Может, мне позвонить папе и сказать ему об этом? Ее наивность рассмешила Скотта.

— Нет, золотко. Теперь я твой папа. И тебе не надо ему звонить. Когда мы доберемся до места, я сам ему позвоню. Да уж, позвоню, можешь не сомневаться.

Все в нем казалось очень страшным, и то, как он грубо схватил ее за руку и поволок за собой к переходу через дорогу у здания аэровокзала. Ей вдруг захотелось взять и сбежать от него, но он сжимал ее руку как в тисках, и Джейн догадалась, что он никуда ее не отпустит.

— А зачем нам лететь в Сан-Диего, мистер... э-э-э... папа? — Похоже, ему хочется, чтобы она так его называла, и, может быть, тогда он будет с ней поласковей?

— Чтобы навестить друзей.

— А-а. — Она удивилась тому, что он не выбрал для этого какой-нибудь другой день, а потом подумала, что любой нормальный человек на ее месте был бы только рад, ведь после этого ей будет о чем порассказать вечером. Но на подходе к посту контроля он опять крепко стиснул ей руку, на лице у него заиграли желваки, и он сквозь зубы велел ей пошевеливаться. И тут Джейн осенило. Надо сказать ему, что ей хочется в туалет: вдруг там окажется телефон, и ей удастся позвонить Берни? Почему-то ей казалось важным сообщить ему о том, что «другой папа» собирается полететь с ней в Сан-Диего. Заметив дверь со знакомым ей значком, Джейн вырвалась у Скотта из рук, но он тут же догнал ее и преградил путь.

— Ничего не выйдет, милашка.

— Но мне нужно в туалет. — В глазах у нее стояли слезы. Он наверняка затеял что-то плохое, раз ни на секунду не отпускает ее от себя, даже в туалет сходить не дает.

— Сходишь в самолете.

— Мне кажется, надо все-таки позвонить папе и сказать ему, куда мы собрались.

Но в ответ на это он только рассмеялся.

— Не беспокойся. Я же сказал, что позвоню ему.

Крепко зажав ее руку в своей, Скотт стоял, поглядывая по сторонам, и тут к ним подошла крашеная блондинка в темных очках, одетая в узкие джинсы, фиолетовую парку, бейсбольную шапочку и ковбойские сапоги. От нее веяло какой-то холодной жесткостью.

— Билеты купила? — без улыбки спросил ее Скотт, и она кивнула. Не сказав ни слова, она отдала их Скотту, и они зашагали куда-то нога в ногу, ведя за собой Джейн, которая никак не могла понять, что происходит.

— Это она и есть? — через некоторое время спросила женщина. Скотт молча кивнул в ответ, и Джейн похолодела от ужаса. Задержавшись у фотоавтомата и бросив в щель доллар, они сделали четыре снимка. На глазах у изумленной девочки Скотт вытащил из кармана паспорт и наклеил туда одну из фотографий. Если внимательно посмотреть на документ, нетрудно догадаться, что он фальшивый, но Скотт знал, что детские паспорта проверяют редко. У выхода на летное поле Джейн заартачилась и попыталась вырваться, но Чендлер Скотт так стиснул ей руку, что она чуть не закричала, и наконец объяснил ей что к чему:

— Если ты еще раз хоть пикнешь или попытаешься сбежать от нас, твой братец и человек, которого ты называешь папой, в тот же день не позже пяти часов отправятся на тот свет. Тебе все ясно, золотко? — Он говорил вкрадчивым тоном, ехидно улыбаясь. Женщина вынула из пачки сигарету и огляделась по сторонам. Она явно сильно нервничала.

— Куда вы меня везете? — После такого заявления Джейн уже не решалась протестовать. Теперь жизнь

Александра и Берни у нее в руках, и она ни за что на свете не допустит, чтобы с ними приключилась беда. Джейн подумала: «А вдруг они меня убьют?» Но ей тут же пришла в голову слегка утешительная мысль: тогда они с мамой снова встретятся. Она не испытывала на этот счет ни тени сомнений, и поэтому собственная смерть показалась ей не такой уж и страшной.

— Нас ждет небольшое путешествие.

— А когда мы сядем на самолет, вы разрешите мне сходить в туалет?

— Может быть. — Он уклонился от ответа, и, глядя на него, Джейн снова впала в недоумение: как только мама могла решить, что он красив? На самом деле он какой-то непутевый, даже испорченный и ничего привлекательного в нем нет.

— Но что бы ты ни делала, милашка, — пробурчал он сквозь стиснутые зубы, — смотри, без нас никуда ни шагу. Потому что, ненаглядная моя доченька, для нас ты не ребенок, а золотоносная жила.

Джейн так и не поняла, в чем дело, и не сомневалась, что они хотят ее убить. А Скотт принялся описывать своей подружке большой золотой «Ролекс», замеченный им на руке у Берни.

— Может быть, он подарит вам часы, если вы отвезете меня домой, — с надеждой сказала Джейн, но они только засмеялись, подталкивая ее ко входу в самолет. Стюардесса не заметила ничего подозрительного, а Джейн не посмела позвать кого-нибудь на помощь, помня о том, что грозит Александру и Берни. Ни Скотт, ни его подружка ничего не сказали ей в ответ на ее предложение. Когда самолет взлетел, они заказали себе по бокалу пива и попросили принести Джейн кока-колы, но девочка не притронулась к ней. Ей не хотелось ни есть, ни пить. Она тихонько сидела на своем месте и все гадала, зачем этот фальшивый паспорт, и куда ее везут, и доведется ли ей снова увидеть Александра, Берни и миссис Пиппин. Ей показалось, что надежды на это совсем мало.

Глава 29

Видя, что уже больше восьми часов вечера, Берни позвонил Гроссману. Начиная с семи, он все твердил себе, что, наверное, их что-то задержало. Может, на обратном пути у них села шина или с этим никудышным автомобилем случилось что-нибудь еще... но как-никак до восьми они в любом случае должны были хотя бы позвонить. Внезапно Берни понял, что произошло нечто ужасное.

Оказалось, что Гроссман дома и обедает с гостями. Берни извинился за то, что отрывает его.

— Ничего страшного. Как у вас дела? — Адвокат надеялся, что встреча пройдет гладко. Всем будет только легче, если они найдут в себе силы смириться с тем, чего никак не избежать. Исходя из опыта, он полагал, что отделаться от Скотта будет трудно.

— Простите меня, Билл, но именно поэтому я и звоню. Они должны были вернуться больше часа назад, но их до сих пор нет. Я начал беспокоиться. Нет, я уже вне себя от беспокойства. — Гроссман подумал, что тревожиться рановато, да и Скотт не такой уж злодей, как кажется Берни.

— Возможно, у них лопнула шина.

— Он мог бы предупредить меня по телефону. К тому же скажите, когда вам в последний раз случилось проколоть шину?

— Когда мне было шестнадцать лет и я взял без спросу отцовский «Мерседес».

— Вот именно. У вас нет других предположений? И что нам теперь делать?

— Прежде всего успокойтесь. Не исключено, что он просто решил завоевать ее сердце. Скорей всего они появятся часов в девять и сообщат, что ходили в кино на два сеанса подряд, а также успели усидеть десять порций мороженого. — Он ничуть в этом не сомневался, и страхи Берни казались ему напрасными. — Подождите немного и не волнуйтесь.

Берни взглянул на часы:

— Я дам ему еще час времени.

— А что потом? Отправитесь на поиски, прихватив обрез?

— В отличие от вас, Билл, я не нахожу эту ситуацию забавной. Он исчез вместе с моей дочерью, а не с чьей-нибудь еще.

— Извините меня, я все понимаю. Но ведь она и его дочь тоже. Надо быть полным психом, чтобы выкинуть какой-нибудь дикий номер, особенно на первый же раз. Человек он, конечно, малоприятный, но в уме ему не откажешь.

— Будем надеяться, что вы не ошиблись.

— Послушайте, давайте подождем до девяти, а там позвоните мне, и мы попробуем что-нибудь придумать.

Без пяти девять Берни набрал номер его телефона еще раз, решив не поддаваться ни на какие уговоры.

— Я обращусь в полицию.

— И что вы им скажете?

— Во-первых, у меня записан номер его машины. Во-вторых, я заявлю, что он похитил моего ребенка.

— Берни, послушайте меня внимательно. Понимаю, вы волнуетесь, но все же постарайтесь хорошенько все понять. Начнем с того, что по закону это не ваш ребенок, а его, и если он действительно куда-то ее увез, в чем я сильно сомневаюсь, это рассматривается не как похищение, а как кража ребенка.

— И что это меняет? — в недоумении спросил Берни.

— Под кражей ребенка подразумевается его увоз одним из родителей, это не уголовное преступление, а небольшое правонарушение.

— В данном случае речь идет не о каком-то «увозе», а о похищении. Этот тип — самый настоящий преступник. Господи, он и двух слов ей не сказал, когда явился за ней. Осмотрел обстановку в доме и молча пошел за дверь, ожидая, что она поплетется следом, а потом посадил ее в эту развалюху и увез, и одному богу известно, где они теперь. — При одной мысли об этом Берни чуть не впал в истерику. Ему казалось, что он нарушил обещание, данное Лиз. Он знал, что так оно и есть.

Ведь она просила его оградить Джейн от посягательств Чендлера, а он сам передал ему девочку с рук на руки.

В десять часов Берни позвонил в полицию. К нему отнеслись с сочувствием, но особого беспокойства не проявили. Как и Гроссман, полицейские предположили, что немного попозже Скотт объявится. «Может, на радостях он хлебнул лишку», — сказали они. Но когда часы пробили одиннадцать и Берни уже готов был расплакаться, они все же согласились приехать и принять у него заявление. К этому времени Гроссман тоже начал тревожиться.

— По-прежнему никаких новостей? — Он позвонил как раз, когда полицейские были в доме.

— Никаких. Теперь вы понимаете, что я прав?

— О боже, надеюсь, что нет.

Берни только что описал полицейским, как выглядит и во что одета Джейн. Няня вышла в гостиную в халате и тапочках и осталась посидеть вместе с ними. Ее подтянутость и собранность успокаивающе подействовали на Берни, что оказалось весьма кстати, ведь получасом позже полицейские обнаружили, что машина, номер которой записал Берни, была украдена утром того же дня. Дело приняло серьезный оборот. По крайней мере, так решил сам Берни. А в полиции к его заявлению отнеслись именно так, как предсказывал Гроссман. Это кража ребенка, и не более того, мелкое правонарушение, а не тяжкое преступление, и их абсолютно не тревожил тот факт, что за Скоттом числится длинный список судимостей. Их куда больше волновал угон машины, и они объявили на нее розыск, а вот искать пропавшую девочку никто пока не собирался.

Берни сообщил об этом Гроссману в полночь. Как только он опустил трубку на рычаг, раздался звонок. Чендлер наконец объявился.

— Привет, милый друг. — Берни затрясло, когда он услышал этот голос. Полицейские ушли, он остался совсем один. А его дочка в руках у Скотта.

— Черт возьми, куда вы подевались?

— У нас с Джейни все в полном порядке.

— Я спросил, куда вы запропастились.

— Решили ненадолго уехать из города. Девочка прекрасно себя чувствует, правда, золотко? — Он потрепал ее по подбородку, но совсем неласково. Джейн стояла рядом с ним в телефонной будке, поеживаясь от холода. На дворе ноябрь, а у нее только свитерок и ничего больше.

— В каком смысле «уехать из города»?

— Я хочу дать тебе время на сбор денежных средств, милый друг.

— Каких средств?

— Тебе придется вручить мне пятьсот тысяч долларов, и тогда малышка Джейни вернется домой. Так я говорю, золотко? — Он скользнул невидящим взглядом по девочке. — Собственно говоря, Джейни считает, что к этому можно добавить и те импозантные часы, которые я сегодня видел у вас на руке, и мне понравилась ее идея. Может, вы разоритесь еще и на часики для моей подружки?

— Какой подружки? — Берни отчаянно пытался сообразить, что к чему, но тщетно.

— Неважно. Давайте лучше договоримся насчет денег. Когда я смогу их получить?

— Вы что, серьезно? — Сердце у Берни стучало как молот.

— Вполне.

— Да никогда... Боже милосердный, вы понимаете, какая это сумма? Целое состояние. Мне никак не раздобыть столько денег. — Внезапно на глаза ему навернулись слезы. Он потерял не только Лиз, но и Джейн. И возможно, навсегда. Бог знает, где она теперь и что он там над ней вытворяет.

— Знаете, Файн, вам лучше постараться и достать их, иначе вам больше не видать Джейни. Я готов подождать, мне не к спеху. Полагаю, вам хочется, чтобы она рано или поздно вернулась домой?

— Вы просто убогий подонок.

— А вы — богатенький.

— Где я смогу найти вас?

— Я позвоню вам завтра. Не занимайте подолгу телефон и не суйтесь в полицию, иначе я убью ее. — Услышав эти слова, Джейн бросила на него взгляд, в котором сквозили страх и любопытство, но Скотт так увлекся разговором с Берни, что не заметил этого.

— Откуда мне знать, может, вы уже ее убили. — Подобная мысль казалась Берни невыносимой, он с трудом заставил себя произнести эти слова. Сердце его сжалось, как в тисках.

Чендлер Скотт ткнул трубку в лицо Джейн.

— На, поговори со своим стариком.

Она не скажет, где они находятся, у нее вполне хватит на это соображения, к тому же ей это толком неизвестно. Она видела, что они вооружены, и понимает, что шутки с ними плохи.

— Папочка, привет. — Стоило ей взять в руки трубку, как из глаз у нее тут же потекли слезы. — Я люблю тебя... со мной все в порядке... — пролепетала она еле слышным голоском.

— Солнышко, я сделаю так, чтобы ты вернулась домой... чего бы это ни стоило... Даю тебе слово... — Но Скотт не дал ей ответить, а вырвал трубку у нее из рук и бросил на рычаг.

Дрожащими руками Берни набрал номер Гроссмана. Часы показывали полпервого ночи.

— Джейн у него.

— Понятно, что у него. А где они?

— Он этого не сказал. Зато потребовал с меня полмиллиона долларов, — сказал Берни, тяжело дыша, как после долгого бега, после чего воцарилось молчание, показавшееся ему бесконечным.

— Так он похитил девочку? — Судя по голосу, Гроссман никак не мог поверить собственным ушам.

— Ну да, идиот вы несчастный, я же вам говорил... Извините. Но как же мне теперь быть? Ведь у меня нет таких денег. — Он знал всего одного человека, у которого могла бы найтись такая сумма, да и то не наверняка, и, уж конечно, не наличными, но можно будет у него спросить.

— Давайте я позвоню в полицию.

— Я уже это сделал.

— Теперь они заговорят иначе.

Но увы, в полиции к этому сообщению отнеслись с таким же безразличием, как и к предыдущему. Ему сказали, что это глубоко частное дело. Полиция не намерена вмешиваться в склоку между двумя мужчинами, каждый из которых убежден, что ребенок по праву принадлежит ему, и никому другому. Скорей всего требование денег — просто шутка.

На протяжении всей ночи Мэри Пиппин ни на миг не оставляла Берни одного, она поила его чаем, а потом налила ему бренди. Чуть-чуть, как лекарство. Ведь лицо у него стало белым как полотно. А когда выдалась минутка между телефонными звонками, она подошла к Берни и, глядя ему прямо в глаза, сказала, словно пытаясь успокоить напуганного ребенка:

— Мы обязательно их найдем.

— Почему вы так думаете?

— Потому что вы — умный человек и правда на вашей стороне.

— Ах, няня, мне очень не хватает вашей уверенности.

Миссис Пиппин потрепала его по плечу, и он стал звонить в Нью-Йорк Полу Берману. Разбуженный посреди ночи Берман сказал, что таких денег у него нет. Узнав о случившемся, он пришел в ужас, но при этом объяснил, что не держит и никогда не держал подобных сумм в виде наличности. У него есть акции, но он владеет ими наряду с женой, и для того, чтобы их продать, потребуется ее согласие. К тому же курс их недавно понизился, а значит, ему придется понести убыток. И даже если ему удастся выручить необходимую сумму, это займет немалое время. Берни понял, что это не выход.

— А ты звонил в полицию?

— Им глубоко плевать. У них это называется «кража ребенка», что по нашим законам рассматривается как мелкое правонарушение. Он — родной отец девочки и, значит, может творить с ней что угодно.

— Таких подонков нужно просто убивать.

— Так я и сделаю, если доберусь до него.

— Скажи, если понадобится моя помощь.

— Спасибо, Пол. — Берни повесил трубку и сразу же набрал номер Гроссмана.

— Мне не удалось найти денег. Что теперь?

— У меня есть идея. Я вспомнил про детектива, с которым мне доводилось вместе работать.

— Можно позвонить ему прямо сейчас?

Билл Гроссман колебался лишь сотую долю секунды. Он оказался достойным человеком, хоть и слишком доверчивым.

— Я так и сделаю.

Через пять минут он уже сообщил Берни, что в течение получаса детектив подъедет к нему. И сам он тоже.

В три часа ночи гостиная в доме Берни заполнилась посетителями. Приехали Билл Гроссман, детектив — ничем не приметный кряжистый мужчина лет сорока — и сопровождавшая его женщина, чье появление озадачило Берни. Миссис Пиппин, по-прежнему одетая в халат и тапочки, предложила всем чаю или кофе, на выбор, и налила Берни еще немного бренди. Она сочла, что остальным пить не стоит, ведь им предстоит отправиться на поиски Джейн, и делать это надо на трезвую голову.

Детектива звали Джек Винтерс, а его спутницу, которая, как выяснилось, была его женой, — Герти. Оба они в свое время занимались сбором информации среди преступного мира, а проработав много лет на полицию Сан-Франциско, решили открыть собственное дело. Билл Гроссман поручился, что они не знают себе равных.

Берни поведал им все, что знал о прошлом Чендлера Скотта: о его браке с Лиз, о том, что он не раз попадал под арест и отбывал срок в тюрьме, и о его взаимоотношениях с Джейн, точнее говоря, о полном их отсутствии. Под конец он сообщил им номер краденой машины и замолчал, продолжая смотреть на них расширенными от ужаса глазами.

— Вы сможете ее найти?

— Пожалуй. — Самой выдающейся чертой в лице детектива были обвислые усы, и ничто в нем не говорило о большой сообразительности, но Берни отметил, что взгляд у него на редкость проницательный. Столь редкое сочетание качеств явно было присуще и его жене, незаметной, но очень неглупой женщине. — Полагаю, он отправился в Мексику или в другое подобное место.

— Почему вы так думаете?

— Это только догадка. Дайте мне пару часов, и я изложу вам наиболее вероятные варианты. У вас случайно не найдется фотографии этого типа?

Берни покачал головой. Насколько он знал, у Лиз не было ни одной, а если и были, он ни разу их не видел.

— Что мне сказать, когда он позвонит?

— Что вы заняты сбором необходимой суммы. Надо, чтобы он не терял надежды... попросите его подождать... и постарайтесь, чтобы он не догадался, как вы напуганы. Пусть он думает, что деньги у вас есть.

Берни озабоченно взглянул на детектива.

— К сожалению, я успел сказать, что у меня их нет.

— Ничего страшного. Он вряд ли вам поверил.

Они пообещали, что до конца дня свяжутся с ним, и попросили проявить выдержку и терпение. Но он почувствовал, что непременно должен задать им один вопрос, пока они еще не ушли, как бы ни было страшно даже заговаривать об этом.

— Как вы думаете... он не... девочке не грозит беда? — Он не отважился произнести слово «смерть». Уже пять часов утра, и силы у него на исходе. Ответ взяла на себя Герти. Говорила она спокойно и негромко, и Берни вдруг заметил, какой у нее глубокий, умудренный взгляд. Несомненно, ей всякого довелось навидаться на своем веку.

— Будем надеяться на лучшее. Мы приложим все силы к тому, чтобы вовремя разыскать ее. Положитесь на нас.

Именно так он и поступил, и спустя двенадцать часов они встретились снова. Ожидание показалось Берни бесконечным. Он бродил из угла в угол, пил то чай, то кофе, то бренди, а в десять часов утра наконец свалился в постель, чувствуя, что совсем обессилел и вот-вот впадет в истерику. Няня ни разу даже не прилегла и весь день провела в заботах об Александре. Она как раз принялась кормить Берни обедом, когда раздался звонок в дверь, и на пороге показались детективы. Неведомым для Берни образом им удалось собрать огромное количество информации, и вряд ли им удалось как следует выспаться.

Они сумели раздобыть все фотографии Скотта, хранившиеся в полицейском архиве, и данные о его прошлых судимостях. Ему доводилось отбывать срок в тюрьмах семи штатов, как правило, за воровство, кражу со взломом, мошенничество и шулерство. Также он не раз попадал под арест за предъявление к оплате фальшивых чеков, но при этом обвинение зачастую снималось: то ли потому, что ему удавалось вовремя возместить ущерб, то ли по иной причине — это не имело значения, и они не стали вдаваться в подробности.

— Вот что показалось нам интересным: чем бы ни занимался этот человек, целью его устремлений всегда являются деньги. Не секс, не наркотики... у него нет других страстей. Пожалуй, можно сказать, что деньги — его хобби.

Берни бросил на них мрачный взгляд.

— Я бы не решился определить сумму в полмиллиона долларов как предмет для хобби.

Винтерс кивнул:

— Да, на сей раз он вовсю разгулялся.

Офицер полиции, которому был поручен надзор над Скоттом, оказался давнишним знакомым Джека, и хотя наступило воскресенье, им удалось застать его дома и сразу же переговорить с ним, что следовало рассматривать как большую удачу. Они узнали, где в последнее время жил Скотт, и выяснили, что на днях он решил переехать и вроде бы упоминал о предстоящей поездке в Мексику. Машину, которую он угнал, обнаружили в аэропорту. Там же они получили сведения о том, что три пассажира, летевшие одним и тем же рейсом в Сан-Диего, воспользовались калеными билетами, но вовремя успели скрыться. Герти удалось в тот же день встретиться и переговорить со стюардессой, и та, похоже, припомнила, как видела в самолете похожую на

Джейн девочку, хоть и не смогла ничего сказать наверняка.

— Я склонен думать, что они махнули в Мексику. И намерены держать там Джейн, пока вы не выложите деньги. Честно говоря, я вздохнул с облегчением, когда прочел досье на Скотта. Там ни разу не упоминалось о попытках прибегнуть к насилию. Это уже кое-что. Если нам повезет, она отделается одним испугом.

— Но как же мы его разыщем?

— Приступим к поискам сегодня же. Если вы не против, мы могли бы уже вечером отправиться в путь. Начнем с Сан-Диего, может, там мы нападем на дальнейший след. Скорей всего им придется угнать еще одну машину или нанять ее в агентстве проката, а потом где-нибудь бросить. Они действуют куда менее ловко, чем может показаться на первый взгляд. По-моему, он отдает себе отчет в том, что особая опасность ему не грозит. Никто не обвинит его в похищении, речь идет о краже ребенка, а в глазах представителей закона это пустяки. — Упоминание об этом всякий раз приводило Берни в бешенство, но он понимал, что Винтерс говорит правду. И он был готов смириться с чем угодно, лишь бы вернуть Джейн.

— Я попросил бы вас немедленно приступить к делу.

Муж и жена молча кивнули. Ожидая именно такой реакции, они заранее наметили план действий.

— Что мне говорить, когда Скотт позвонит?

Он еще до сих пор никак не проявился.

— Скажите, что предпринимаете различные шаги, чтобы раздобыть деньги. Объясните, что для этого потребуется неделя, а то и две. А мы тем временем доберемся до места и примемся за поиски. Думаю, двух недель нам хватит, и к концу этого срока нам удастся их обнаружить. — Такая оценка потребовала изрядной доли оптимизма. Но, помимо прочего, у них имелось подробное описание внешности подружки Скотта. За ней также числился ряд судимостей, она недавно досрочно освободилась из тюрьмы, после чего поселилась с ним в гостинице, из которой он выписался утром день назад.

— Вы на самом деле думаете, что справитесь за две недели?

— Будем стараться вовсю. — Эти слова не вызвали у Берни ни тени сомнения.

— Когда вы планируете вылететь?

— Сегодня часов в десять вечера. До тех пор нам еще нужно уладить кое-какие вопросы. — Они вели работу, выполняя поручения еще трех клиентов, но дело Берни оказалось наиболее срочным, и остальными пока могли заняться другие сотрудники их бюро. — Да, кстати... — Детектив назвал цену, и весьма немалую, но Берни не дрогнул, решив, что как-нибудь наскребет денег. Иного выхода просто нет.

— Отлично. Как мне переговорить с вами, если он вдруг позвонит?

Они оставили ему номер телефона, по которому он мог связаться с ними до их отлета из Сан-Франциско, и ушли. А через двадцать минут ему позвонил Чендлер.

— Как дела, милый друг?

— Прекрасно. Я принимаю все меры к тому, чтобы раздобыть денег.

— Хорошо, меня это радует. И когда, по-вашему, они окажутся у вас в руках?

Внезапно Берни осенило:

— Вероятно, не раньше, чем через неделю, а может, и через две. Для этого мне нужно будет наведаться в Нью-Йорк.

— Вот зараза. — Судя по голосу Скотт изрядно нализался. Берни услышал, как они с подружкой обсуждают его ответ. Наконец Скотт снова заговорил в трубку. Они решили поверить словам Берни.

— Ладно. Две недели я подожду, но никак не больше. Позвоню вам ровно через четырнадцать дней, а если что-нибудь пойдет не так, я убью девчонку.

На этом телефон разъединился, он даже не дал Берни поговорить с Джейн. Пребывая в полном смятении, Берни все же набрал номер Винтерса.

— А зачем вы ему сказали, что поедете в Нью-Йорк? — недоумевая, спросил Винтерс.

— Затем, что хочу полететь с вами в Мексику.

— А вы уверены, что стоит? — помолчав, спросил Винтерс. — Эта затея не из легких. А вдруг он вас узнает, когда мы подберемся близко к нему?

— Мне хочется быть рядом на случай, если я понадоблюсь Джейн. Ведь, кроме меня, у нее никого нет. Вдобавок мне невыносимо сидеть сложа руки и ждать. — Берни не заметил, что все это время няня тихонько стояла в дверях, прислушиваясь к его словам, а потом незаметно ушла. Она одобрила его решение отправиться в Мексику и принять участие в поисках Джейн. — Ну как, вы возьмете меня с собой? Я все равно заплачу вам столько же.

— Этот вопрос меня не беспокоит. Я думал о вас. Может, будет лучше, если вы останетесь здесь и попытаетесь вернуться к нормальной жизни?

— Вчера в семь вечера нормальная жизнь для меня кончилась, и я не смогу к ней вернуться, пока вы не отыщете мою дочку.

— Мы заедем за вами через час. Не берите с собой много вещей.

— Тогда до встречи. — Берни повесил трубку и почувствовал, что у него немного отлегло от сердца. Он позвонил Гроссману, и тот пообещал, что утром известит судью о том, какая стряслась беда. Затем он позвонил Полу Берману в Нью-Йорк, а после своему заместителю из «Вольфа». И, наконец, набрал номер матери.

— Мама, у меня дурные новости. — У него дрожал голос, ему очень не хотелось ее пугать. Но объяснить необходимо. Все планы на День благодарения полетели к черту, и, возможно, этот кошмар затянется до Рождества и Нового года, а то и до конца жизни...

У Руфи замерло сердце.

— Что-то случилось с малышом?

— Нет, с Джейн. — Он глубоко вздохнул и заговорил снова: — Сейчас я не успею объяснить тебе все как следует. Но некоторое время тому назад тут появился бывший муж Лиз, законченный негодяй, который за последние десять лет большую часть времени провел в тюрьмах. Он попытался вытянуть из меня деньги путем шантажа, но я отказался ему заплатить. А теперь он похитил Джейн и требует в качестве выкупа полмиллиона долларов.

— Ох, господи, — еле слышно выдохнула Руфь. Она заговорила как человек, на которого только что обрушился чудовищный удар. — Боже мой... Берни... — Его слова никак не укладывались у нее в мозгу. И кому только такое может взбрести на ум? Наверняка это опасный псих. — А ты не знаешь, с девочкой все в порядке?

— Мы надеемся, что да. Полицейские не захотели вмешиваться, поскольку он — родной отец ребенка, и это рассматривается как мелкая кража, а не как похищение. Их это совершенно не волнует.

— Ой, Берни... — Руфь заплакала.

— Мама, не надо, я этого не вынесу. Я позвонил, потому что сегодня вечером вылетаю в Мексику, чтобы попытаться отыскать ее. Я нанял в помощь двух детективов. Они предполагают, что Джейн находится где-то там. И мы не будем праздновать День благодарения.

— Бог с ним, с Днем благодарения. Лишь бы найти ее. Ох, господи... — Впервые в жизни Руфи показалось, что у нее на самом деле вот-вот начнется сердечный приступ, а Лу как назло ушел на какое-то врачебное собрание, и она начисто забыла, куда именно.

— Я позвоню, если удастся. Детективы надеются разыскать ее не поздней, чем через пару недель... — Берни полагал, что это прозвучит обнадеживающе, но Руфь пришла в ужас и принялась громко всхлипывать.

— Боже мой, Берни...

— Мама, мне пора идти. Я тебя целую. — Повесив трубку, он собрал вещи в маленькую сумку, надел рубашку, теплый лыжный свитер, синие джинсы, парку и прочные удобные ботинки. Он нагнулся за сумкой и тут заметил, что няня Пиппин стоит в дверях, держа Александра на руках. Он посвятил ее в свои планы, сказал, что отправляется в Мексику, и пообещал по возможности звонить ей. И попросил хорошенько присматривать за малышом. После того, что случилось с Джейн, он стал испытывать тревогу за всех. Но няня заверила его, что у них все будет хорошо.

— А вы поскорей привезите Джейн домой. — Ее слова прозвучали как приказ, и ее гортанный акцент вызвал у Берни улыбку. Он поцеловал сына. — И будьте осторожны, мистер Файн. Вы нужны нам целым и невредимым.

Он молча обнял ее и, не оглядываясь, пошел к дверям. Сколько потерь выпало на его долю... сначала Лиз, а теперь Джейн... но Винтерс уже подъехал к дому на стареньком универсале, за рулем которого сидел один из сотрудников его бюро, и, услышав звук гудка, Берни торопливо спустился по лестнице.

Глава 30

По пути в аэропорт Берни невольно задумался о том, какой странный характер приобрела его жизнь. А всего чуть больше года тому назад она была совсем обычной. Любимая жена, новорожденный ребенок и дочка, которая и раньше жила с ней. Но внезапно Лиз не стало, Джейн похитили и за нее требуют выкуп, и он вот-вот полетит в Мексику вместе с парой незнакомых людей, которых нанял, чтобы разыскать ее. Он смотрел в окошко, постоянно думая о Джейн. Он боялся, как бы Скотту Чендлеру и его сообщникам не вздумалось поиздеваться над девочкой, и эти тревожные мысли не давали ему покоя на протяжении всей ночи. В аэропорту он поделился своими опасениями с Герти, но она сказала, что Скотта явно ничего, кроме денег, не интересует, и Берни постарался проникнуться такой же убежденностью.

Он позвонил Гроссману из аэропорта и пообещал держать его в курсе дел. А потом наступила долгая для него ночь. Они прилетели в Сан-Диего в одиннадцать тридцать и взяли напрокат машину с четырьмя ведущими колесами; Винтерс заранее условился с агентством, чтобы ее пригнали в аэропорт, и они сразу же отправились на ней в путь. Они решили обойтись без остановки в гостинице, чтобы не терять времени, и пересекли границу в Тихуане, на большой скорости миновали Росарито и Дескансо, а спустя час уже добрались до Энсенады. Винтерсу показалось, что Скотт скорей всего выберет именно такой маршрут. В Тихуане он заплатил пограничнику пятьдесят долларов, и тот припомнил, что видел интересующую их троицу.

Часы уже показывали час ночи, но бары еще нигде не закрылись, и они обошли все питейные заведения Энсенады, распределив их между собой и прихватив фотографию Скотта, чтобы, заказав кружку пива, извлечь ее и показать бармену. Герти удалось напасть на след. Бармену хорошо запомнилась милая девочка, которая явно побаивалась взрослых, бывших при ней. Подружка Скотта расспрашивала бармена о пароме, который курсирует между Кабо-Аро и Гуаймас.

Узнав об этом, Герти тут же вернулась к машине, и они отправились в дорогу, придерживаясь указанного барменом маршрута: сначала на юг через Сан-Висенте, Сан-Тельмо и Росарио, а затем на восток по направлению к Эль-Мармоль. Путь протяженностью в двести миль оказался непростым даже для машины с четырьмя ведущими колесами, и они потратили на него пять часов. В семь утра они заправились на бензоколонке в Эль-Мармоле, а в восемь остановились, чтобы поесть перед тем, как отправиться дальше вдоль восточного побережья Калифорнии. До Санта-Росалии оставалось еще двести миль. Они добрались туда к трем часам, чувствуя изрядную усталость, и обнаружили, что паром отправится в Гуаймас только через два часа. Зато паромщик, помогавший им загрузить машину, вспомнил, что видел Скотта, женщину и сидевшую между ними девочку.

— Как вам это нравится, Джек? — спросил Берни, стоя рядом с Винтерсом и глядя на скрывающиеся из виду берега Калифорнии. Герти только что отошла в сторону.

— Пока все идет хорошо, но неизвестно, что будет дальше. Не стоит рассчитывать на сплошное везение, хотя начали мы совсем неплохо.

— Может, нам выпадет удача, и мы скоро их найдем. — Берни очень хотелось в это верить, но Винтерс знал, что такой вариант маловероятен.

Сотня миль от Санта-Росалии до Эмпальме и еще двести пятьдесят от Эмпальме до Эспириту-Санто, где, как показалось паромщику, Скотт сошел на берег. Но на причале в Эспириту-Санто они узнали, что он отправился в Масатлан, и им пришлось проделать путь еще в двести пятьдесят миль. А там всякий след пропал. Наступила среда, но им так и не удалось ничего прибавить к тем сведениям, которые имелись у них еще до отлета из Сан-Франциско. Они провели неделю в неустанных трудах и побывали чуть ли не в каждом баре, ресторане, отеле и магазине Масатлана и наконец выяснили, что следующим городом на пути Скотта стала Гвадалахара, находившаяся всего в трехстах двадцати четырех милях от Масатлана, но им пришлось потратить восемь дней и приложить немало сил, чтобы добыть эту информацию.

В Гвадалахаре им удалось узнать, что Скотт останавливался в маленькой захудалой гостинице под названием «Росальба», и почти ничего больше. Джек высказал предположение, что, вероятно, они отправились в глубь материка, скорей всего в какой-нибудь из захолустных городков на пути к Агуаскальентес. На поиски ушло еще два дня, наступила пятница, и срок, отпущенный Берни, подошел к концу. Через два дня Скотт должен позвонить, и к этому времени ему необходимо быть в Сан-Франциско.

— Как мы поступим теперь? — Они заранее уговорились, что Берни вылетит из Гвадалахары в Сан-Франциско, чтобы оказаться на месте, когда Скотт позвонит, если к тому времени они так и не сумеют найти Джейн, а Винтерсы останутся в Мексике и будут поддерживать с ним связь по телефону. Они ежедневно сообщали Гроссману о том, как продвигаются поиски, а Берни звонил домой, чтобы проведать няню и Александра. Он знал, что дома все обстоит благополучно, но очень скучал по сыну. Впрочем, к исходу недели он утратил всякую способность думать о чем-либо, кроме Джейн и державшего ее в заложницах негодяя.

— По-моему, завтра вам лучше бы вылететь домой, — сказал Винтерс и призадумался. Они уже вернулись в гостиницу и сидели, попивая пиво. — Пожалуй, вам стоит сказать, что вы раздобыли деньги. — Винтерс прищурился, тщательно обдумывая новый план, но Берни встревожился:

— Пятьсот тысяч долларов? А как мне быть, когда наступит время вручить их ему? Объяснить, что я пошутил?

— Пусть он назначит место встречи. О дальнейшем мы подумаем потом. Но если он захочет встретиться с вами где-нибудь неподалеку отсюда, мы сможем сделать свои выводы. Скажите, что вам понадобится еще пара дней, чтобы добраться до места, а к тому моменту мы, бог даст, найдем его.

Винтерс тщательно взвесил все возможности. Но и Берни сделал то же самое.

— А вдруг они уже вернулись в Штаты?

— Исключено, — с уверенностью заявил Винтерс. — Если у него все в порядке с мозгами, он должен как огня бояться полиции. За то, что он сделал с девочкой, ему ничего не будет, а вот за угон машины, учитывая прошлые судимости, он непременно получит новый срок, и к тому же он нарушил условия досрочного освобождения.

— Поразительная ситуация. — Берни с горечью посмотрел на Винтерса. — Он украл девочку, угрожал ей и, вероятно, причинил ребенку тяжелейшую психологическую травму, следы которой сохранятся на всю жизнь, а полицию волнует только кража старой машины. Что за чудесные у нас законы. Черт возьми, начинаешь понимать коммунистов. Я был бы рад, если бы его вздернули за то, что он наделал.

— Это ему не грозит. — Винтерс философски относился к жизни. Ему довелось повидать немало ситуаций вроде этой или еще страшней, в результате чего он решил никогда не заводить детей, и жена согласилась с ним. Они перестали держать в доме даже собак после того, как последнюю из них украл, отравил и подбросил к ним под дверь один из людей, попавших их стараниями в тюрьму.

На следующий день они не смогли разузнать ничего нового, и в субботу вечером Берни вылетел в Сан-Франциско. Самолет приземлился около девяти часов, и он срочно отправился домой, внезапно ощутив неодолимое желание как можно скорей увидеть сына. Ведь только он у него и остался. Лиз больше нет, и Джейн тоже, и он уже не знает наверняка, доведется ли ему когда-нибудь снова услышать, как в стенах коридора отдается эхом ее звонкий голосок, и увидеть, как она бежит ему навстречу с криком: «Привет, папочка!» При мысли об этом он почувствовал, что у него разрывается сердце, и, оставив сумки в няниной комнате, тихонько вышел в гостиную, сел в кресло и заплакал, закрыв лицо руками. Потеря за потерей — это невыносимо, и то, что случилось с Джейн, можно было предотвратить. Ему казалось, что он подвел Лиз в том, что для нее было важней всего на свете.

— Мистер Файн? — Заметив, какое у Берни выражение лица, няня оставила спавшего Александра в кроватке и отправилась к его отцу. Она тихонько вошла в темную гостиную... Как тяжело ему пришлось в последние четырнадцать дней... они наверняка показались ему долгими, как четырнадцать месяцев... Такой достойный человек и так страшно мучается. Лишь вера в бога поддерживала в ней надежду на то, что Джейн найдут и она вернется домой. Миссис Пиппин как могла попыталась убедить в этом Берни, но прошло немало времени, прежде чем он откликнулся на ее слова.

— Джейн непременно возвратится домой. Господь научит нас, как ее найти.

Но ему вдруг вспомнилась история похищения ребенка Линдбергов и трагедия, которая постигла его родителей.

— А если мы так их никогда и не отыщем? — по-детски жалобно спросил он, полагая, что все уже потеряно. Но миссис Пиппин не хотела верить в худшее. Она стояла в дверях в лучах падавшего на нее из коридора света, и Берни поднял голову и посмотрел на нее.

— Няня, я этого не переживу.

— Господь милостив, и беда минует вас. — Подойдя поближе к Берни, она ласково потрепала его по плечу и зажгла свет. А несколько минут спустя принесла ему сандвич и чашку горячего чая. — Ложитесь-ка сегодня пораньше спать. Завтра вам понадобится ясная голова, мистер Файн. — Но к чему ему ясная голова? Чтобы притвориться, будто он раздобыл полмиллиона долларов, которых у него на самом деле нет? Страх не давал ему покоя, и в ту ночь он почти не спал, а все ворочался с боку на бок, терзаясь в мучительном раздумье.

Наутро к нему приехал Билл Гроссман. Берни долго рассказывал ему о местах, в которых они побывали, о сведениях, которые удалось добыть, и о том, как Гвадалахара оказалась мертвой точкой на их пути. Утром позвонил Винтерс, но он не сообщил ничего нового. Вот только Герти пришла в голову одна идея.

— Она считает, что нужно поискать в Пуэрто-Вальярта. — Они и раньше обсуждали этот вариант, но сочли, что Скотт побоится, как бы его там не заметили, и скорей отправится в глубь страны. — Возможно, она права. Вдруг у него хватило наглости показаться там. Ведь ему нравится шикарная жизнь. Не исключено, что он присматривает себе яхту.

Хотя Берни и сомневался в этом, он согласился с Винтерсом, что попробовать стоит. Он весь день не выходил из дому на случай, если Скотт позвонит раньше срока. Берни боялся пропустить его звонок. Гроссман просидел вместе с ним до вечера. Он уже рассказал о том, что работники суда выразили «крайнее огорчение» в связи с «неразумным поступком» мистера Скотта.

— Огорчение? — закричал в ответ Берни. — Огорчение? Да в своем ли они уме? Из-за их глупости моя дочка пропала бог знает куда, а они говорят об огорчении? Как трогательно с их стороны.

Гроссман понимал, что Берни вне себя от тревоги, и находил ее обоснованной. Он умолчал о заявлении сотрудницы социальной службы, которая предположила, что мистеру Скотту, видимо, не терпится наверстать упущенное время и он просто хочет поближе узнать свою дочку. Гроссман побоялся, что, узнав о ее словах, Берни разыщет ее в мэрии и придушит. Не то чтобы он всерьез считал это возможным, но мало ли что бывает. Берни находился на грани срыва. В пять часов заввонил телефон, и Берни кинулся к нему, нимало не сомневаясь, что это Скотт. Он сделал глубокий вдох прежде, чем снять трубку.

— Да?

Но в трубке раздался голос Винтерса, а вовсе не Скотта.

— У нас есть для вас новости. Он еще не звонил? — Все это походило на игру «полицейские и воры», только у Берни украли смысл его жизни... любимую дочку...

— Нет. Я все еще сижу и жду. А что у вас?

— Я не совсем уверен... но, похоже, мы его нашли. Герти оказалась права. Он оставил след чуть ли не на каждом углу в Пуэрто-Вальярта.

— А Джейн при нем? — Господи... прошу тебя... только бы они ее не убили. Ему вспомнилось множество историй с похищением, в результате которого родители навсегда потеряли своего ребенка. Ежегодно происходит не одна тысяча таких происшествий... чудовищная статистика, чуть ли не целых сто тысяч...

— Точно не знаю. Он часто появлялся в заведении под названием «У Карлоса О'Брайана», как и все, кому случается оказаться в Вальярте. Это самый популярный бар в городе, и Скотт допустил ошибку, зачастив туда. Но никто не видел там ни женщины, ни ребенка. Наверное, они сидят в гостинице. Когда он позвонит, попробуйте разговорить его и выудить какие-нибудь сведения... не проявляйте враждебности.

При мысли об этом у Берни вспотела рука, в которой он держал трубку.

— Постараюсь.

— И уговоритесь с ним о встрече. Скажите, что вы раздобыли деньги.

— Хорошо.

Берни повесил трубку и дрожащим от волнения голосом сообщил последние известия Гроссману. Не прошло и пяти минут, как телефон зазвонил снова. Сквозь помехи на линии междугородной связи до Берни донесся голос Скотта.

— Как дела, приятель? — Он говорил веселым и спокойным тоном, и Берни страшно захотелось добраться до него и придушить на месте.

— Отлично. У меня для вас хорошие новости. — Берни пришлось повысить голос, чтобы докричаться сквозь помехи, но он постарался говорить так, чтобы ответ прозвучал невозмутимо и ровно.

— Какие именно?

— Новости ценой в полмиллиона долларов. — Берни неплохо справился со своей ролью. — Как Джейн?

— Прекрасные новости. — Скотт явно обрадовался, но не так сильно, как того хотелось бы Берни.

— Я спрашиваю: как Джейн? — Он крепко стиснул трубку в руке. Гроссман сидел, не сводя с него глаз.

— С ней все в порядке. Но у меня для вас есть неприятное известие. — У Берни замерло сердце. — Цена увеличилась. Она такая очаровательная малышка; и я понял, что она стоит куда дороже.

— В самом деле?

— Да. Мне кажется, она стоит целого миллиона, разве я не прав?

— Мне не так-то просто его раздобыть. — Он написал сумму на листке бумаги и показал его Гроссману. Но это позволит им выиграть время. — Мне придется снова проделать такое же путешествие.

— А пятьсот тысяч у вас на руках?

— Да, — соврал он.

— Почему бы нам не разделить сумму на два взноса?

— Вы вернете мне Джейн после первого взноса?

Скотт засмеялся:

— Навряд ли, милый друг.

Сукин сын. Никогда в жизни Берни не испытывал столь острой и столь обоснованной ненависти.

— Вы получите ее, когда вручите нам миллион.

— Тогда никаких первых взносов.

Скотт изменил тон и заговорил жестче:

— Я дам вам неделю на поиски денег, Файн. А если вы их не раздобудете... — Он оказался невероятно жадным выродком. Но теперь у них есть еще неделя на поиски Джейн. Если повезет, они найдут ее в Пуэрто-Вальярта.

— Я хочу поговорить с ней. — Голос Берни тоже посуровел.

— Ее здесь нет.

— А где она?

— В укромном месте. Не беспокойтесь.

— Скотт, постарайтесь со всей отчетливостью уяснить себе следующее: если хоть один волос упадет с ее головы, я убью вас. Понятно? И вы не получите ни цента, пока я не увижу, что она цела и невредима.

— С ней все хорошо. — Он хохотнул. — Черт возьми, она даже успела загореть.

— Где она?

— Неважно. Она вам обо всем расскажет, когда вернется домой. Я позвоню вам ровно через неделю, и будьте добры, Файн, держите денежки наготове.

— Непременно. А вы не потеряйте Джейн.

— Договорились. — Он засмеялся. — Сделка на миллион долларов. — Вслед за этим он повесил трубку, а Берни, еле дыша, опустился в кресло. На лбу у него выступил пот. Он взглянул на Гроссмана и заметил, что того трясет.

— Славный парень. — Гроссману стало тошно.

— Да, не правда ли? — с горечью ответил Берни. Ему казалось, что он уже никогда не оправится после этой истории, даже если Джейн вернется домой.

Час спустя телефон зазвонил снова. Винтерс не стал тратить время на лишние разговоры.

— Мы нашли его.

— Боже мой. Вы не шутите? Я только что с ним говорил. — У Берни задрожал голос и затряслись руки.

— Я хотел сказать, мы знаем, где он живет. Официантка из бара «У Карлоса О'Брайана» сказала, что он нанимает ее присматривать за Джейн. Мне пришлось дать ей тысячу долларов, чтобы она держала язык за зубами, но оно того стоит. По ее словам, с Джейн все в порядке. Девочка сказала официантке, что Скотт ей не отец, хотя «был им раньше», пока мама не развелась с ним. Он пригрозил Джейн, что убьет вас и ее братика, если она попытается сбежать или позвать на помощь. Очевидно, подружке Скотта надоело сидеть с ребенком, пока сам он развлекается, и они наняли эту официантку.

— Господи! Как у него язык повернулся сказать ей такое!

— Они нередко так поступают. Говорят детям, что их родители уже умерли или что они больше не хотят их видеть. А когда дети напуганы, они с легкостью верят самым диким небылицам.

— А почему официантка не обратилась в полицию?

— Как она сказала, ей не хотелось вмешиваться, а вдруг девочка все выдумала? А потом, он ведь платит ей. Просто мы заплатили больше. Не исключено, что она спит с ним, хотя, на мой взгляд, это маловероятно. — Она предложила Винтерсу переспать с ней за сотню долларов. Но он решил, что расходов и так хватает, а потом со смехом рассказал об этом Герти, которая решила, что эта история далеко не так забавна, как ему кажется. — Что негодяй сказал вам? — Винтерс предполагал тем же вечером, сразу после разговора, перейти к решительным действиям, но боялся, что за Скоттом будет трудно уследить, не привлекая к себе внимания.

— Теперь он потребовал миллион. И дал мне неделю на поиски денег.

— Отлично. Значит, он намерен отдохнуть на досуге. Я хочу сегодня же вырвать девочку у него из лап. Вы не против? Официантка берется помочь, если я дам ей еще тысячу долларов. Судя по всему, вечером Джейн останется с ней. Самый подходящий момент. — Берни почувствовал, что внутри у него все перевернулось. «Господи, прошу тебя, спаси и сохрани ее». — Нам не удастся сразу же вылететь отсюда, но мы рванем в Масатлан и утром сядем на самолет. — Сыщик говорил с уверенностью профессионала, и не случайно. И все же Берни пожалел, что его не будет с ними. Он понимал, как испугается Джейн. Для нее Джек и его жена — просто двое незнакомых людей. Но без него они смогут действовать ловче и быстрее. — Если все пойдет хорошо, завтра она будет дома.

— Держите меня в курсе событий.

— Скорей всего мы позвоним вам около полуночи. Этот вечер показался Берни самым долгим в его жизни. В семь часов Гроссман отправился домой. Он попросил Берни звонить ему в любое время, если появятся новости. Берни совсем уже было собрался набрать номер телефона матери, но решил подождать, пока не поступят новые известия.

Ждать пришлось гораздо меньше, чем предполагал Винтерс. Вскоре после десяти часов раздался звонок, и телефонистка спросила, согласен ли он оплатить разговор с абонентом из Валье де Бандерас в Халиско.

Он тут же ответил, что согласен. Няня Пиппин легла поспать, и он сидел один на кухне. Он только что очередной раз приготовил себе кофе.

— Джек?

— Девочка у нас. С ней все в порядке. Они с Герти в машине. Джейн вконец вымоталась и уснула. Мне очень жаль, но мы сильно ее напугали. Официантка открыла нам дверь, и мы тут же увезли Джейн. Официантка скажет Скотту, что ребенка забрали полицейские. Возможно, на некоторое время он исчезнет из поля вашего зрения. Но как бы там ни было, у нас заказаны билеты на девятичасовой рейс из Масатлана. Мы заночуем в «Холидей-Инн», когда доберемся до него. И теперь никто ее уже и пальцем не тронет.

Берни знал, что Винтерсы вооружены. По щекам у него потекли слезы, и ему удалось сказать человеку, который спас его дочку, всего два слова: «Спасибо вам». Повесив трубку, он закрыл лицо руками, склонился над кухонным столом и, громко всхлипывая, заплакал, чувствуя, что на смену ужасу и боли пришло облегчение. Джейн возвращается домой... Ах, если бы вместе с ней вернулась и Лиз...

Глава 31

Берни, няня Пиппин с Александром и Гроссман приехали в аэропорт к одиннадцати часам по местному времени. Самолет приземлился, и Джейн спустилась по трапу, держась за руку Герти. Берни кинулся ей навстречу, подхватил ее и прижал к груди, не скрывая слез. Даже няне изменило свойственное ей самообладание. Она поцеловала Джейн, и из ее синих глаз по щекам заструились слезы. Билл Гроссман тоже поцеловал девочку.

— Ох, детка... мне ужасно жаль... — Берни с трудом давались слова, а Джейн то смеялась, то принималась плакать, обнимая братика, папу и няню.

— Они сказали, если я пикну или попытаюсь сбежать... — Она опять заплакала. Ей не удалось закончить фразу, но Берни уже знал обо всем от Винтерса. — Они говорили, что кто-то все время за вами следит.

— Это была ложь, солнышко. Как и все, что они тебе говорили.

— Он отвратительный человек. Не понимаю, зачем мама вышла за него замуж. И он вовсе не красив, он урод, и подружка у него ужасная... — Но Герти успела поговорить с Джейн наедине и сказала Берни, что они не причинили девочке никаких физических увечий. Их интересовали только деньги, и они наверняка разозлились донельзя, когда вернулись из бара в гостиницу.

Войдя в дом, Джейн огляделась по сторонам, и на лице ее появилось выражение блаженства, как будто она попала в рай. Прошло ровно шестнадцать дней с тех пор, как ее похитили, и жизнь для каждого из них стала адом. Чтобы найти ее, они потратили шестнадцать дней и сорок тысяч долларов. Родители Берни продали имевшиеся у них акции, чтобы помочь ему расплатиться с Винтерсами, но никто ни на секунду не пожалел об этом. Берни набрал номер телефона матери, чтобы Джейн смогла сама с ней поговорить, но бабушка Руфь только все всхлипывала в трубку и в конце концов передала ее Лу. Она почти не надеялась, что девочка останется в живых. Ей тоже припомнилось похищение ребенка Линдбергов. Когда это случилось, она была совсем молодой женщиной, и это событие произвело на нее незабываемое впечатление.

Большую часть дня Джейн провела, сидя на коленях у Берни. Он позвонил в полицию и сказал, что девочку нашли, что, впрочем, никого не удивило и не взволновало. Работников суда тоже поставили в известность. Они выразили радость по поводу того, что Джейн дома, и Берни пришел к выводу о том, что все, кроме Винтерса, ведут себя возмутительно. Он обратился к Винтерсу с просьбой предоставить в его распоряжение телохранителей, чтобы впредь ни Джейн, ни Александр не выходили на улицу без вооруженной охраны и чтобы в отсутствие Берни охранник оставался в доме. Потом он позвонил Полу Берману и сказал, что с завтрашнего дня выйдет на работу. Он брал отпуск всего на две недели, но это время показалось ему целой вечностью.

— С Джейн все в порядке? — Случившееся надолго повергло Бермана в ужас. Эти бедолаги переживают одну трагедию за другой. Сначала умерла Лиз, а теперь еще и это. Он всем сердцем сочувствовал Берни и уже начал подыскивать работника, который смог бы заменить его в Калифорнии. Берман наконец понял, что нельзя заставлять его продолжать работу в Сан-Франциско, слишком много испытаний выпало там на его долю. Но он знал, что на поиски человека, который смог бы занять место Берни, уйдет не один месяц, а может быть, и целый год. Но он по крайней мере начал этим заниматься.

— С Джейн все хорошо.

— Берни, мы все молились за нее.

— Спасибо, Пол.

Он повесил трубку, чувствуя глубочайшую благодарность судьбе за то, что Джейн вернулась. Он вновь подумал о родителях, которые потеряли своих детей навсегда и прожили всю жизнь, гадая, погибли они или нет, храня фотографии пятилетних малышей, которым уже исполнилось двадцать, а то и тридцать лет, а те в свою очередь поверили лживым словам похитителей и полагали, что их родителей уже нет в живых. Берни пришел к убеждению, что кража ребенка такое же тяжкое преступление, как убийство.

Вечером, когда они сели обедать, раздался телефонный звонок. Няня приготовила бифштекс со спаржей под голландским соусом, любимое блюдо Джейн. На сладкое она испекла огромный шоколадный торт, и когда Берни встал из-за стола и направился к телефону, Александр смотрел на него, глотая слюнки. Весь день и весь вечер им звонили знакомые, желая выразить свою радость по поводу того, что этот кошмар закончился. Даже Трейси позвонила из Филадельфии. Она уже говорила раньше с няней и была в курсе всех событий.

— Алло, — сказал Берни, с улыбкой глядя на Джейн. Они целый день не могли отвести глаз друг от друга, а незадолго до обеда она задремала, сидя у него на коленях.

В трубке послышался треск, а затем знакомый голос. Берни с трудом поверил собственным ушам. Но все же догадался включить записывающее устройство, которое Гроссман привез ему днем раньше. Он успел записать и разговор, в котором шла речь о выкупе величиной в миллион долларов.

— Вам все же удалось заполучить свою девчонку, да? — недовольным тоном спросил Скотт. Берни молчал, глядя на движущуюся пленку. — Насколько мне известно, вам помогли полицейские. — Берни порадовался: официантка сказала Скотту именно то, что ее просили.

— Я даже не знаю, что вам и сказать.

— Надеюсь, к тому времени, когда состоится суд, дар речи вернется к вам. — Он наверняка шутит. Берни сомневался, чтобы Скотт решился снова обратиться в суд.

— Не думаю, чтобы он состоялся, Скотт, а если вы еще хоть раз попытаетесь ее похитить, сядете в тюрьму. Я мог бы и сейчас добиться вашего ареста.

— На каком основании? Кража ребенка — это не тяжкое преступление. Максимум, что мне угрожает, — провести ночь в тюрьме, да и то вряд ли.

— Суд вряд ли воспримет с восторгом известие о том, что вы похитили ребенка и требовали выкуп.

— Попробуй доказать это, приятель. У тебя нет никаких бумаг, подтверждающих твои слова, а если ты сдуру решил записать наши с тобой разговоры на пленку, имей в виду: суд не примет эти записи в качестве доказательства. — Этот негодяй знал, что делает. — Мы еще увидимся, Файн. На свете есть масса способов, как выловить рыбку из пруда. — На этом Берни повесил трубку и выключил записывающее устройство.

После обеда он позвонил Гроссману, и Билл подтвердил слова Чендлера Скотта. Запись телефонного разговора не считается в суде доказательством.

— Тогда на кой черт вы подсунули мне эту штуку? — В этой истории закон оказался явно не на стороне Берни, и его служители с самого начала отнюдь ему не помогли.

— Хотя запись нельзя использовать как доказательство, работникам суда будет совсем не вредно прослушать ее, чтобы понять, с чем вы столкнулись.

Но когда Билл передал им пленку, она не произвела на них ни малейшего впечатления, и они заявили, что Скотт либо пошутил, либо решился на такой шаг, пребывая в крайнем отчаянии из-за того, что так давно не виделся с дочкой, и вдобавок узнал о том, что его бывшая жена умерла от рака.

— Они сумасшедшие или просто прикидываются? — Берни оторопело уставился на Гроссмана. — Этот парень — преступник, он похитил Джейн, потребовал выкуп величиной в миллион долларов, она провела шестнадцать дней в Мексике в качестве заложницы, а им кажется, что он «пошутил»? — Подобная реакция повергла Берни в оторопь. Полиция не проявила ни малейшего беспокойства по поводу похищения, а суд отнесся с полным безразличием к известию о том, что Скотт потребовал выкуп за девочку.

Но на следующей неделе выяснилось, что все куда страшней. Берни получил повестку из суда. Скотт обратился туда с требованием передать ему опекунство.

— Передать ему опекунство? — Берни чуть не выдрал телефонный шнур из стены, когда Билл сообщил ему об этом. — То есть как это?

— Джейн его дочь. Он заявил суду, что увез ее лишь потому, что безумно ее любит и хочет, чтобы она, как ей и положено, жила с ним.

— Где? В тюрьме? Разве детям предоставляют помещение в Сан-Квентине? Вот самое подходящее для него место! — заорал Берни. Он сидел у себя в кабинете, а в это время Джейн и Александр совершали прогулку по парку в сопровождении няни Пиппин и чернокожего телохранителя ростом шесть футов пять дюймов и весом двести девяносто фунтов, который десять лет назад был полузащитником в команде «Краснокожие». Берни очень хотелось, чтобы Скотт когда-нибудь нарвался на него.

— Успокойтесь. Пока он только обратился с просьбой передать ему опекунство, но не получил его.

— Зачем? Зачем ему это понадобилось?

— Вы хотите знать, зачем? — Гроссману попалось такое жуткое дело, и он проникся почти такой же ненавистью к Скотту, как и Берни, но понимал, что это ничем им не поможет. Необходимо рассуждать здраво. — Он затеял это по следующей причине. Если суд, не дай бог, передаст ему опекунство или позволит ему видеться с девочкой, он сможет выторговать у вас деньги. Номер с похищением не удался, и он решил действовать под прикрытием закона. Он родной отец Джейн, и у него все права на нее, а у вас есть деньги, которые ему и нужны.

— Тогда лучше заплатить ему. К чему вся эта судебная возня и прочие игры? Если он хочет денег, надо предложить их ему прямо сейчас. — Берни казалось, что все крайне просто. Лучше не мучиться и сразу дать Скотту то, чего он добивается.

— Все не так просто. Предложив ему деньги, вы тем самым нарушите закон.

— Ну, понятно, — вспылил Берни. — Он вполне имеет право похитить ребенка и потребовать выкуп в миллион долларов, в этом как бы нет ничего страшного, а вот если я попытаюсь откупиться от этого мерзавца, я тем самым нарушу закон. Господи боже мой, — он стукнул кулаком по столу, смахнул с него телефон, и тот повис в воздухе, раскачиваясь на шнуре, поскольку Берни все еще держал в руке трубку, — куда катится эта страна?!

— Не волнуйтесь, Берни, — попытался успокоить его Гроссман. Но тщетно.

— То есть как это «не волнуйтесь»? Он требует опекунства над моей дочкой, а я должен сохранять спокойствие? Три недели назад он похитил ее, и я исколесил пол-Мексики, не зная, жива она или нет, а вы говорите, чтобы я не волновался? Или вы тоже сошли с ума? — Берни уже поднялся на ноги и теперь орал во все горло. Затем он швырнул трубку на рычаг, упал на стул и заплакал. И вообще все это происходит по ее вине. Если бы она не умерла, ничего подобного не случилось бы. Но при мысли об этом он только заплакал еще горше. Он так тосковал по Лиз, что каждый вдох давался ему с трудом, а оттого, что у него остались ее дети, жизнь казалась еще более невыносимой. Все теперь изменилось... и дом... и дети... и еда... и белье после стирки сложено иначе... Жизнь утратила знакомые очертания и никогда больше не станет прежней. Он сидел за столом и плакал. Впервые за все время он ощутил эту потерю с такой остротой. И впервые понял, что Лиз уже не вернется. Никогда.

Глава 32

Слушание назначили на двадцать первое декабря, отодвинув другие дела, потому что вопрос стоял об опекунстве. Дело об угоне машины явно замяли, в результате чего о нарушении условий досрочного освобождения не могло быть и речи. Владельцы машины забрали заявление, поскольку сами они, как удалось выяснить Винтерсу, занимались торговлей наркотиками, и Чендлер Скотт преспокойно вернулся в Штаты.

Он появился в зале суда, и Берни отметил, какой спокойный и респектабельный у него вид. Сам Берни надел синий костюм с белой рубашкой и отправился в суд вместе с Биллом Гроссманом. Дети остались дома с няней Пиппин и чернокожим телохранителем. Глядя на них утром, Берни тихонько ухмыльнулся: светлокожая няня крохотного роста, ее синие глаза, британская сдержанность и практичная обувь, а рядом с ней огромный, грозного вида негр с белоснежной улыбкой, видя которую сразу можно было понять, что он совсем не страшный. Он часто играл с Джейн в прыгалки, брал Александра на руки и подкидывал его в воздух, а однажды проделал то же самое и с няней под радостный смех детей и самой миссис Пиппин. Он появился в доме по весьма печальной причине, но его присутствие было приятно всем. Его звали Роберт Блейк, и Берни проникся к нему глубочайшей благодарностью.

Но, оказавшись в зале суда, Берни уже не смог думать ни о чем, кроме Скотта и собственной ненависти к этому человеку. Слушание проводил тот же самый судья, замены быть не могло, поскольку разрешением семейных конфликтов занимался только он. Этому седовласому человеку с сонным взглядом и приветливой улыбкой казалось, что все на свете любят друг друга или могут полюбить, если чуть-чуть постараются.

Он пожурил Скотта за «слишком рьяную и преждевременную попытку провести побольше времени с дочкой». Берни чуть было не вскочил с места, и Гроссману пришлось силой удержать его. Затем судья обратился к Берни с призывом понять, как нестерпимо хочется отцу побыть вместе с родной дочкой. На этот раз Билл не успел заткнуть Берни рот.

— Ваша честь, это нестерпимое желание отсутствовало на протяжении девяти лет, а теперь вылилось в требование миллиона долларов за благополучное возвращение девочки домой, и при этом...

Судья благодушно улыбнулся Берни.

— Мистер Файн, я уверен, что это была просто шутка. Пожалуйста, сядьте на место.

Пока шли прения сторон, Берни сидел, думая, что вот-вот заплачет. Накануне он звонил матери, чтобы рассказать ей обо всем, и она сказала, что судьи третируют его потому, что он еврей. Но Берни знал, что дело не в этом. Его третируют потому, что он не родной отец Джейн, хотя это не имеет ни малейшего значения. Все заслуги Чендлера Скотта сводились к тому, что он спал с матерью Джейн и та забеременела от него. Это оказалось его единственным вкладом в жизнь и благополучие Джейн, в то время как Берни стал для девочки всем на свете. Гроссман, не жалея сил, пытался втолковать это судье.

— Мой клиент глубоко убежден в том, что финансовое положение мистера Скотта и особенности его характера не позволяют ему на данный момент взять на себя заботу о ребенке. Возможно, через некоторое время, ваша честь... — Берни снова было рванулся с места, но остановился, заметив обращенный к нему взгляд Билла. — Мистер Скотт неоднократно преступал закон и на протяжении нескольких лет не имел постоянной работы. Помимо этого, нам удалось выяснить, что в настоящий момент он проживает в низкопробной гостинице в Ист-Оук. — Скотт слегка заерзал на стуле.

— Это действительно так, мистер Скотт? — улыбаясь, спросил судья, которому очень хотелось услышать, что на самом деле Скотт — прекрасный отец, и тот постарался угодить ему:

— Не совсем, ваша честь. Я жил на деньги, завещанные мне родственниками. — Он снова попытался скрыться за маской респектабельности, но Гроссман поспешил разрушить всяческие иллюзии.

— Вы можете доказать это, мистер Скотт? — спросил он.

— Разумеется... К сожалению, эти деньги уже кончились. Но с этой недели я начинаю работать в банке «Атлас».

— Это с его-то судимостями? — шепнул Берни Гроссману.

— Не волнуйтесь. Мы потребуем, чтобы он предоставил доказательства.

— А вчера я снял квартиру в городе. — Скотт бросил торжествующий взгляд на Гроссмана и Берни, а судья кивнул. — Разумеется, я далеко не так богат, как мистер Файн, но, по-моему, для Джейн это не так уж и важно.

Судья снова закивал и поспешил выступить в поддержку Чендлера:

— В данном случае материальные блага отнюдь не самое главное. К тому же я совершенно уверен, что вы позволите мистеру Файну регулярно навещать Джейн.

Берни похолодел от ужаса, подался в сторону Гроссмана и шепотом спросил:

— О чем он говорит? Что значит — мне позволят регулярно навещать Джейн? Он в своем уме?

Гроссман помедлил, а затем спросил судью, пришел ли он к решению. Тот попросил Билла подождать минутку и обратился с речью ко всем присутствующим:

— Ни у кого не вызывает сомнений тот факт, что мистер Файн любит свою приемную дочь, но главное для нас не это, ведь, если у ребенка нет матери, ему необходимо присутствие родного отца. К сожалению, миссис Файн скончалась, и теперь Джейн надлежит жить не с кем-нибудь, а со своим отцом. Суд понимает, насколько тяжела разлука с девочкой для мистера Файна, поэтому мы не будем считать этот вопрос решенным окончательно до тех пор, пока не увидим, как скажется на всех наше решение. — Судья благожелательно взглянул на Скотта, и Берни почувствовал, что его бьет дрожь. Он все-таки подвел ее. Он не сдержал обещания, данного Лиз. И теперь теряет Джейн. Он подумал, что это все равно, как если бы ему отрезали руку. Хотя последнее было бы даже лучше. Он с радостью согласился бы пожертвовать рукой или ногой, лишь бы сохранить Джейн, но никто не предложил ему такого выбора. Судья посмотрел на Скотта, на Берни, на обоих адвокатов и перешел к заключительной части: — Таким образом, мы передаем опекунство Чендлеру Скотту с обязательной оговоркой: Бернард Файн сохраняет за собой право регулярно посещать Джейн, скажем, раз в две недели. — У Берни от изумления открылся рот. — Мистеру Скотту надлежит явиться за девочкой к месту ее проживания через сорок восемь часов, то есть в полдень двадцать третьего декабря. Я полагаю, что неожиданная поездка в Мексику свидетельствует лишь о том, что мистеру Скотту не терпится зажить нормальной жизнью вместе с дочерью, и суд желает как можно скорее предоставить ему такую возможность.

Услышав удар судейского молоточка, Берни впервые в жизни оказался на грани обморока. Он побелел как полотно и сидел, опустив голову и уставясь в стол. Перед глазами все поплыло, и у него возникло такое ощущение, как будто Лиз только что умерла снова. Ему послышался ее голос и слова: «Поклянись мне, Берни... поклянись, что никогда близко не подпустишь его к Джейн...»

— Вам плохо? — Поглядев на Берни, Гроссман испугался. Склонившись над ним, он подал знак секретарю суда, чтобы тот принес воды. Они сунули Берни помятый бумажный стаканчик с тепловатой водой, он отпил глоток и слегка пришел в себя. Не проронив ни слова, он поднялся на ноги и следом за Гроссманом вышел из зала суда.

— У меня остались какие-нибудь варианты? Я могу потребовать обжалования этого решения? — Берни пребывал в каком-то шоке.

— Вы можете добиться очередного слушания, но Джейн придется жить с ним до этого времени. — Желая как-то разрядить атмосферу, Гроссман говорил спокойным тоном, но это ничему не помогло. Во взгляде Берни светилась ярая ненависть. Ненависть к Скотту, к судье, к системе законов. Возможно, она распространялась и на Гроссмана, но он подумал, что Билла не в чем упрекнуть. Это не правосудие, а пародия на него, и они тут бессильны.

— А если я не отдам ему Джейн двадцать третьего числа? — негромко спросил его Берни, когда они вышли из зала суда.

— Рано или поздно вас посадят в тюрьму. Но тогда ему придется прийти за девочкой в сопровождении шерифа.

— Отлично. — Плотно сжав губы, Берни посмотрел на своего адвоката. — У меня к вам просьба: когда придет время, внесите за меня залог, чтобы я смог оттуда выйти. И еще: когда он появится, я постараюсь откупиться от него. Ему хочется продать мне ребенка? Прекрасно, пусть только назовет цену.

— Берни, это дело скорей уладится, если вы отдадите ему Джейн, а потом уже вступите с ним в переговоры. Суд может отнестись с предубеждением к вашей...

— К черту суд! — рявкнул Берни. — И вы можете провалиться туда же. Всем вам глубоко плевать на мою дочку. Вам бы только не испортить отношения друг с другом, только бы все шло тихо-мирно. Но речь идет не о какой-нибудь ерунде, а о жизни моего ребенка, и я знаю, что для нее хорошо, а что нет. В один прекрасный день этот сукин сын убьет девочку, и я ничего от вас не дождусь, кроме соболезнований по этому поводу. Я говорил вам, что он ее похитит, и вы решили, что я не в своем уме. Но я оказался прав. А теперь я хочу предупредить вас: я не отпущу Джейн к нему в четверг. И если вам это не по вкусу, можете отказаться от ведения дела, мне плевать.

Гроссман от всей души пожалел Берни. Ситуация создалась чудовищная.

— Я просто хотел объяснить вам, как на это посмотрит суд.

— В суде все поставлено с ног на голову, и никого не волнуют чувства людей. То, что вы называете «судом», представляет ожиревший старик, который получил эту должность потому, что так и не сумел пробиться в адвокаты, и теперь он занимается тем, что портит жизнь другим людям, чувствуя себя важной шишкой. Его ни капли не взволновало то, что Скотт похитил Джейн, и если бы тот изнасиловал девочку, ему тоже было бы наплевать.

— Я сомневаюсь в этом, Берни. — Гроссман счел своим долгом выступить в защиту системы, частью которой он являлся и в которую верил. Однако возмущение Берни нельзя было назвать неоправданным, и это сильно угнетало Гроссмана.

— Вы сомневаетесь, Билл? А я нет.

Позеленев от злости, Берни направился к лифту, и Гроссман пошел следом за ним. Они молча спустились на первый этаж и двинулись к выходу. Берни повернулся к Гроссману:

— Поймите, пожалуйста, одну-единственную вещь. В четверг, когда он явится, я не отдам ему Джейн. Мы с Блейком встанем в дверях, и я велю ему убираться ко всем чертям, предварительно назначив цену. Я больше не поддамся ни на какие уловки. И на этот раз, получив деньги, он даст расписку по всем статьям. Прошлые ошибки кое-чему меня научили. И если я окажусь в тюрьме, освободите меня под залог или наймите мне другого адвоката. Вам все понятно?

Гроссман кивнул, и Берни зашагал прочь, не сказав больше ни слова своему юристу.

Вечером он позвонил родителям, и Руфь заплакала прямо в телефон. Кажется, им уже больше года не доводилось говорить о чем-нибудь приятном. Все началось с переживаний в связи с болезнью Лиз, когда Берни вполголоса сообщал матери об очередных событиях, а теперь темой всех разговоров служил кошмар, которым обернулась жизнь с появлением Скотта. Берни сообщил матери о своих намерениях, и та принялась всхлипывать в трубку, думая о внучке, которую у нее могут навсегда отобрать, и о сыне, который может угодить в тюрьму.

Бабушка с дедушкой собирались приехать к ним в пятницу, но Берни решил, что с этим лучше подождать. Уж больно напряженная создалась ситуация, и все из-за Скотта. Но когда он положил трубку на рычаг, няня Пиппин принялась убеждать его в обратном:

— Мистер Файн, пусть лучше бабушка приедет. Детям необходимо повидаться с ней, да и вам самому тоже. Эта встреча всех обрадует.

— А если меня к тому времени посадят в тюрьму?

Миссис Пиппин усмехнулась и с философским спокойствием пожала плечами.

— Видимо, тогда мне придется самой разделить индейку на порции.

Берни очень нравился ее шотландский выговор и добродушное чувство юмора. Похоже, этой женщине по плечу любые испытания, будь то хоть потоп, хоть голод, хоть чума.

В тот же четверг, укладывая Джейн в постель, Берни понял, как сильно она боится, что ее снова отдадут Скотту. В свое время он попытался втолковать это сотруднице суда, но она ему не поверила, а ее разговор с самой Джейн занял не то пять, не то десять минут, и она пришла к выводу, что девочка просто «робеет» перед родным отцом. На самом деле он вызывал у нее жуткий страх, и кошмары, которые приснились ей в ту ночь, оказались чудовищней всех прежних. В четыре часа утра, услышав ее крики, Берни и миссис Пиппин примчались к ней в комнату, и в конце концов Берни перенес ее к себе в постель, прилег рядом, держа ее за руку, но даже теперь, во сне, лицо ее оставалось встревоженным. Похоже, лишь Александра никак не затронули печальные события, посыпавшиеся на них с момента его рождения. Мальчик рос веселым, улыбчивым и уже начал говорить. И пока Берни жил в постоянной тревоге, боясь потерять Джейн, только сын немного скрашивал ему существование. В четверг утром он еще раз позвонил Винтерсу.

— Он и впрямь снял квартиру и переехал туда несколько дней назад вместе со своей подругой. С работой в банке «Атлас» что-то непонятное. Они говорят, что у них какая-то новая программа, позволяющая бывшим преступникам начать честную жизнь, согласно которой они его и наняли. Не думаю, чтобы работа была очень престижной, да он еще и не приступил к ней. По-моему, банк затеял очередную рекламную кампанию, чтобы продемонстрировать свою либеральность. Мы продолжаем заниматься этим вопросом, и, как только узнаем что-то новое, я вам позвоню.

Берни насторожило известие о том, что Скотт поселился в квартире вместе с подружкой. Он ничуть не сомневался, что при первом же удобном случае они исчезнут из города, прихватив с собой Джейн. Но Блейк проследит за тем, чтобы до этого не дошло. Боб с самого утра сидел в кухне, сняв пиджак, а в кобуре у него — увесистый пистолет тридцать восьмого калибра.

Александр все время показывал на него пальчиком и повторял: «Пиф-паф! Пиф-паф!», а няня неодобрительно хмурилась. Но Берни сам попросил Боба надеть кобуру с пистолетом. Ему хотелось, чтобы Скотт обратил на него внимание, когда он заявится на порог, а они откажутся выдать ему Джейн. Берни вовсе не намеревался проявлять любезность или учтивость. Дело приняло серьезный оборот.

Как и в прошлый раз, Скотт не явился к назначенному времени. Джейн спряталась у себя в спальне, а няня сидела с ней, пытаясь хоть немного отвлечь девочку.

Наступил час дня, а потом и два, но Скотт по-прежнему никак не давал о себе знать. Билл Гроссман, который отчаянно переживал все это время, наконец не выдержал и позвонил, и Берни сказал ему, что пока ничего нового не произошло. В половине третьего Джейн на цыпочках вышла из спальни, но Берни с Бобом Блейком по-прежнему продолжали сидеть в ожидании в гостиной, слушая, как тикают часы. Няня увела Александра с собой в кухню и взялась печь кексы.

— Он так и не приходил, — недоуменным тоном сказал Берни, когда Гроссман позвонил ему снова. — Маловероятно, чтобы он обо всем забыл.

— Может, он напился. В конце концов, Рождество уже на подходе... Не исключено, что у них на работе устроили предпраздничный ленч.

В пять часов няня принялась готовить обед, а Берни предложил Бобу пойти домой, но тот отказался и решил, что подождет, пока что-нибудь не выяснится. Что, если Скотт появится через десять минут после его ухода? Берни не стал спорить и пошел налить себе и ему немного выпить, а Джейн включила телевизор, чтобы посмотреть мультики или какую-нибудь интересную передачу, но по всем каналам шла программа новостей. И тут она увидела Скотта.

Его фигура показалась на экране. Сначала оператор включил замедленную съемку, затем стоп-кадр. Скотт стоял в помещении банка «Атлас», держа под прицелом группу посетителей и сотрудников. Потом его показали в движении: этот высокий светловолосый пригожий человек улыбнулся и нажал на курок. Лампа, рядом с которой кто-то стоял, разбилась вдребезги, и Скотт расхохотался. Джейн пришла в такой ужас, что не смогла ни вскрикнуть, ни позвать Берни. Когда они с Бобом вернулись в гостиную, прихватив с собой бренди, она молча ткнула пальцем в телевизор. Берни взглянул на экран и замер. Чендлер Скотт решил ограбить банк «Атлас» среди бела дня.

— Сегодня утром около одиннадцати часов в отделение банка «Атлас», расположенного в Саттер-энд-Мейсон, ворвался вооруженный грабитель, личность которого удалось установить лишь позже. Его сопровождала сообщница, чье лицо скрывала маска из надетого на голову чулка. Они вручили кассирше записку с требованием выдать им пятьсот тысяч долларов. — «Похоже, это заветное для него число». — Кассирша ответила, что такой суммы у нее нет, и тогда грабитель велел ей отдать ему все деньги, имеющиеся у нее в наличии.

Диктор ровным голосом продолжал рассказ, а на экране появились кадры заснятой в банке пленки. Кассирше удалось нажать на аварийную кнопку, и через некоторое время полиция окружила здание банка, но Скотт и его сообщница захватили в качестве заложников всех, кто в нем находился. Хотя грабители устроили, как выразился комментатор, «развеселую пальбу», никто из заложников не пострадал. Скотт велел работникам банка «пошевеливаться», а не то он опоздает на свидание, назначенное на двенадцать часов. Но к часу дня стало ясно, что им придется либо сдаться на месте, либо попытаться выбраться на улицу, прихватив для прикрытия кого-то из заложников. В конце концов они решили прорваться через заслон, открыв огонь, но их обоих пристрелили прямо на тротуаре у входа в банк. Полиция установила, что высокого блондина звали Чендлер Энтони Скотт или же Чарли Антонио Скиаво. Выяснилось, что в прошлом он имел ряд судимостей. Его сообщницей оказалась некая Энн Стюарт. Джейн смотрела на экран, раскрыв рот от изумления.

— Папа, это та самая женщина, которая была с нами в Мексике... ее звали Энни.

Она замерла, не в силах оторвать взгляд от телевизора, когда показывали лужу крови на тротуаре, в которой лежали вниз лицом Скотт и его подружка; машину «Скорой помощи», которая потом увезла трупы; заложников, выходящих из банка, и все это время было слышно, как где-то вдалеке на улицах распевают Рождественские гимны.

— Папочка, его убили. — Она повернулась к Берни, глядя на него широко раскрытыми глазами.

Чуть погодя он бросил взгляд на Роберта Блейка. Телевизионный репортаж ошарашил всех, и на мгновение в голову Берни закралась мысль: а может, это какой-нибудь другой человек по имени Чендлер Скотт? Но нет, просто все случилось так неожиданно... а теперь все их мучения остались позади. Он потянулся к Джейн, обнял ее и подал Бобу знак, чтобы тот выключил телевизор.

— Солнышко, мне очень жаль, что тебе пришлось столько пережить... но всему этому пришел конец.

— Он был ужасным человеком. — Джейн показалась ему совсем маленькой, и голос ее звучал тихо и грустно. Она не сводила глаз с лица Берни. — Хорошо, что мамочка ничего об этом не знает. Она бы очень рассердилась.

Ее слова вызвали у Берни улыбку.

— Да, очень. Но теперь все уже позади, малышка... все-все...

В это не так-то легко поверить, события развернулись крайне неожиданным образом, и теперь Скотт уже никогда больше не потревожит их покой. Никогда.

Немного погодя они позвонили бабушке с дедушкой и велели им вылетать как можно скорей. Берни обо всем рассказал прежде, чем передать трубку Джейн, но она поспешила сообщить все жуткие подробности.

— Бабушка, он лежал прямо на тротуаре, а вокруг натекла огромная лужа крови... нет-нет, честно... меня чуть не стошнило, ей-богу.

Но она заметно оживилась, и вид у нее стал, как у

самой обычной девочки. Берни известил о случившемся Гроссмана, а няня пригласила Боба Блейка пообедать с ними вместе, но ему не терпелось вернуться домой к жене. Они собирались сходить на рождественскую вечеринку. Берни, Джейн, няня и Александр сели за стол вчетвером. Внезапно Джейн вспомнилось, что еще до того, как умерла Лиз, они с дедушкой каждую пятницу зажигали по вечерам свечи. Ей захотелось сделать то же самое снова, ведь теперь для этого вдруг появилось время. У них целая жизнь впереди, и они всегда будут вместе.

— Папа, а можно, мы завтра зажжем свечки?

— Какие свечки? — спросил он, накладывая кусочки мяса ей на тарелку, и вдруг сообразил, что она имеет в виду. Ему стало неловко: он совсем позабыл об обычаях, которые его с детства приучали соблюдать. — Да, солнышко, конечно.

Он нагнулся и поцеловал Джейн. Няня заулыбалась, а Александр запустил пальцы в картофельное пюре. Как будто жизнь вернулась в обычное русло. И, возможно, в один прекрасный день это произойдет на самом деле.

Глава 33

Берни чуть ли не с содроганием думал о предстоящем посещении все того же зала суда, но событие, которое должно было там состояться, имело огромное значение для них обоих. И его родители прилетели специально затем, чтобы присутствовать при этом. Судья сказал Гроссману, что такие церемонии проводятся в зале. Речь шла об удочерении Джейн.

Они явились в мэрию, где их уже ждали заранее подготовленные документы. Судья, который впервые увидел Джейн, встретил ее приветливой улыбкой, а затем окинул взглядом всех родственников и членов семьи, явившихся вместе с ней. Среди них, конечно же, был Берни, его родители и няня в парадной синей форме с белым воротничком. Миссис Пиппин никогда не брала выходных и одевалась исключительно в безукоризненно чистые, тщательно наглаженные форменные платья, которые заказывала в Англии. Она нарядила Александра в синий бархатный костюмчик. Малыш весело лепетал и вскоре принялся снимать судейские книги с нижних полок и складывать их стопкой на полу, чтобы затем, встав на них, добраться и до верхних. Берни отвел сына в сторону, а судья с серьезным видом приступил к церемонии.

— Насколько мне известно, — сказал он, обратив взгляд на Джейн, — вы желаете, чтобы вас удочерили, а мистер Файн изъявил желание удочерить вас.

— Он — мой отец, — спокойно ответила девочка, и судья слегка растерялся и еще раз сверился с бумагами. Берни жалел, что это дело нельзя было поручить другому судье: он так и не смог забыть тот страшный декабрьский день, когда суд передал опекунство Скотту. Но никто не стал упоминать об этом, и все шло гладко.

— Н-да... сейчас, минутку. — Он еще раз просмотрел документы об удочерении и передал их Берни на подпись. Гроссман и родители Берни расписались в качестве свидетелей.

— А можно, я тоже подпишу бумаги? — спросила Джейн, не желая оставаться в стороне. Судья заколебался. Никто еще не обращался к нему с подобной просьбой.

— Э-э-э... Джейн... видите ли... в этом нет необходимости... Но если вам хочется, пожалуй, вы тоже можете поставить свою подпись.

Джейн с улыбкой посмотрела на Берни, затем перевела взгляд на судью.

— Если можно, мне хотелось бы это сделать.

Судья кивнул и передал ей одну из бумаг, и Джейн серьезно и старательно вывела на ней свое имя. Вслед за этим судья обратился ко всем присутствующим:

— В силу полномочий, переданных мне штатом Калифорния, я торжественно объявляю: согласно постановлению суда от двадцать восьмого января отныне и впредь Джейн Элизабет Файн является законной дочерью Бернарда Файна.

Послышался стук молоточка, судья поднялся на ноги и с улыбкой оглядел всех собравшихся. Берни пожал ему руку, несмотря на все горести, которые пришлось вынести по вине судьи. А потом Берни подхватил Джейн на руки, как делал, когда она была еще совсем маленькой, поцеловал ее и снова опустил на пол.

— Я люблю тебя, папочка, — прошептала она.

— Я тоже тебя люблю. — Он улыбнулся ей и подумал: «Как жаль, что Лиз не видит нас сейчас». И пожалел, что не сделал этого раньше, ведь тем самым они могли бы избавить себя от множества страданий. Чендлеру Скотту было бы не к чему прицепиться. Впрочем, какой смысл укорять себя теперь. Все уже позади, и с этого момента для них начинается новая жизнь. Теперь они самые настоящие отец и дочка. Заливаясь слезами, Руфь принялась целовать внучку, а Лу пожал руку Берни.

— Поздравляю, сынок.

Все это чем-то походило на свадьбу, и затем все, кроме няни и Александра, отправились в ресторан «Трейдер Викс». Пока остальные занимались изучением меню, Берни тихонько улыбнулся Джейн и взял ее за руку. Не говоря ни слова, он надел ей на пальчик золотое кольцо, изящный желтый ободок с жемчужиной. Джейн изумленно посмотрела на колечко, а потом подняла глаза на Берни.

— Какое красивое, папочка. — Они как будто обручились. И теперь никто и никогда не сможет их разлучить.

— Кто у нас красивый, так это ты, солнышко. А еще ты очень-очень храбрая. — Им обоим припомнились дни, проведенные в Мексике, но теперь они навсегда останутся лишь в области воспоминаний. Они сидели, не сводя глаз друг с друга и думая о Лиз. На лице Берни играла улыбка: какое счастье знать, что Джейн Элизабет Файн воистину твоя дочь.

Глава 34

Впервые за два года Берни вновь занялся импортом моделей и побывал в Париже, Риме и Милане. Тоска по Лиз вспыхнула в нем с новой силой. Он вспоминал о том, как они в первый раз вместе отправились в Европу, и тот восторг, который вызвало у нее посещение музеев и магазинов, их завтраки у «Фуке», обеды у «Липпа» и «Максима». Теперь все изменилось. Впрочем, работа осталась прежней, и он тут же принялся наверстывать упущенное время. Ему показалось, что он ужасно отстал от жизни. После того как Берни ознакомился с проектами моделей готовой одежды и побеседовал со своими любимыми кутюрье, он изрядно оживился и сумел сразу же определить, что именно нужно отобрать для «Вольфа» на предстоящий год. На обратном пути он задержался в Нью-Йорке, встретился с Полом Берманом в «Золотом теленке», где они подробно и неторопливо обсудили деловые планы за обедом. Берману очень понравились все идеи Берни, и ему очень хотелось, чтобы его возвращение в Нью-Йорк произошло поскорей. Найти ему замену пока не удалось, но Берман рассчитывал справиться с этой задачей к концу года.

— Бернард, тебя устраивает такой срок?

— Да, пожалуй. — Он уже не испытывал такого нетерпения, как прежде. Недавно он продал свою старую квартиру. Все равно теперь ему не уместиться в ней с семьей. А человек, которому он долгое время сдавал ее, изъявил желание приобрести квартиру насовсем. — Прежде чем вернуться, мне нужно будет подобрать школу для Джейн, но времени на это предостаточно. — Всякая необходимость куда-либо спешить отпала. У него не было причин рваться в Нью-Йорк, а с переездом не будет сложностей, он просто возьмет с собой детей и няню.

— Как только мы кого-нибудь подыщем, я сразу же дам тебе знать.

Найти подходящего человека на такую должность

совсем непросто. Берман было подобрал три кандидатуры, двух женщин и одного мужчину, но все они отличались некоторой ограниченностью взглядов. Им недоставало опыта и изысканного вкуса, которыми обладал Берни. А Берману не хотелось, чтобы их магазин в Сан-Франциско превратился в захудалый захолустный филиал фирмы, ведь стараниями Берни он приносил второй по величине доход, уступая лишь магазину в Нью-Йорке, что радовало не только Бермана, но и совет директоров.

Перед отъездом Берни забежал к родителям. Руфь предложила ему отправить детей на лето к ней.

— Ты не сможешь проводить с ними целые дни с утра до вечера, а в городе им будет нечем себя занять. — Руфь без всяких слов поняла, что они больше не поедут в Стинсон-Бич. Берни просто не вынес бы этого, но он не знал другого места, куда они могли бы переселиться на лето. С тех пор, как он переехал в Калифорнию, они с Лиз всегда ездили в Стинсон-Бич, а теперь, когда ее не стало, Берни пребывал в растерянности по этому поводу.

— Мама, я поразмыслю над этим, когда вернусь домой.

— Может быть, Джейн захочет провести каникулы в лагере.

Конечно, ей уже больше девяти лет, но Берни не хотелось расставаться с ней. Столько испытаний выпало на их долю за последнее время. Лиз умерла всего девять месяцев назад. Он пришел в полное смятение, когда Руфь завела разговор о дочери миссис Розенталь, которая недавно развелась и живет в Лос-Анджелесе, явно надеясь, что это вызовет у Берни какой-то интерес.

— Может, ты навестишь ее на досуге?

Берни уставился на мать, как будто та предложила ему прогуляться по улице в нижнем белье. Вдобавок он рассердился. Она не имеет права вмешиваться в его жизнь и уж тем более навязывать ему женщин.

— С какой стати?

— Она очень милая девушка.

— Ну и что? — Берни пришел в ярость. На свете

полным-полно милых девушек, но ни одна из них не идет ни в какое сравнение с Лиз, и у него не было ни малейшего желания знакомиться с ними.

— Берни... — Руфь набрала в легкие воздуха и ринулась в атаку. Она хотела поговорить с сыном на эту тему, еще когда была у него в гостях в Сан-Франциско. — Надо же тебе хоть где-то бывать.

— Я бываю в самых разнообразных местах.

— Я не об этом. Я имела в виду, с девушками.

Берни чуть было не велел ей заткнуться. Она разбередила совсем еще свежие раны, и ему стало невыносимо больно.

— Мне тридцать девять лет, и девушки меня не интересуют.

— Золотко, ты же понимаешь, о чем я говорю.

Она все никак не унималась, и Берни захотелось заткнуть уши. Платья Лиз по-прежнему висели в шкафу на своем месте, только аромат духов стал слабее. Время от времени он подходил к шкафу, чтобы вновь ощутить его и оживить в памяти дорогие его сердцу воспоминания, которые волной захлестывали его. Лежа ночью в постели, он нередко принимался плакать. «Ты еще совсем молод. Настало время подумать о себе». Берни едва удержался, чтобы не крикнуть: «Нет! Сейчас самое время думать о ней. Иначе я потеряю ее навсегда». А он по-прежнему пытался удержать ее, и всегда будет это делать. Он никогда не уберет ее вещи из шкафа. У него есть дети и воспоминания. И ничего, кроме этого, ему не нужно. И Руфь прекрасно знает об этом.

— Мне не хочется разговаривать на эту тему.

— Тебе пора хотя бы подумать об этом. — Руфь говорила очень ласково и мягко, но Берни разозлило то, что она его жалеет и пытается что-то навязать ему.

— Черт возьми, я все-таки имею право сам решать, о чем мне думать! — рявкнул он.

— Так что же мне сказать миссис Розенталь? Я пообещала, что ты позвонишь Эвелин, когда вернешься в Калифорнию.

— Скажи, что я не смог найти ее номер телефона.

— Не выдумывай... у бедняжки совсем нет никаких знакомых.

— Тогда зачем же она поселилась в Лос-Анджелесе?

— Она не знала, куда еще поехать.

— А чем ей не понравился Нью-Йорк?

— Она хотела сделать карьеру в Голливуде... знаешь, она очень хороша собой и до замужества работала манекенщицей у Орбаха. Ты пойми...

— Мама! Хватит! — Он сорвался на крик и тут же пожалел, что так грубо обошелся с матерью. Но время для подобных разговоров еще не настало и, возможно, не настанет никогда. Ему не хочется встречаться с женщинами. Нет. Никогда больше.

Берни вернулся в Сан-Франциско, и они устроили праздник по случаю дня рождения Александра, которому исполнилось два года. Няня пригласила маленьких друзей мальчика, с которыми он познакомился в парке, и сама испекла торт, от которого Александр пришел в неописуемый восторг. Изрядную часть своей порции он размазал по рукам и по лицу, но кое-что попало и в рот. Берни сфотографировал радостно улыбающегося, перепачканного шоколадом малыша, отложил фотоаппарат в сторону и не на шутку загрустил, жалея о том, что Лиз не может видеть сына. Он погрузился в воспоминания о том дне, когда Лиз родила Александра. Берни довелось присутствовать при появлении на свет нового живого существа, а несколько позднее пришлось увидеть собственными глазами, как человек уходит из жизни. Как трудно понять все это до конца. Вечером он поцеловал Александра, пожелал ему спокойной ночи и ушел к себе в комнату, с необычайной остротой ощущая собственную неприкаянность. Не отдавая себе отчета в своих движениях, Берни подошел к шкафу и распахнул дверцы. Закрыв глаза, он вдохнул аромат духов Лиз, и ему показалось, будто огромная волна со всей силой обрушилась на него.

В следующие выходные, не зная, чем еще заняться, он повез детей покататься. Джейн сидела рядом с ним на переднем сиденье, а няня с Александром устроились на заднем и тихонько переговаривались друг с другом. Берни решил отправиться в какие-нибудь новые места. Раньше, когда им случалось выезжать на такую прогулку, они кружили вокруг Марина, ездили в Парадайз-Кову возле Тибурона, или бродили в окрестностях Бельведера, или же лакомились мороженым в Саусалито. Но на этот раз Берни взял курс на север, туда, где находились винодельческие края, прекрасные, плодородные, полные живой и яркой зелени. А няня принялась рассказывать о своем детстве, проведенном на ферме в Шотландии.

— Тамошние места чем-то похожи на здешние, — сказала она, увидев из окошка большую молочную ферму. По краям дороги росли деревья с пышной листвой. Всякий раз, когда им встречались лошади, коровы или овцы, Джейн улыбалась, а Александр взвизгивал и кричал «и-го-го» или «му-у-у», вызывая всеобщий радостный смех. Края, в которые они попали, сильно походили на землю обетованную.

— Здесь красиво, правда, папа? — Джейн интересовало мнение Берни чуть ли не по любому поводу. После тревог, перенесенных по вине Чендлера Скотта, они сблизились еще сильней, чем прежде. — Мне тут очень нравится. — Порой она казалась старше своих лет. Берни с улыбкой посмотрел на нее, и взгляды их встретились. Эти места пришлись по душе и ему тоже.

Винокурни выглядели весьма внушительно, а викторианские домики, попадавшиеся им по пути, обладали своеобразным обаянием. И тут Берни подумал: лето совсем уже на носу, так не провести ли его в этих краях? Они совсем не похожи на Стинсон-Бич, и всем здесь понравится. Улыбаясь, он повернулся к Джейн и спросил:

— Как ты думаешь, не стоит ли нам как-нибудь провести тут выходные и получше присмотреться к этим местам? — Прежде он во всем советовался с Лиз, а теперь всегда испрашивал согласия у Джейн.

Она приняла эту идею с восторгом, няня вторила ей с заднего сиденья, а Александр все кричал:

— Коровка! А вот еще и еще! Му-у-у! — Им как раз повстречалось целое стадо.

В следующие выходные они остановились в гостинице в Юнтвилле. Все получилось как нельзя более удачно. Погода выдалась теплая и ясная, не было даже тумана, который порой окутывал Стинсон. Вокруг зеленели сочные травы, огромные деревья вздымались к небу, а виноградники поразили их своей красотой. На следующий день они нашли в Оуквилле замечательный дом, выстроенный в викторианском стиле, расположенный неподалеку от двадцать девятого шоссе на узкой извилистой дороге. Владельцы недавно отремонтировали его перед отъездом во Францию и хотели бы сдать вместе с мебелью на несколько месяцев, пока они не решат, вернуться ли им в будущем в долину Напа или нет. Владелец пансиона, в котором они остановились, подсказал Берни адрес этого дома. Увидев его, Джейн захлопала в ладоши, а няня заявила, что, живя в таком доме, можно преспокойно завести корову.

— Папа, а цыпляток? И козочку? — Джейн пришла в бурный восторг, и Берни расхохотался.

— Погодите, ребята, нам нужна не ферма, как у старика Макдональда, а всего лишь дом на лето.

Их устраивало в нем все без исключения. Перед тем, как отправиться в город, Берни созвонился с агентом, который занимался вопросами аренды, и сумма, которую он назвал, оказалась вполне приемлемой. Они смогут располагать домом с первого июня до Дня труда. Берни согласился на все условия, оформил договор об аренде, выписал чек, и они поехали в город, радуясь тому, что им будет где провести каникулы. Берни вовсе не хотелось отправлять детей к родителям, ведь он отчаянно скучал бы по ним. Он сможет ездить из долины Напа на работу и обратно, как прежде ездил из Стинсона. И дорога совсем ненамного длинней.

— Полагаю, поездка в лагерь отпадает окончательно, — сказал он Джейн и засмеялся.

— Отлично, — с довольным видом ответила она. — Мне совершенно туда не хотелось. Как ты думаешь, бабушка с дедушкой приедут к нам в гости? — Места в доме хватит, у каждого из них будет своя спальня, а вдобавок еще и комната для гостей.

— Я в этом абсолютно уверен.

Но Руфь встретила его идею в штыки. До моря слишком далеко, наверняка там будет жарко, на каждом шагу гремучие змеи, и дети куда лучше провели бы время с ней в Скарсдейле.

— Мама, им там очень понравилось. А дом и вправду замечательный.

— А как же ты будешь работать?

— Стану ездить туда и обратно. Вся дорога займет не больше часа.

— Лишние хлопоты. Только этого тебе и не хватало. Когда же ты наконец образумишься? — Ей очень хотелось еще раз сказать Берни, чтобы он позвонил Эвелин Розенталь, но она решила немного подождать. Бедняжке страшно одиноко в Лос-Анджелесе, и она подумывает о возвращении в Нью-Йорк, а из нее вышла бы неплохая жена для Берни. Конечно, не такая, как Лиз, но все же. И детей она любит. У нее их тоже двое, мальчик и девочка... Поразмыслив над этим, Руфь все же решила поговорить с Берни. — Знаешь, я сегодня звонила Линде Розенталь. Так вот: ее дочка все еще в Лос-Анджелесе.

Берни с трудом поверил своим ушам. Как она только может? А ведь в свое время уверяла, будто всей душой любит Лиз. Он рассвирепел:

— Я же говорил тебе. Меня это не интересует. — Он говорил крайне резко: при любом упоминании о других женщинах у него начинало ныть сердце.

— Ну почему же? Она такая славная. И...

Берни перебил мать и заорал во все горло:

— Я сейчас повешу трубку!

Как трудно разговаривать с ним на эту тему. Руфь стало жалко сына.

— Прости. Я просто думала...

— И совершенно зря.

— Наверное, для этого еще не пришло время, — со вздохом сказала она, но Берни разозлился еще сильней:

— И никогда не придет, мама. Мне ни за что не найти такой, как Лиз. — Внезапно на глаза ему навернулись слезы.

Руфь почувствовала в этот момент, что вот-вот заплачет:

— Нельзя же так к этому относиться, — мягко и грустно проговорила она, и по щекам ее потекли слезы. Она понимала, что он постоянно ощущает боль, и сознание этого было ей невыносимо.

— Нет, можно. Лиз была воплощением всех моих мечтаний, и второй такой мне не найти никогда. — Думая о ней, он перешел чуть ли не на шепот.

— Ты мог бы повстречать женщину, совершенно непохожую на нее, и полюбить ее, только совсем иначе.

Зная, насколько Берни чувствителен, она постаралась проявить как можно больше такта. Прошло целых десять месяцев, и она решила, что это достаточный срок, а он не согласен с ней.

— Ты бы хоть иногда выходил куда-нибудь проветриться. — Судя по словам миссис Пиппин, он проводил все свободное время дома с детьми, а это ему не полезно.

— Мама, мне не хочется. Мне куда веселей сидеть дома с детьми.

— Пройдет время, и они вырастут. Как вырос ты. — Оба улыбнулись. Но Руфь не осталась одна, у нее есть Лу, и на мгновение ей стало неловко.

— У меня есть еще целых шестнадцать лет. Пока что рановато беспокоиться об этом.

Руфь решила, что не стоит больше его донимать, и перевела разговор на дом, который Берни снял в долине Напа.

— Джейн очень хочется, чтобы ты приехала к нам летом в гости.

— Хорошо, хорошо... приеду.

А когда Руфь и в самом деле приехала к ним, ей там очень понравилось. Живя в таком месте, можно не заботиться о прическе, ходить по траве, валяться в гамаке, подвешенном в тени раскидистых деревьев, часами глядя в небо. По краю участка протекал ручей с каменистыми берегами, по которому можно было бродить, шлепая босыми ногами по воде, как делал в детстве Берни, когда они жили в горах Кэтскилл. Долина Напа многим напоминала ему о тех далеких днях, и Руфь тоже припомнились те времена. Она увидела, как дети играют, бегая по траве: заметила, какое делается у Берни лицо, когда он смотрит на них, и ей стало немного спокойней за сына. Руфь согласилась с Берни: жизнь в Оуквилле — как раз то, что им нужно, и дети повеселели, и сам Берни тоже.

Потом она улетела в Лос-Анджелес, чтобы встретиться с Лу: в Голливуде в это время проходил медицинский конгресс. А оттуда они должны были отправиться с друзьями на Гавайи. Она напомнила Берни о том, что Эвелин Розенталь по-прежнему живет в Лос-Анджелесе, и ей вполне можно позвонить. На этот раз он только рассмеялся. Женщины не вызывали у него интереса, но настроение у него стало получше, и он больше не кричал на мать.

— Ох, мама, ты опять за свое?

Руфь улыбнулась:

— Ну ладно, ладно.

В аэропорту она крепко расцеловала сына и в последний раз внимательно посмотрела на него. Он все так же высок и привлекателен, только за этот год в волосах у него прибавилось седины, морщинки вокруг глаз стали глубже, и взгляд печальный. С тех пор как умерла Лиз, прошел почти год, а он до сих пор горюет по ней. Но по крайней мере он перестал злиться. Он больше не сердится на нее за то, что она его покинула. Просто ему страшно одиноко. Ведь он потерял не только любимую женщину и жену, но и своего лучшего друга.

— Береги себя, родной, — шепнула ему Руфь на прощание.

— Ты тоже, мама. — Он еще раз обнял ее. Пока Руфь поднималась по трапу, он все стоял и махал ей рукой. За последние два года они стали гораздо ближе друг другу, но какой ценой им это далось. Страшно подумать, сколько страданий выпало на их долю за это время. Возвращаясь вечером в долину Напа, он думал об этом... о Лиз... До сих пор не верится, что ее нет... как будто она куда-то уехала и должна вернуться. Слово «никогда» не укладывается в голове. И когда Берни подъехал к дому в Оуквилле и поставил машину в гараж, его мысли по-прежнему занимала Лиз. Няня еще не легла спать и ждала его. Был уже одиннадцатый час вечера, и в доме царили покой и тишина. Джейн уснула у себя в постели за чтением «Черного красавчика».

— Мистер Файн, по-моему, Александр нездоров.

Берни нахмурился. Дети занимали главное место в его жизни.

— Что с ним? — Мальчику еще всего два годика, он совсем маленький, и у него нет мамы. Поэтому для Берни он всегда будет беззащитным малышом.

Няня призналась с виноватым видом:

— Боюсь, я напрасно разрешила ему так долго плескаться в воде. Когда я стала его укладывать, он жаловался на ушко. Я согрела масла и сделала компресс, но, похоже, он не помогает. Если к утру ему не станет лучше, придется отвезти его к доктору.

— Вы только не тревожьтесь, — с улыбкой сказал ей Берни. Миссис Пиппин отличалась редкой добросовестностью, и он благодарил небо за то, что она повстречалась им в нужную минуту. Воспоминания о садистке из Швейцарии и неряхе из Норвегии, которая все время таскала из шкафа вещи Лиз, до сих пор повергали его в дрожь. — Няня, у него все пройдет. Ложитесь спать.

— А вы не хотите попить на ночь теплого молока, чтобы вам лучше спалось?

Он покачал головой:

— Я засну и так.

Но миссис Пипин заметила, что на протяжении уже не одной недели он допоздна не ложится в постель и все бродит по дому, мучаясь бессонницей. Всего несколько дней назад исполнился год со дня смерти Лиз, и няня понимала, как ему тяжело. Зато Джейн перестали сниться кошмары. Впрочем, в ту ночь, уже под утро, послышались жалобные крики Александра. Берни едва успел прилечь, но тут же встал, надел халат и побежал в комнату к малышу. Няня уже взяла его на руки и попыталась укачать, но тщетно.

— У него болит ухо? — Она кивнула, продолжая баюкать ребенка. — Может, мне позвонить врачу?

Няня покачала головой:

— Боюсь, вам придется отвезти его в больницу. Ему очень больно, он не сможет терпеть так долго. Ох, бедолажка. — Малыш прильнул к ней всем телом, и она поцеловала его в лобик, в щечку и в макушку, а Берни опустился на колени и посмотрел на сына, при взгляде на которого у него становилось теплей на сердце, но в то же самое время оно сжималось от тоски, ведь мальчик очень сильно походил на свою маму.

— Ну что, наш великан захворал? — Алекс кивнул и перестал плакать, но ненадолго. — Давай-ка иди к папе.

Берни взял сына на руки. У Александра сильно поднялась температура, и легчайшее прикосновение к правой стороне головы вызывало невыносимую боль. Берни понял, что няня права. Придется отвезти его в больницу. Его лечащий врач сказал Берни имя доктора, к которому он сможет обратиться, если кто-то из детей заболеет. Берни отдал Александра няне и пошел одеваться. В ящике тумбочки он нашел карточку с номером телефона, под которым стояло — д-р М. Джонс. Он позвонил по этому номеру, и ему ответил диспетчер. Берни объяснил, в чем дело, и попросил соединить его с доктором Джонсом, но в ответ услышал, что доктора Джонса срочно вызвали в больницу.

— А нельзя ли нам подъехать туда? У моего сына очень сильные боли.

У Александра и раньше случались нелады с ушами, но укол пенициллина и заботливый уход, которым его окружали папа, сестра и няня, неизменно помогали.

— Сейчас узнаю. —Ждать не пришлось и минуты, и он услышал голос диспетчера: — Да, приезжайте, пожалуйста.

Ему объяснили, как добраться до больницы, а затем он отправился за Александром и усадил его в машину. Няне пришлось остаться дома с Джейн. Она закутала малыша в одеяло и дала ему плюшевого мишку. Мальчик так жалобно плакал, что у няни сердце разрывалось на части.

— Мне очень не хочется отпускать вас одних, мистер Файн. — Вечером и по ночам, когда няня уставала, ее шотландский акцент становился гораздо заметнее, и Берни это очень нравилось. — Но вы же понимаете, я не могу оставить Джейн. Вдруг она проснется и напугается? — Оба они знали, что Джейн стала намного пугливей после того, как Скотт похитил ее.

— Конечно, няня. Мы отлично справимся. И постараемся вернуться как можно скорей. — Часы показывали полпятого утра, и Берни хотелось побыстрей добраться до больницы, но на дорогу пришлось потратить двадцать минут, ведь путь от Оуквилля до города Напа далеко не самый близкий. Александр по-прежнему плакал, когда Берни принес его в бокс и осторожно усадил на столик. Мальчик зажмурился: освещение в боксе было невыносимо ярким, и тогда Берни присел на столик, взяв его на руки, чтобы укрыть от света. Дверь открылась, и в бокс вошла женщина, одетая в джинсы и свитер с высоким воротом. Берни заметил, что ростом она почти с него, что у нее очень приветливая улыбка, а волосы — иссиня-черные. «Как у индианки, — подумал он. — А глаза синие, как у Джейн... и у Лиз...» Спохватившись, он объяснил, что ждет доктора Джонса. Он не знал, кто эта женщина, но решил, что скорей всего это медсестра из бокса.

— А я и есть доктор Джонс, — с улыбкой ответила она. Голос у нее был мягкий и чуть хрипловатый. Он пожал ей руку и ощутил, какие у нее сильные прохладные пальцы. Несмотря на высокий рост и явный профессионализм, она излучала тепло и ласку. Что-то материнское и в то же время по-женски соблазнительное ощущалось в ее движениях. Она взяла у него Александра и стала осматривать больное ушко, при этом она все время что-то рассказывала мальчику, стараясь отвлечь его, а время от времени ободряюще поглядывала на Берни.

— К сожалению, одно ушко у него сильно воспалено, да и второе не совсем в порядке.

Она проверила ему нос и горло, ощупала животик, убедилась в том, что больше у него ничего не болит, а затем быстро и ловко ввела ему пенициллин. Александр заплакал, но вскоре притих, а доктор надула ему шарик и, предварительно спросив у Берни разрешения, дала ему леденец на палочке, который очень понравился мальчику, хотя чувствовал он себя не особенно хорошо. Сидя на руках у Берни, он задумчиво посмотрел на доктора. Улыбнувшись ему, она выписала рецепт с тем, чтобы Берни утром смог купить лекарство. Она велела на всякий случай давать ему антибиотики и принесла Берни две таблетки кодеина, сказав, что их нужно будет растолочь и дать ребенку, если боль до утра не пройдет.

— Впрочем, — добавила она, заметив, как у Алекса дрожит нижняя губа, — почему бы не сделать это прямо сейчас? Зачем ему мучиться?

Она ненадолго вышла и вернулась, держа в руке ложечку с белым порошком. Берни заметил, как волосы подпрыгивают у нее на плечах. Александр проглотил лекарство так быстро, что даже не успел возмутиться. Все это показалось ему веселой игрой. Потом он вздохнул, поудобней устроился на коленях у отца и принялся сосать леденец. А когда Берни заполнил формуляр, Александр уже спал. Берни улыбнулся и с уважением посмотрел на доктора. Такой теплый взгляд бывает лишь у добрых людей, которые любят детей.

— Спасибо вам. — Берни погладил сына по голове и снова перевел взгляд на врача. — Вы так замечательно с ним обращались. — Берни считал, что это важно, ведь сам он души не чаял в своих детях.

— Меня вызвали сюда час назад к ребенку, у которого тоже заболело ухо. — Она улыбнулась ему, думая, как приятно, когда детей привозит отец, а не усталая издерганная мать, которой некому помочь. Хорошо, что на свете есть мужчины, которым небезразличны их дети и не в тягость связанные с ними хлопоты. Но она ничего не сказала Берни. Может, он разведен, и у него просто не было иного выхода.

— Вы живете в Оуквилле?

Заполняя формуляр, он написал там адрес их летнего дома.

— Нет, вообще мы живем в Сан-Франциско. А сюда приехали на лето.

Она кивнула и улыбнулась, продолжая заполнять страховочный формуляр.

— Но родом вы из Нью-Йорка?

Он улыбнулся в ответ.

— Как вы догадались?

— Я сама выросла на Восточном побережье, в Бостоне. А по вашему выговору чувствуется, что вы из Нью-Йорка.

Он тоже отметил, что у нее бостонский выговор.

— Вы давно здесь живете?

— Четыре года. Я приехала сюда, когда поступила в Стэнфордский медицинский колледж, и уже не вернулась обратно. С тех пор прошло четырнадцать лет.

Ей исполнилось тридцать шесть лет, у нее прекрасное образование, и держится она превосходно. Она добра и умна, а в ее глазах мелькают смешинки, значит, у нее есть чувство юмора. А доктор Джонс задумчиво смотрела на Берни. Ей тоже понравился его взгляд.

— Тут очень приятные места, я имею в виду, в долине Напа. Знаете, — она отложила бумаги и взглянула на умиротворенное лицо спящего Алекса, — было бы неплохо, если бы вы показали его мне через пару дней. У меня есть приемная в Сент-Элене, и ехать туда ближе, чем в больницу. — Она знала, что детям неприятна больничная обстановка, и принимала их в больнице только в таких вот крайних случаях.

— Как хорошо, что вы совсем рядом. Детям в любой момент может понадобиться доктор.

— А сколько же их у вас? — «Возможно, именно поэтому мальчика привезла не мать, — подумала она. — Может, у них десять детей, и ей пришлось остаться с ними». Мысль об этом почему-то развеселила ее. Среди ее пациентов была одна женщина, мать восьмерых детей, которых она нежно любила.

— Двое, — ответил Берни. — Александр и девятилетняя дочка Джейн.

Она улыбнулась. Какой славный человек. А когда он говорит о детях, у него светлеет лицо. А так вид у него немного грустный, как у сенбернара, подумала она и тут же одернула себя. Он и в самом деле очень симпатичный. Ей понравилась его манера держаться... и борода... «Ну-ка, хватит», — велела она самой себе. Она еще раз объяснила Берни, как и что делать, а затем он отправился к выходу, неся Алекса на руках.

Собравшись уходить, врач со смехом сказала медсестре:

— Пожалуй, мне придется отказаться от ночных вызовов. Уж больно привлекательными начинают казаться папаши в такое время суток.

Медсестра тоже рассмеялась, прекрасно понимая, что это всего лишь шутка. Доктор Джонс очень серьезно относилась и к своим пациентам, и к их родителям. Попрощавшись с медсестрами, она вышла на улицу и направилась к своей машине. Она по-прежнему ездила на маленьком «Остин-Хили», который купила после окончания колледжа. Решив, что сегодня крыша ей ни к чему, она помчалась в Сент-Элену. По дороге обогнала путешествовавшего с более умеренной скоростью Берни и помахала ему рукой, а он помахал ей в ответ и успел заметить, как развеваются на ветру ее волосы. Что-то в ней очень ему понравилось, хотя он не понял, что именно. А когда Берни добрался до Оуквилля и свернул в проезд, ведущий к дому, над верхушками гор показалось солнце, и он почувствовал себя почти счастливым.

Глава 35

Спустя два дня Берни снова повез Александра к доктору Джонс. На этот раз они отправились в приемную, которая помещалась в светлом викторианском домике на краю города. Она работала там по очереди с другим врачом и жила в том же доме этажом выше. И снова ее манера обращаться с детьми произвела на Берни глубокое впечатление, и он заметил, что она все больше и больше нравится ему. Она надела белый накрахмаленный халат поверх свитера с джинсами, но вела себя с прежней непринужденностью и так же ловко и осторожно осмотрела мальчика, глядя на него с тем же теплом, и весело смеялась вместе со своим маленьким пациентом и его отцом.

— Ушки у него уже гораздо лучше. — Она улыбнулась Берни и сидевшему рядом с ней Александру. — Но купаться в бассейне тебе пока не стоит, дружок. — Она погладила Александра по голове, ероша ему волосы, и на мгновение Берни почудилось, будто его сын пришел не к врачу, а к маме, и что-то шевельнулось у него в душе, но он постарался тут же отмахнуться от этого ощущения.

— Мне нужно будет показать его вам еще раз? — Она покачала головой, и он понял, что ему хотелось бы услышать в ответ «да». Берни даже разозлился на самого себя. Она очень славная и умная и замечательно обращается с ребенком, но в этом нет ничего особенного. А если Александра понадобится еще раз отвезти к ней на прием, няня вполне может справиться с такой задачей, и всем будет куда спокойнее. Он поймал себя на том, что не может отвести глаз от ее блестящих черных волос, и ему это не понравилось. А эти синие глаза все время напоминают ему о Лиз...

— Думаю, не стоит возить его лишний раз. Но мне нужны ваши данные для картотеки. Напомните мне, сколько ему лет? — Она приветливо улыбнулась Бернарду, и он постарался держаться как ни в чем не бывало, как будто он думал о чем-то совсем другом. Главное, не смотреть на эти глаза. Они такие синие... совсем как у Лиз... Он собрался с силами и ответил на ее вопрос:

— Ему два года и два месяца.

— Общее состояние здоровья хорошее?

— Да.

— Все прививки сделаны вовремя?

— Да.

— Как зовут вашего лечащего врача?

Он назвал ей имя доктора. Разговор на такие темы

вести куда легче. Можно даже не смотреть на нее, если не хочется.

— Как зовут остальных членов семьи? — Она писала, продолжая улыбаться, а потом подняла на него взгляд. — Ваше имя Бернард Файн, не так ли?

Он понял, что она запомнила его имя с первого раза, и чуть было не заулыбался в ответ.

— Верно. И у Александра есть девятилетняя сестра по имени Джейн.

— Да, я помню.

Она выжидающе посмотрела на него.

— А еще?

— На этом все.

Они с Лиз были бы рады завести еще ребенка, а то и двоих, но не успели сделать этого прежде, чем у нее обнаружили рак.

— А как зовут вашу жену?

Лицо его помрачнело, и она тут же заподозрила, что он еще не оправился после крайне неприятного развода.

Но он покачал головой. Этот вопрос неожиданно причинил ему отчаянную боль, и он совершенно растерялся.

— Э-э-э... она... ее нет.

Врач удивилась. Он как-то странно выразился, и взгляд у него стал тоже странный.

— Где нет?

— Ее нет в живых. — Он произнес эти слова едва слышным голосом, и тогда доктор поняла, как ему тяжело, и от души пожалела его. Смерть близкого человека — это страшный удар, от которого крайне трудно оправиться.

— Простите меня, пожалуйста... — Она приумолкла и посмотрела на малыша. Ужасная трагедия для всей семьи, а особенно для девочки. Алекс еще совсем маленький и ничего не понял. А у его отца такой расстроенный вид. — Мне не следовало спрашивать об этом.

— Ничего страшного. Вы же не знали.

— А как давно это случилось? — Наверное, не очень, ведь Александру всего два года. Она взглянула в лицо Берни и почувствовала, что сердце у нее заныло от боли за них всех, а на глаза навернулись слезы.

— В июле прошлого года.

Она поняла, что ему невыносимо говорить об этом, и перевела разговор на другую тему, продолжая заполнять карточку. На душе у нее стало тяжело и, когда они ушли, легче не стало. Бедный, он так расстроился, когда речь зашла о его жене. Мысли о нем преследовали ее весь день, а потом она неожиданно повстречала его на той же неделе в супермаркете. Александр, как обычно, сидел в корзинке, а Джейн стояла рядом с Берни. Она о чем-то торопливо говорила отцу, а малыш кричал во все горло: «Жвачка! Папа, жвачка!» — и размахивал руками. Доктор Джонс чуть было не столкнулась с ними, но вовремя остановилась и заулыбалась. Оказывается, они вовсе не такие грустные, как она предполагала. Честно говоря, вид у них вполне счастливый.

— Ну, здравствуйте, как поживает наш малыш? — Она посмотрела на Александра, а затем на Берни и поняла, что он рад этой встрече.

— Ему уже гораздо лучше. Наверное, антибиотики помогли.

— Он ведь еще продолжает их принимать? — Ей казалось, что курс еще не закончен, хотя вспомнить точно она не смогла.

— Да. Но он уже пришел в себя.

Улыбающийся Берни показался ей немного усталым, но отнюдь не унылым. Он пришел в магазин в шортах, и она заметила, какие красивые у него ноги, хотя изо всех сил старалась не разглядывать его чересчур пристально. Он очень привлекательный человек. Но и сам Берни успел хорошенько ее рассмотреть. Она опять в джинсах, а еще на ней синяя рубашка и красные сандалии, а чистые черные волосы так и сияют. На ней не было врачебного халата, и Джейн не догадалась, кто она такая. Когда Берни наконец представил их друг другу, Джейн осторожно протянула ей руку, словно опасаясь чего-то, и посмотрела на нее крайне подозрительно. Девочка решилась упомянуть о встретившейся им женщине, лишь когда они вернулись в машину:

— Кто это был?

— Доктор, к которому я недавно возил Алекса. —

Берни старался говорить как ни в чем не бывало, но у него возникло такое ощущение, будто он снова стал маленьким и разговаривает не с дочкой, а с собственной матерью. Он даже рассмеялся такому разительному сходству ситуаций. Руфь задала бы ему точно такой же вопрос.

— А почему ты возил его именно к ней? — Он сразу догадался о том, что кроется за этими словами, но никак не мог взять в толк, чем врач так не понравилась девочке. Ему и в голову не пришло, что она ревнует.

— Перед отъездом я заглянул к доктору Воллаби, и он дал мне ее номер телефона на случай, если кто-то из вас внезапно заболеет, как и случилось с Алексом. И я очень рад, что мы попали к ней. Она тут же согласилась принять нас в больнице прямо посреди ночи. Собственно говоря, она выехала туда раньше нас по вызову другого больного, что явно свидетельствует в ее пользу. — Он чуть не добавил, что она закончила Стэнфордский колледж.

Джейн что-то пробурчала в ответ и больше ни о чем не стала спрашивать. Но спустя пару недель доктор повстречалась им снова, и Джейн полностью ее проигнорировала, даже не откликнувшись на ее приветствие. Когда они устроились в машине, Берни с упреком сказал дочке:

— Знаешь, ты очень некрасиво себя вела.

— Не понимаю, что в ней такого замечательного.

— Замечательно то, что она доктор, и тебе может понадобиться ее помощь. А кроме того, она не сделала тебе ничего плохого, и у тебя нет причин так грубо с ней обращаться.

К счастью, хоть Алекс обрадовался, увидев среди супермаркета своего доктора, и тут же закричал: «Привет!» Он успел запомнить ее, а врач принялась тормошить и забавлять его, а потом вытащила из кармана леденец. Она сказала, что ее зовут доктор Мег. Она предложила леденец и Джейн, но та отказалась. Доктор восприняла это как нечто само собой разумеющееся и оставила Джейн в покое.

— Просто не надо ей грубить, солнышко, вот и все.

Джейн стала такой чувствительной. То ли это такой возраст, то ли она до сих пор с невероятной силой тоскует по Лиз. Няня Пиппин решила, что скорей всего сказывается и то, и другое, и Берни показалось, что она права. Няня служила им надежной опорой в жизни, и Берни проникся к ней глубочайшим уважением.

В следующий раз он встретился с Меган только в День труда, когда, поддавшись на уговоры, пришел на вечеринку. Он не бывал в гостях уже почти три года, с тех самых пор, как Лиз заболела. Но агент по операциям с недвижимостью, который оформлял ему бумаги на аренду дома, так долго зазывал его к себе на праздник, что Берни решил зайти хоть ненадолго, чтобы не обидеть его. Он почувствовал себя как ребенок, только что переехавший в незнакомый город и не успевший ни с кем свести дружбу. Он едва вышел из машины, как сразу понял, что слишком старательно разоделся. Гости пришли в джинсах и футболках или в шортах и майках, а он надел белые брюки и бледно-голубую рубашку. Такой наряд оказался бы уместен на Капри или в Беверли-Хиллз, но никак не в долине Напа, и когда хозяин дома налил ему пива и спросил, куда он собирается пойти потом, Берни стало неловко.

Но он лишь рассмеялся и пожал плечами. «Наверное, просто на мне сказались долгие годы работы в магазине модной одежды». И тогда агент по операциям с недвижимостью отвел его в сторону и спросил, не хочет ли он продлить срок аренды. Владельцы дома решили пожить в Бордо подольше, и им очень бы хотелось, чтобы дом остался в прежних руках.

— Честно говоря, Фрэнк, я совсем не против.

Его ответ обрадовал агента, и он предложил Берни продлевать контракт каждый месяц и заверил его, что осенью, когда листва на деревьях меняет цвет, долина становится еще прекрасней.

— Да и зимой тут неплохо. Вам будет приятно иметь возможность приезжать сюда в свободное время, да и плата не такая уж высокая. — Коммерсант всегда остается коммерсантом, и Берни улыбнулся, думая про себя, как бы поскорей улизнуть с вечеринки.

— Мне кажется, условия вполне приемлемые.

— Фрэнку удалось продать вам винокурню? — послышался знакомый голос и звонкий смех, похожий на треньканье серебряных колокольчиков.

Берни обернулся и увидел блестящие черные волосы и синие глаза, повергавшие его в растерянность при каждой их встрече. Меган Джонс показалась ему очень хорошенькой. Он заметил, как сильно она загорела. На фоне темной кожи синие глаза выглядели еще ярче. Она пришла на вечеринку в белой крестьянской юбке, красной цыганской кофте и белых сандалиях. Внезапно он осознал, как она красива, и ему стало не по себе. Куда легче представлять ее себе в джинсах и белом халате. Она стояла совсем рядом, и взгляд его скользнул по смуглым гладким плечам, хотя он изо всех сил старался смотреть прямо ей в глаза. Но и это давалось ему с трудом, ведь эти глаза всякий раз напоминали ему о Лиз. И все же у Меган они другие. Смелее, старше и мудрей. Они с Лиз разные люди. В ее взгляде сквозит сочувствие к ближним, отчего она кажется старше своих лет, но если врач склонен проявлять участие к больным, это прекрасно. Он попытался отвести взгляд от ее лица и с изумлением обнаружил, что ему это никак не удается.

— Мы с Фрэнком только что продлили арендный договор. — Он говорил спокойно и неторопливо, и Меган подметила, что улыбка появляется у него только на губах, а во взгляде читаются все те же печаль и сдержанность, и немая просьба к окружающим: не подходите слишком близко. Боль утраты слишком свежа, и он еще не в силах поделиться с кем-нибудь своим горем. Мег без труда догадалась об этом, пока стояла, глядя на него и думая о его детях.

— Значит, вы решили остаться здесь? — с интересом спросила она, попивая белое вино, изготовленное в долине Напа.

— Думаю, мы будем приезжать на выходные. Детям тут очень нравится, а Фрэнк говорит, что здешние места красивы осенью, как никогда.

— Это правда. По этой причине я и поселилась

здесь. Это единственное место в Калифорнии, где бывает настоящая осень. Листва меняет цвет, совсем как в восточных штатах, и когда все в долине становится красным и желтым, наступает дивная пора.

Он старался сосредоточить все свое внимание на ее словах, но видел лишь обнаженные плечи и синие глаза. Взгляд ее отличался невероятной глубиной, как будто ей хотелось сказать ему нечто куда более важное. Он почувствовал, что испытывает интерес к этой женщине. Уже давно, с первой их встречи.

— А почему вы не вернулись домой?

Она пожала плечами, и на прекрасной бронзовой коже заиграли блики. Берни нахмурился и потянулся за кружкой пива, пытаясь устоять перед силой, которая неотвратимо влекла его к Меган.

— Не знаю. Пожалуй, меня испугала мысль о том, что я всю жизнь проведу в атмосфере бостонской серьезности и респектабельности. — В глазах ее заиграли лукавые смешинки, и он услышал ее звонкий смех.

— Да, это свойственно жителям Бостона. Весьма и весьма, если говорить честно.

Меган очень понравилась его манера вести беседу, и она решила рискнуть и задать ему примерно такой же вопрос, несмотря на все, что ей было известно о нем.

— А почему вы живете в Сан-Франциско, а не в Нью-Йорке?

— По прихоти судьбы. Дирекция фирмы, в которой я работаю, решила открыть здесь новый магазин и послала меня сюда. — Он улыбнулся, вспомнив о том, как это произошло, а потом взгляд его затуманился, ведь он задержался здесь потому, что Лиз заболела и умерла. — А потом я так и застрял в Сан-Франциско. — Их взгляды встретились, и Меган поняла, что кроется за его словами.

— Значит, вы решили остаться тут насовсем?

Он покачал головой и снова улыбнулся ей.

— Думаю, мы уедем отсюда довольно скоро. В течение будущего года я рассчитываю перебраться в Нью-Йорк. — Его ответ огорчил ее, и, сам того не желая,

Берни обрадовался этому. И вдруг почувствовал, что совсем не зря пришел на вечеринку.

— А как отнесутся к переезду дети?

— Не знаю. — Берни посерьезнел. — Видимо, Джейн придется нелегко. Она живет здесь с самого детства, и ей придется привыкать к новой школе и заводить новых друзей.

— Она справится с этим. — Меган пристально посмотрела на Берни, жалея, что так мало знает о нем. Такие люди, как он, вызывают интерес, и хочется узнать, откуда они родом и каковы их планы. Крайне редко доводится встречать мужчин, в которых столько силы и тепла, которые очень твердо стоят на ногах, но никого не подпускают близко к себе. После разговора, состоявшегося у нее в приемной, она поняла, что тому причиной. Ей очень хотелось пробиться сквозь эту броню отчужденности, вызвать его на откровенность, но она не знала, как к нему подступиться.

— А как называется фирма, которая направила вас сюда?

— «Вольф», — скромно сказал он, как будто речь шла о небольшом магазинчике.

Меган широко раскрыла глаза и рассмеялась. Теперь понятно, почему он так одевается. У него врожденное чутье, свойственное тем, кто ежедневно имеет дело с высокой модой, и при этом крайне мужественный стиль, которому он следует подсознательно и который понравился Меган. Собственно говоря, ей понравилось в нем многое.

Она сказала с теплой улыбкой:

— Это замечательный магазин. Примерно раз в несколько месяцев я захожу туда хотя бы затем, чтобы покататься на эскалаторе и, роняя слюнки, посмотреть на все вокруг. Но когда живешь в долине Напа, подобная возможность возникает лишь изредка.

— Такая же мысль пришла мне в голову этим летом, — задумчиво сказал он и вдруг оживился, словно собираясь поделиться с ней тайными замыслами. — Мне всегда хотелось открыть магазин в краях, похожих на эти. Простой и небольшой провинциальный магазинчик, в котором можно приобрести что угодно, будь то сапоги для верховой езды или вечернее платье, но чтобы это были очень красивые вещи самого лучшего качества. Людям, которые живут здесь, некогда ездить в город за сто миль отсюда ради того, чтобы купить привлекательный наряд, огромный универмаг оказался бы здесь как-то не к месту, а вот маленький уютный магазинчик — как раз то, что надо... правда? — Говоря об этом, он весь загорелся, и его увлеченность передалась и Меган. Эта идея показалась ей замечательной. — Всего понемножку, — продолжал он, — но только самое лучшее. Можно купить один из викторианских домиков и открыть в нем магазин. — Чем дольше он думал об этом, тем большее воодушевление вызывала у него подобная затея. Он рассмеялся. — Мечты, мечты. Видимо, стоит раз заделаться коммерсантом, и мысли о торговле будут преследовать тебя повсюду.

Слушая смех Берни, Меган улыбнулась. Ей понравилась оживленность, с которой он говорил на эту тему.

— Почему бы вам и впрямь не осуществить вашу идею? Здесь совсем нет магазинов, если не считать пары унылых универмагов, в которые и заходить-то не хочется. А деньги у здешних жителей имеются, ведь это винодельческий край, хотя особенно состоятельные люди появляются тут в основном летом.

Он прищурил глаза, а потом покачал головой. Этот план уже давно созрел у него в голове, но решиться на подобный шаг он так и не смог.

— Боюсь, мне не хватит на это времени. К тому же мы скоро уедем отсюда. Но помечтать приятно.

Он очень давно перестал мечтать о чем-либо или о ком-либо. Меган догадалась об этом. Ей понравилось разговаривать с ним, его идея показалась ей привлекательной. Более того, ей понравился он сам. Такой незаурядный человек. Порядочный, душевный, сильный. Он обладал мягкостью, присущей очень сильным людям, и эта черта пришлась по душе Меган.

Берни заметил, что у нее к поясу прикреплен маленький аппарат — пейджер, оповещающий о вызовах, и перевел разговор на ее работу, решив, что магазины — не самая подходящая тема, хотя она и вызвала у нее куда более сильный интерес, чем он мог предположить.

— Я дежурю по ночам четыре раза в неделю и веду дневной прием шесть дней в неделю. Это не дает мне скучать, хотя порой я не высыпаюсь и начинаю зевать при пациентах. — Оба рассмеялись, но ее слова произвели глубокое впечатление на Берни. Она, несомненно, всей душой предана своей работе, если отводит ей столько времени и готова в любой момент выехать по вызову. А еще он заметил, что Меган ограничилась всего лишь одним бокалом вина. — В этих краях не хватает не только магазинов, но и врачей тоже. — Она улыбнулась. — В радиусе двадцати миль отсюда нет других педиатров, кроме меня и моего напарника. Конечно, территория не так уж и велика, но порой случается наплыв пациентов, как, например, в ту ночь, когда вы приехали в больницу. Ваш вызов с жалобой на уши оказался третьим по счету. У одного из детей я побывала дома, а второй покинул больницу незадолго до вашего появления. При такой жизни редко удается спокойно посидеть дома.

Но Берни понял, что она не жалеет об этом. Она говорила о работе с довольной улыбкой, и было совершенно ясно, что Меган очень любит свою профессию. Когда заходила речь о ее работе, она тут же оживлялась. И ему очень понравилось, как она обращалась с Александром.

— А почему вы выбрали именно медицину? — Он всегда с уважением относился к врачам, но сам не испытывал тяги к подобному поприщу. Берни понял еще в детстве, что не пойдет по отцовским стопам.

— Мой отец — врач, — объяснила она. — Он работает в области акушерства и гинекологии, которая не слишком меня привлекает. Вот педиатрия — дело совсем другое. Мой брат — психиатр. А мама хотела стать медсестрой во время войны, но ей удалось лишь попасть в число добровольных членов Красного Креста. Видимо, склонность к врачебной деятельности у нас в крови. Она досталась нам по наследству, — заявила она и засмеялась вместе с Берни. Она не стала упоминать, что все они закончили Гарвард. Меган училась в колледже Рэдклифф, затем в Стэнфордском медицинском колледже и заняла второе место среди получивших диплом, но ей казалось, что это не имеет никакого значения. Работа занимала почти все время, она лечила больные уши, делала уколы, вправляла вывихи, прописывала микстуры от кашля, и дети, которых она очень любила, могли в любой момент обратиться к ней за помощью.

— Мой отец тоже врач. — Берни обрадовался тому, что между ними есть нечто общее. — Отоларинголог. Но мне не захотелось следовать его примеру. Честно говоря, когда-то я предполагал, что стану преподавать литературу в одной из школ Новой Англии. — Теперь эта идея показалась ему нелепой. Эпоха увлечения русской литературой закончилась давным-давно, и, вспомнив о своих прежних замыслах, он засмеялся. — Порой мне думается, что фирма «Вольф» спасла меня от участи, которая оказалась бы страшнее смерти. Я намеревался поступить преподавателем в маленькую школу в каком-нибудь сонном городке, но, слава богу, получил отрицательный ответ на все свои запросы, а не то к нынешнему времени я бы уже спился. — Мысль об этом показалась им обоим невероятно забавной. — Или повесился. Я считаю, что продавать людям обувь, меховые пальто и французские булки куда веселей.

Такое описание работы в фирме «Вольф» вызвало смех у Меган.

— Значит, вот каким вам видится ваше амплуа.

— Примерно. — Они посмотрели в глаза друг другу, чувствуя, что между ними необъяснимым образом возникла душевная близость.

Они все так же весело болтали, обсуждая магазин, когда пейджер издал сигнал вызова. Меган извинилась и пошла искать телефон, а вернувшись, сообщила, что ей нужно ехать в больницу.

— Надеюсь, случай не очень тяжелый. — Берни явно встревожился, но Меган улыбнулась в ответ. Ей все это не в новинку, и, похоже, она с радостью откликается на вызовы.

— Всего лишь шишка на голове, но на всякий случай надо на нее взглянуть. — Как он и думал, Меган оказалась внимательным, заботливым врачом. — Было приятно снова повидаться с вами, Бернард. — Она протянула ему руку, и, пожимая ее, Берни почувствовал, какая она прохладная и сильная. При этом она подошла чуть ближе, и он впервые ощутил аромат ее духов. В нем было нечто женственное и сексуальное, как и в ней самой, и при этом никакой навязчивости.

— Когда окажетесь в Сан-Франциско, заходите ко мне в магазин. Я лично продам вам французскую булку, чтобы доказать, что мне известно, где они лежат.

Меган засмеялась:

— Думаю, вам все же стоит открыть и в долине Напа магазинчик, о котором вы мечтаете.

— Я был бы счастлив сделать это.

Впрочем, это всего лишь мечта. И срок его пребывания в Калифорнии подходит к концу. На прощание они еще раз посмотрели в глаза друг другу, и Меган неохотно рассталась с ним, поблагодарила хозяина дома за прием и уехала. Берни услышал, как взревел мотор «Остин-Хили», а затем увидел ее черные волосы, развевающиеся на ветру. Вскоре он отправился домой, думая о Меган, гадая, встретятся ли они опять, с удивлением осознавая, как сильно она ему понравилась и до чего она хороша в этой цыганской кофте, которая не закрывает плеч.

Глава 36

Месяцем позже в дождливую субботу Берни по поручению няни поехал за покупками в Сент-Элену. Не успел он войти в скобяную лавку, как тут же натолкнулся на Меган, одетую в длинный желтый непромокаемый плащ и красные резиновые сапоги. Она повязала ярко-красный шарф поверх черных волос. Руки у нее, как и у Берни, были заняты множеством пакетов. Вначале Меган удивилась этой неожиданной встрече, а потом приветливо улыбнулась. За время, которое они не виделись, она не раз вспоминала о Берни, а теперь явно обрадовалась ему.

— Привет, как поживаете? — Глаза ее горели синим огнем, словно сапфиры, и Берни отметил, что смотреть на нее весьма приятно.

— Неплохо... как обычно... куча дел... А вы?

— Я слишком много работаю, — сказала она с довольным видом. — А как ваши детишки? — Она задавала этот вопрос всем, кто встречался ей по пути, но было заметно, что она спрашивает не просто так.

— С ними все в порядке. — Он улыбнулся, с превеликим удовольствием почувствовав себя юнцом.

В тот день Берни надел джинсы, видавший виды английский плащ, а на голову нахлобучил старую шляпу из твида. Стоя рядом с Меган под дождем, он вдруг прищурился.

— Можно пригласить вас на чашку кофе или вы куда-нибудь спешите? — Он помнил про пейджер, который она носила с собой, и про шишку на голове, которую она помчалась осматривать в День труда посреди вечеринки.

— Нет, мой рабочий день как раз закончился, и я с удовольствием выпью кофе.

Она взмахнула рукой, указывая на дверь кофейни, расположенной чуть дальше на той же улице, и Берни торопливо пошел следом за ней, недоумевая, зачем он пригласил ее. Каждая встреча с Меган доставляла ему удовольствие, и он негодовал на самого себя, потому что его тянуло к ней, но ему казалось, что это нехорошо. Ему не следует заводить с ней дружбу. Как обычно, ощущая неловкость, они сели за свободный стол. Меган заказала горячий шоколад, а Берни — капуччино. Откинувшись на спинку стула, он посмотрел на Меган. Поразительно, до чего она красива, хотя одета совсем неказисто. Меган была одной из тех женщин, которые на первый взгляд кажутся неинтересными, но потом постепенно начинаешь понимать, что это заблуждение: у них тонкие черты лица, необыкновенные глаза, удивительная кожа, и все это, вместе взятое, создает неповторимый облик, который, впрочем, лишен всякой броскости и завораживает глаз лишь по прошествии времени.

— Почему вы так на меня смотрите? — Ощутив на себе его пристальный взгляд, Меган решила, что у нее что-то не в порядке, но Берни улыбнулся и склонил голову набок.

— Удивляюсь тому, как прекрасно вы выглядите в этом плаще и резиновых сапогах. И вам очень идет красный шарф.

Меган зарделась румянцем, выслушав комплимент, а потом насмешливо ответила:

— Похоже, у вас испортилось зрение или вы перебрали спиртного. С самого детского сада я всегда была выше всех остальных сверстниц. Мой брат уверял, что мои ноги похожи на фонарные столбы, а зубы на клавиши фортепиано.

«А волосы на шелковые нити, а глаза на светлые сапфиры, а...» — Усилием воли Берни заставил себя отвлечься от этого потока сравнений и попытался сказать вслух что-нибудь менее поэтичное:

— Мне кажется, братья всегда так говорят. Конечно, мне трудно судить, ведь я был единственным ребенком в семье, но, по-моему, они всегда ужасно дразнят сестер, считая это своим главным призванием в жизни.

Эти слова живо напомнили ей времена детства, и она расхохоталась.

— Моему брату это отлично удавалось. Но я души в нем не чаю. У него шестеро детей. — Она задумчиво улыбнулась.

А Берни рассмеялся. Еще одна католичка. Руфь пришла бы в восторг. Мысль об этом показалась ему забавной. Да, Меган, безусловно, не похожа на дочь миссис Розенталь, манекенщицу, работавшую у Орбаха. Зато она — врач. Это понравилось бы и его отцу, и матери. Если бы дело дошло до знакомства. И тут он напомнил себе о том, что они всего лишь завернули в дождливый день в кафе попить горячего шоколада и кофе.

— Ваш брат — католик? — Если они к тому же еще и ирландцы, тогда понятно, откуда у нее такие черные полосы. Но в ответ Меган покачала головой и засмеялась.

— Нет-нет, он принадлежит к англиканской церкви. Просто они любят детей. Его жена говорит, что хотела бы родить целую дюжину. — Судя по ее тону, Меган им завидует. И Берни тоже ощутил легкую зависть.

— Мне всегда казалось, что замечательно иметь большую семью, — сказал он, когда им принесли горячие напитки. Поверх шоколада плавала шапка взбитых сливок. Отпив глоток кофе, Берни почувствовал, что к нему добавлено кипяченое молоко и мускатный орех. Он исподтишка глянул на Меган, задавая себе вопросы: что же она за человек, где она успела побывать и есть ли у нее собственные дети? Он вдруг понял, что почти ничего не знает о ней. — Вы ведь не замужем, Меган? — Ему казалось, что нет, но теперь он решил выяснить это наверняка.

— Знаете, когда работаешь по восемнадцать часов в сутки и дежуришь по ночам, времени на семейную жизнь просто не остается. — На самом деле это была лишь отговорка, и Меган очень любила свою работу. Внезапно она решила честно сказать ему обо всем. С ней произошло то же, что когда-то случилось с Лиз: она встретила мужчину, с которым не нужны никакие увертки, которому можно довериться и выложить все начистоту. — Много лет назад мы обручились с одним человеком, тоже врачом по профессии. — Она улыбнулась Бернарду, и он пришел в полнейшее замешательство, увидев ее открытый и доверчивый взгляд. — Когда он закончил аспирантуру, его послали во Вьетнам. А когда я сама поступила в аспирантуру, он погиб.

— Какая ужасная потеря для вас. — Его слова шли прямо от сердца. Он знал лучше, чем кто-либо другой, какую боль ей довелось испытать. Но для нее эта трагедия уже осталась далеко в прошлом. Она до сих пор тосковала по Марку, но уже не так мучительно. С тех пор, как умерла Лиз, прошло немногим больше года, и Берни еще воспринимал свою потерю с болезненной остротой. Но ему показалось, что Меган понимает его лучше других людей, ведь теперь выяснилось, что они собратья по несчастью.

— Да, удар оказался не из легких. Мы обручились за четыре года до этого и хотели подождать с женитьбой, пока я не закончу аспирантуру. Мы познакомились в Гарвардском медицинском колледже, где я проходила подготовительный курс обучения. Во всяком случае, — она отвела глаза, а затем снова посмотрела ему в лицо, — мягко выражаясь, мне показалось, будто весь мир вокруг меня перевернулся. Я хотела уйти из аспирантуры, но родители отговорили меня. Я даже подумывала о том, чтобы бросить всякие занятия медициной или найти работу в исследовательской области. Какое-то время меня швыряло из стороны в сторону. Но учеба в аспирантуре помогла мне прийти в себя, а потом я приехала сюда. — Она мягко улыбнулась Берни, словно желая объяснить ему, что можно пережить любую потерю, даже самую болезненную. — С тех пор, как он умер, прошло десять лет. Даже не верится. Видимо, за все эти годы у меня так и не нашлось времени на других мужчин. — Она покраснела и рассмеялась. — Конечно, порой у меня заводились поклонники. Но настоящей близости не возникло ни разу. Поразительно, правда? — Она вдруг удивилась тому, что все это случилось так давно. Кажется, только вчера они вместе уехали из Бостона. Меган поступила в Стэнфордский колледж, чтобы не расставаться с Марком, а потом провела все эти годы на Западе, потому что ей казалось, что там она как-то ближе к нему. А теперь ей уже не понять, как можно жить в Бостоне. — Иногда я жалею, что не вышла замуж и у меня нет детей. — Она отпила глоток шоколада, а Берни с восхищением посмотрел на нее. — Теперь уже, наверное, поздно, но, к счастью, у меня есть мои маленькие пациенты, которым очень нужна материнская забота и ласка. — Она говорила об этом с улыбкой, но Берни подумал, что такую замену трудно назвать полноценной.

— Это ведь не вполне то же самое, — мягко сказал он, глядя на Меган и удивляясь тому, что внезапно открыл в ней.

— Нет, конечно, но это утешает и поддерживает. А человек, который мог бы стать мне мужем, так и не встретился на моем пути. В большинстве своем мужчины не склонны связывать свою судьбу с женщинами, которые уделяют много внимания и сил своей работе. А растравлять себе душу из-за несбыточных желаний нет никакого смысла. Надо принимать жизнь такой, какая она есть, и радоваться ей.

Берни кивнул. Потеряв Лиз, он попытался привыкнуть к мысли об этом, хотя подобная задача оказалась на поверку крайне трудной. А теперь он встретил человека, с которым можно поделиться и который способен его понять.

— Когда я думаю о Лиз... о моей жене... мне тоже кажется, что такой, как она, мне уже больше не найти. — Он говорил так искренне, что его слова отозвались болью в сердце Меган.

— Другой такой, вероятно, нет на свете. Но вы могли бы повстречаться с женщиной, которая совсем на нее не похожа, если вы к этому готовы.

Берни покачал головой в ответ и почувствовал, что наконец-то обрел друга.

— Нет, не готов. — Меган оказалась первым человеком, которому он смог в этом признаться, и теперь у него стало легче на душе.

— То же самое было и со мной. Но со временем вы станете иначе смотреть на окружающих.

— Тогда почему же вы не вышли замуж во второй раз? — Его вопрос застал Меган врасплох, и она всерьез призадумалась.

— Видимо, у меня не возникло подобного желания. — Она говорила с полной откровенностью. — На мой взгляд, мы с Марком были идеальной парой. И я не встретила человека, который подходил бы мне во всех отношениях. Но, знаете, теперь мне кажется, что я заблуждалась. — До сих пор она не делилась этой мыслью ни с кем, а уж тем более с родными. — Я искала мужчину, который во всем походил бы на Марка. А ведь не исключено, что кто-нибудь совсем другой оказался бы таким же хорошим, а может, и куда лучшим мужем.

Я решила, что мужчина моей мечты непременно должен быть педиатром, который хотел бы работать в провинции, как я сама. Но возможно, я могла бы с успехом выйти замуж за юриста, за плотника или школьного учителя и к этому времени уже успела бы родить шестерых детей. — Она вопросительно взглянула на Берни. Его ответ прозвучал ласково и проникновенно:

— Знаете, Меган, еще не поздно так и сделать.

Она улыбнулась и откинулась на спинку стула, чувствуя себя более непринужденно. От напряжения и скованности не осталось и следа, ей нравилось разговаривать с Берни.

— Я уже сильно привыкла к своей нынешней жизни. Я самая настоящая старая дева.

— И отчаянно гордитесь этим. — Берни рассмеялся, он не поверил ее словам. — Знаете, вы мне очень помогли. Родные начали меня подзуживать, мол, пора бы мне начать с кем-нибудь встречаться, а я совершенно не готов к этому. — Таким образом он попытался объяснить Меган, какое смятение творится в его душе, все эти смутные и не вполне понятные желания, от которых он старался отмахнуться, и образы, всплывавшие в памяти при взгляде на нее, и воспоминания, которые повергали его в еще большее замешательство.

— Берни, не позволяйте никому распоряжаться вашей жизнью. Если время для этого придет, вы сами сделаете все, что нужно. Вам необходимо понять, чего вы хотите, и, когда это произойдет, вашим детям тоже станет легче. Как давно это случилось? — Она спросила его о том, сколько времени назад умерла Лиз, но на этот раз Берни нашел в себе силы ответить.

— С тех пор прошло чуть больше года.

— Подождите немножко.

Их взгляды встретились, и он спросил:

— А что потом? Что будет, если я так и не встречу второй такой женщины?

— Вы сможете полюбить другую. — Она подалась вперед и легонько прикоснулась к его руке. Берни подумал, что давно уже не встречал человека, столь богато наделенного душевной щедростью. — Вы имеете на это право.

— А вы? Ведь тогда выходит, будто у вас такого права нет?

— Вероятно, я просто им не воспользовалась... скорей всего, мне не хватило храбрости, чтобы заново отыскать свое счастье.

Берни оценил мудрость этих слов. Затем они заговорили о другом: о Бостоне и Нью-Йорке, о доме, который он снял в долине Напа, о напарнике, с которым работала Меган. Берни поведал ей даже о няне Пиппин, а Меган рассказала пару забавных историй о своих приключениях. Они прекрасно провели время, и Берни слегка огорчился, когда Меган сказала, что ей пора идти. Она собиралась поехать в Калистогу на обед к другу, и Берни ощутил внезапный укол любопытства: что это за друг? Мужчина или женщина? Они просто дружат или у них роман? Стоя под дождем, он увидел, как она взмахнула на прощание рукой и повела машину прочь, и ему вспомнилось ее признание: «Скорей всего мне не хватило храбрости, чтобы заново отыскать свое счастье...», и в мозгу его всплыл вопрос: сможет ли он когда-нибудь снова стать самим собой? Он завел двигатель и отправился домой, где его ждали дети и няня.

Глава 37

Когда по прошествии недели в кабинет Берни заглянула секретарша и сообщила, что его хочет повидать какая-то дама, голова его была занята совсем другими делами.

— Дама? — с удивлением спросил он, плохо представляя себе, кто бы это мог быть. — Что за дама?

— Не знаю.

Секретарша пришла в такое же недоумение, как и он сам. Женщины заходили к нему крайне редко, разве только представительницы прессы, сотрудницы Юниор-лиги, затевавшие время от времени показы мод, или работницы нью-йоркского филиала, присланные Полом Берманом. Но, в отличие от этой посетительницы, они заранее уговаривались о встрече. Как бы там ни было, секретарша отметила, что эта женщина весьма привлекательна и ее никак нельзя отнести ни к одной из вышеперечисленных категорий. Отличительные признаки сотрудниц Юниор-лиги — высветленные пряди волос, золотые серьги десятилетней давности и туфли, украшенные позолоченными цепочками, — начисто отсутствовали. У нее явно не было акульей хватки, присущей покупателям из Нью-Йорка и представителям прессы. И она совсем не походила на безвкусно одетую матрону, затеявшую благотворительное мероприятие. Она сияла чистотой и здоровьем, и хотя ее одежда не отличалась ни броскостью, ни сверхизысканностью, она выглядела вполне элегантно. Синий костюм, бежевая блуза из шелка, жемчужные сережки и синие туфли на высоком каблуке. И ноги у нее красивые, только вот ростом она высоковата. Пожалуй, совсем ненамного ниже Берни.

Он уставился на секретаршу, определенно не понимая, почему она ничего не может объяснить толком.

— Вы не спросили, кто она такая? — Секретарша обычно проявляла сообразительность, но, похоже, на этот раз растерялась.

— Она сказала, что пришла купить хлеба, мистер Файн... Я попыталась втолковать ей, что она ошиблась отделом, что здесь находятся кабинеты работников администрации, но она принялась уверять меня, будто вы сами ей велели...

Внезапно Берни прыснул, вскочил с кресла и на глазах у изумленной секретарши сам пошел к дверям. Распахнув их, он увидел Меган Джонс, одетую так изящно, что никому не удалось бы распознать в ней детского врача из провинции. Ни джинсов, ни белого халата. Он посмотрела на него с озорной улыбкой, и он улыбнулся в ответ.

— Вы до смерти напугали мою секретаршу, — негромко сказал он. — Как вы здесь оказались?.. Ну да, конечно... вы пришли за хлебом.

Секретарша деликатно скрылась за другой дверью, и Берни пригласил Меган к себе в кабинет. Войдя, она огляделась по сторонам. Обстановка подсказала ей, что Берни занимает высокую должность, и она преисполнилась уважением к нему. Опустившись в кожаное кресло, она повернулась к Берни, стоявшему возле письменного стола. Он очень обрадовался ее приходу.

— Что привело вас сюда, доктор? Помимо необходимости купить хлеба, разумеется.

— Приглашение старинной подружки по колледжу. Она бросила учебу, когда решила выйти замуж и завести детей. В свое время ее поступок показался мне неосмотрительным... а теперь я думаю иначе. У нее только что родился пятый по счету малыш, и я пообещала навестить ее. К тому же мне пора пополнить свой гардероб. На праздники я полечу домой, а если я заявлюсь туда в том виде, в каком расхаживаю по Напе, мама придет в ужас. Порой мне приходится напоминать себе о том, что в Бостоне принято одеваться несколько иначе. — Она застенчиво улыбнулась. — Мне надо хоть немного привести себя в порядок. Как правило, меня хватает дня на три, а потом я опять влезаю в джинсы. Но на этот раз я намерена постараться как следует. — Она взглянула на свой синий костюм, затем подняла глаза на Берни. — Сегодня я решила потренироваться. Как я выгляжу? — Он вдруг понял, что она не уверена в себе, и нашел трогательной такую робость в человеке, наделенном большими способностями.

— Все просто прекрасно. Вы очень элегантны и хороши собой.

— Если на мне нет джинсов, мне кажется, будто я голая.

— И белого халата... почему-то для меня ваш образ неразрывно связан с белым халатом или непромокаемым плащом.

Меган улыбнулась. Ей тоже было легче представить себя именно в такой одежде. А Берни всякий раз вспоминается ей одетым в голубую рубашку с открытым воротом и белые брюки, как на вечеринке в День труда. Но этот деловой костюм тоже к лицу ему. У него такой солидный вид... если бы она не знала, что он за человек, его облик показался бы ей чересчур внушительным.

— Хотите, устроим для вас ознакомительную экскурсию по магазину?

Меган заметила, сколько бумаг скопилось у него на столе, и догадалась, что он занят. Ей не хотелось отрывать его от дел, хотя поболтать с ним пару минут было очень приятно.

— Я вполне справлюсь сама. Просто забежала по пути к вам.

— Я очень рад. — Но ему не хотелось отпускать ее. — А когда у вас встреча с новорожденным и его мамой?

— Я обещала зайти к ним в четыре, если успею все купить к тому времени.

— Может, встретимся после этого и выпьем где-нибудь по рюмочке? — с надеждой спросил он. Иногда, общаясь с Меган, он чувствовал себя мальчишкой. Ему хотелось стать ее другом... а вместе с тем он желал чего-то большего... хотя нет... Он не мог понять, чего он ищет в ней, кроме дружбы. Но пока что рано беспокоиться на этот счет. Они друзья, и это в радость им обоим, и ничего иного она от него не ждет. Она с удовольствием приняла его приглашение.

— Давайте. Мне нужно вернуться в Напу только к одиннадцати часам, а до тех пор меня подменяет Патрик.

— А после одиннадцати вы выходите на дежурство? — Берни пришел в ужас. — Когда же вам удается поспать?

— Никогда. — Она весело улыбнулась. — Сегодня я просидела до пяти утра с пятимесячным малышом, который заболел крупом. К такому режиму тоже можно привыкнуть.

— Я бы так не смог, — простонал Берни. — Именно поэтому я работаю в «Вольфе», а не стал врачом, хотя об этом мечтала моя мать. Знаете, — он лукаво прищурился, — вы — предел мечтаний любой еврейской мамы. Будь вы моей сестрой, моя мать была бы бесконечно счастлива.

Меган рассмеялась:

— А вот моя мама умоляла меня не поступать в медицинский колледж. Ей хотелось, чтобы я стала медсестрой или учительницей, или, на худой конец, секретаршей. Чтобы я повстречала на работе какого-нибудь славного человека и вышла бы за него замуж.

Берни ухмыльнулся:

— Я уверен, что теперь она отчаянно гордится вами, разве нет?

Меган скромно пожала плечами:

— Когда как. По крайней мере стараниями брата у нее появились внуки, а не то она замучила бы меня своими жалобами. — Она бросила взгляд на часы и с улыбкой сказала Берни: — Пожалуй, мне пора. Где мы с вами встретимся?

— В «Этуаль» в шесть часов. — Эти слова вырвались у него непроизвольно, и он тут же принялся мысленно укорять себя. С тех пор, как умерла Лиз, он не водил туда никого, кроме матери. А потом махнул на все рукой. «Этуаль» — замечательное место, где можно посидеть и выпить, а Меган не из тех женщин, которых можно приглашать в какие-нибудь второразрядные заведения. Он подметил в ней врожденную изысканность манер и вкуса. Он понимал, что Меган — необычная женщина, она очень умна, она отличный врач и надежный друг.

— Тогда до встречи. — Задержавшись в дверях, она улыбнулась ему на прощание, и весь день после ее появления ему работалось как-то веселей.

В половине шестого он вышел из кабинета и не спеша купил французскую булку и флакон любимых духов Меган, а затем отправился в «Этуаль». Он вручил подарки Меган, когда они уже сидели за столиком друг против друга. Она изумилась.

— Господи, и все это мне? — И хотя она очень обрадовалась, Берни понял по ее взгляду, что она чем-то огорчена.

— Что-нибудь случилось? — спросил он чуть позже, попивая кир. Выяснилось, что им обоим по вкусу этот напиток; заодно Меган сообщила, что провела детство в Провансе и в совершенстве владеет французским языком, чем произвела на Берни глубокое впечатление.

— Не знаю... — со вздохом сказала она и выпрямила спину. Она всегда откровенно отвечала на его вопросы, и он спокойно выслушал ее признание. — Когда я увидела новорожденного малыша, что-то случилось со мной. — Берни не торопился прерывать ее. — Я впервые ощутила невероятную тоску, о которой прежде слышала от других женщин. И призадумалась: а правильно ли я распорядилась своей жизнью? — Отпив глоток, она грустно посмотрела на Берни. — Какая ужасная судьба — вовсе не иметь детей, правда? Такая мысль никогда еще не приходила мне в голову. Наверное, я просто устала после бессонной ночи с больным ребенком.

— Думаю, дело не в усталости. Я твердо знаю: дети — это лучшее, что у меня есть. А вы очень умны и все понимаете. В отличие от большинства женщин вы отдаете себе отчет в том, чего вам недостает.

— И что же делать? Похитить чьего-нибудь ребенка или попытаться забеременеть от мясника из магазина в Напе? — Меган улыбалась, но можно было без труда заметить, что ей не по себе, и в ответной улыбке Берни промелькнула тень сочувствия.

— Полагаю, добровольцев найдется более чем достаточно. — Он ни за что не поверил бы в обратное. В зале стоял полумрак, но он заметил, что она слегка покраснела. Было слышно, как в отдалении негромко звучит рояль.

— Возможно, но мне бы не особенно хотелось растить ребенка одной. Я даже не вполне уверена, что хочу иметь детей. Но сегодня, — на лице у нее появилось задумчивое выражение, а в голосе послышались мечтательные нотки, — когда я взяла этого малыша на руки... Дети — великое чудо. — Она подняла глаза на Берни и пожала плечами. — Пожалуй, я впадаю в излишний лиризм. Мне и так неплохо живется.

Берни ответил, думая не только о ней, но и о самом себе.

— Но вы могли бы жить еще лучше.

— Возможно. — Ей расхотелось продолжать разговор на эту тему. Как и всякий раз, на нее нахлынули воспоминания о Марке, и ей стало тоскливо, несмотря на то, что со времени его гибели прошло много лет. — Зато мне не приходится возиться с пеленками. Я только размахиваю фонендоскопом направо и налево, и никто не запрещает мне любить чужих детей.

Такая жизнь показалась Берни одинокой. Он не допускал мысли о том, что смог бы обойтись без Джейн или без Александра, и решил сказать об этом Меган.

— Мне было тридцать семь лет, когда родился Александр, и я считаю это самым счастливым событием в своей жизни.

Меган растрогало его признание.

— А сколько лет было вашей жене?

— Почти двадцать девять. Но будь Лиз на десять лет старше, она все равно родила бы его. Она хотела завести еще несколько детей. — Как жаль, что этого не случилось. Как жаль, что она умерла. И как печально, что Марк погиб. Но это произошло, и никуда от этого не денешься. А Берни и Меган придется жить дальше.

— Во время приема мне часто доводится видеть не слишком молодых матерей. По-моему, они очень храбрые женщины. Мне нравится, что они все сделали вовремя, успели погулять, насладиться свободой, как следует поработать. Порой мне кажется, что и детям с ними лучше, чем с молодыми родителями.

— Ну так что же? — Он улыбнулся, поймав себя на том, что ведет себя как Руфь. — Заведите ребеночка.

Она от души расхохоталась в ответ:

— Я передам своим родителям, что получила у вас авторитетный совет.

— Скажите им, что я вам разрешил.

— Непременно. — Они тепло посмотрели друг на друга, а затем Меган откинулась на спинку стула, прислушиваясь к звукам рояля.

— А что они за люди? — С самого начала он почувствовал, что Меган интересна ему, и хочется узнать о ней как можно больше. Он успел выяснить, что она мучается, раздумывая, не завести ли ей ребенка, что она училась в Рэдклиффе и Стэнфорде, что ее жених погиб во Вьетнаме, что она родом из Бостона, а живет в долине Напа, но этим все его познания ограничивались. А кроме того, он понимал, что Меган замечательная женщина, которая нравится ему. Очень. Может быть, даже слишком сильно, но ему не хотелось признаваться в этом даже самому себе.

— Мои родители? — Вопрос Берни удивил ее. Он кивнул и услышал в ответ: — Пожалуй, очень славные. Отец почти все время проводит на работе, а мама души в нем не чает. Мой брат считает их обоих сумасшедшими. По его словам, его не прельщает необходимость проводить чуть ли не каждую ночь в больнице, помогая женщинам при родах, и к тому же он хочет разбогатеть, а потому пошел в психиатры. Но, на мой взгляд, он серьезно относится к своему делу. — Она задумалась и с улыбкой добавила: — Хотя его вряд ли можно назвать серьезным человеком. Кто у нас сумасшедший, так это мой брат. У него светлые волосы, он крохотного роста и как две капли воды похож на маму. — Берни нашел забавным такое описание.

— А вы похожи на отца?

— Ну да. — Но она явно не жалела об этом. — Брат называет меня великаншей. А я его карликом. В детстве мы без конца дрались из-за этого. — Берни засмеялся, живо представив себе картину их отношений. — Мы выросли в Бикон-Хилле, в просторном доме, принадлежавшем моему деду, и некоторые из моих родственников по материнской линии принадлежат чуть ли не к сливкам общества. По-моему, они до сих пор не слишком одобрительно смотрят на моего отца, считая профессию врача недостаточно аристократическим занятием, но он мастер своего дела и очень любит его. В то время, когда я училась в медицинском колледже и приезжала на каникулы домой, мне не раз случалось присутствовать при том, как он принимал роды, и я видела собственными глазами множество детей и матерей, которые остались в живых только благодаря его умелым действиям. Это произвело на меня такое впечатление, что я чуть было не пошла на отделение акушерства и гинекологии. Впрочем, я рада, что стала педиатром.

— А почему вы не захотели остаться в Бостоне?

— Сказать вам всю правду? — Она вздохнула и мягко улыбнулась. — Все они слишком сильно давили на меня. Мне не хотелось идти по отцовским стопам, не хотелось работать в области гинекологии, и не улыбалась перспектива стать преданной женой по примеру матери и посвятить всю жизнь исключительно заботам о муже и детях. Я не вижу в этом ничего дурного, но мне необходимо нечто большее. Мне не удалось бы устоять перед умелым, ненавязчивым нажимом моих родственников, воспитанных в традициях пуританской епископальной церкви. Рано или поздно им захотелось бы, чтобы я нашла себе мужа среди таких же аристократов, как они сами, поселилась бы в точно таком же доме, как у них, и устраивала бы чаепития для друзей, которые ничем бы не отличались от их собственных. — Когда она только заговорила об этом, лицо у нее сделалось испуганное. — А мне все это чуждо, Берни. Мне необходима свобода, побольше пространства вокруг и возможность ходить в синих джинсах. Порой атмосфера Бостона кажется удушающей.

— Я отлично вас понимаю. Мне пришлось бы столкнуться с такими же трудностями, останься я в Скарсдейле. И неважно, кто ваши родители, католики, евреи или пуритане, в конце концов все сводится к одним и тем же результатам. Главное, каким им видится ваше будущее, и насколько это совпадает с вашими желаниями. Я не оправдал их ожиданий. Иначе я был бы сейчас врачом-евреем, женатым на девушке из хорошей еврейской семьи, которая в этот самый момент сидела бы у маникюрши.

Меган рассмеялась, представив себе Берни в подобном амплуа.

— Моя лучшая подруга, с которой мы вместе учились в колледже, еврейка. Сейчас она работает психиатром в Лос-Анджелесе и зарабатывает кучу денег, но я точно знаю, что она никогда в жизни не уделяла внимания маникюру.

— Она — редчайшее исключение, можете мне поверить.

— А ваша жена была еврейка? — Меган слегка побаивалась спрашивать о ней, но Берни лишь покачал головой и, похоже, ничуть не расстроился при упоминании о Лиз.

— Нет. Ее звали Элизабет О'Райли. — Он хохотнул, вспомнив об одном из дней, оставшихся далеко в прошлом. — Когда я сообщил матери имя своей будущей жены, мне показалось, что ее вот-вот хватит удар.

Меган громко рассмеялась, и он поведал ей эту историю во всех подробностях.

— С моими родителями произошло то же самое, когда брат представил им свою жену. Она француженка, а по характеру такая же неуемная, как он сам. Моя мать предполагала, что все француженки занимаются тем, что позируют для порнографических открыток. — Они дружно расхохотались и принялись наперебой рассказывать друг другу о причудах своих родителей. Когда Берни случайно взглянул на часы, он заметил, что стрелки уже показывают восемь. Он не забыл о том, что Меган нужно вернуться в долину Напа к одиннадцати.

— Может, мы поедим прямо здесь? — Он предполагал или, во всяком случае, надеялся, что они пообедают вместе, и ему было все равно, где это делать, лишь бы не расставаться с Меган. — Хотя мы могли бы пойти в китайский ресторан, или вам по вкусу более экзотическая кухня?

Она растерянно посмотрела на него, прикидывая, сколько у нее осталось времени.

— Я выхожу на дежурство в одиннадцать. Значит, примерно в полдесятого мне нужно выехать из города. — Меган смущенно улыбнулась. — Вы не обидитесь, если я предложу вам съесть где-нибудь по гамбургеру? Это займет поменьше времени. Патрик нервничает, когда мне случается запоздать. Его жена на девятом месяце беременности, и он страшно боится, что у нее начнутся схватки как раз в тот момент, когда я где-нибудь задержусь. Поэтому мне нужно вернуться домой

точно к назначенному часу. — А жаль. Она с удовольствием просидела бы где-нибудь допоздна за разговорами с Берни.

— Я ничего не имею против гамбургеров. Кстати, —
он подал знак официанту, и тот тут же принес чек, а
Берни достал бумажник, — неподалеку отсюда есть
славное заведение, хотя его посещают самые разнооб-
разные люди. — Там можно было встретить кого угодно — и портовых грузчиков, и светских дебютанток,
но Берни нравилась царившая там атмосфера, и он не
сомневался в том, что Меган тоже там понравится.
И он не ошибся. Меган пришла в восторг, как только
они переступили порог припортового бара под названием «Олив ойлз», расположенного прямо на приста-
ни. Они заказали гамбургеры и яблочный пирог, а в
половине десятого Меган с сожалением сказала, что ей
пора отправляться в путь, поскольку она боится опоз-
дать. Берни проводил ее до машины.

— Вы уверены, что доберетесь до дому без приключе-
ний? — Время было довольно позднее, и его беспо-
коило, что ей придется ехать в долину Напа одной, но
Меган улыбнулась в ответ.

— Вообще я стараюсь не упоминать лишний раз о
своем росте, но я и вправду уже совсем большая девочка. — Берни рассмеялся. Ей все-таки кажется, что она
слишком высокая. — Время, проведенное с вами, до-
ставило мне огромное удовольствие.

— Я хотел сказать то же самое. — Он говорил правду. Ему давно уже не бывало так хорошо. Рядом с Меган он чувствовал себя непринужденно, он смог поделиться с ней своими самыми потаенными мыслями и
выслушать в ответ ее признания.

— Когда вы снова появитесь в Напе? — с надеждой
спросила она.

— Не очень скоро. На следующей неделе мне нужно
вылететь в Европу, а няня не возит детей в Напу в мое
отсутствие. Уж больно много получается возни со сбо-
рами и поисками потерявшихся вещей. Но не пройдет
и трех недель, как я уже вернусь. Я сразу же вам позвоню. Может, сходим куда-нибудь днем поесть? — Он

весело посмотрел на нее и вдруг вспомнил кое о чем: — Когда вы собираетесь навестить родных?

— На Рождество.

— Мы тоже полетим к родителям в Нью-Йорк. Но мне вдруг пришло в голову, что в этом году мы могли бы отпраздновать День благодарения в долине Напа. — Ему захотелось уехать на это время из города, чтобы не бередить душу воспоминаниями о том, чего уже не вернуть. — Ну ладно, я позвоню вам по возвращении из Нью-Йорка.

— Берегите себя и не перетруждайте работой, — сказала она, стоя возле машины, и Берни улыбнулся ее словам.

— Слушаюсь, доктор. Вы тоже, и постарайтесь не ездить слишком быстро.

Меган помахала ему рукой. Он посмотрел ей вслед, а потом взглянул на часы. Ровно тридцать пять минут десятого. А в четверть двенадцатого он позвонил ей из дому. Он попросил диспетчера связаться с ней по пейджеру, если это возможно. Меган откликнулась и сообщила, что только-только успела войти и переодеться.

— Мне просто хотелось узнать, благополучно ли вы доехали. Вы гоняете машину на такой скорости, даже смотреть страшно, — пожурил он Меган.

— А вы все время о чем-нибудь беспокоитесь.

— Это у меня наследственное. — Он рассмеялся: Меган угодила в точку. Он действительно всю жизнь о чем-нибудь беспокоился, но благодаря этому стал отличным работником. Он всегда и во всем пытался добиться совершенства, и это обеспечило ему успех в фирме «Вольф».

— Берни, сегодня в Напе очень красиво. Воздух прохладный, и так ясно, что видны все звезды. — Город окутала пелена тумана, но Берни одинаково нравилось и в долине Напа, и в Сан-Франциско, только ему хотелось оказаться сейчас рядом с Меган. Уж слишком быстро закончился этот вечер. — Кстати, где вам предстоит побывать в Европе? — Его образ жизни казался ей интересным и очень непохожим на ее собственный.

— В Париже, Лондоне, Милане и Риме. Я езжу туда

дважды в год по делам фирмы. А на обратном пути мне нужно будет посетить ряд совещаний в Нью-Йорке.

— Все это очень увлекательно.

— Да, порой бывает именно так. — Когда он ездил вместе с Лиз и до знакомства с ней эти путешествия доставляли ему огромное удовольствие. А в последнее время почти никакого. Как и во все остальное время, он остро ощущал свое одиночество.

— Берни, спасибо вам за сегодняшний вечер. Вы открыли мне замечательное место.

Он рассмеялся, вспомнив обед в припортовом баре.

— Оно сильно отличается от «Максима».

— Мне там очень понравилось. — Но тут зазвучал сигнал вызова, и им пришлось попрощаться.

Берни повесил трубку, но ему по-прежнему казалось, будто он слышит голос Мег. Чтобы стряхнуть с себя наваждение, он подошел к шкафу, где висели платья Лиз — там еще сохранился аромат ее духов, — и глубоко вдохнул воздух. Но он не ощутил обычного прилива воспоминаний и закрыл дверцы, чувствуя себя виноватым. В этот вечер его мысли занимала не Лиз, а Меган, и он затосковал по аромату совсем других духов.

Глава 38

Берни провел в Нью-Йорке больше времени, чем рассчитывал. Этот год оказался поворотным для мира модной одежды, предстояли большие перемены, и Берни боялся что-нибудь упустить из виду. Но когда он наконец вернулся в Сан-Франциско, ему показалось, что он все сделал так, как надо. И только перед тем, как выехать в долину Напа, он вдруг вспомнил, что купил в «Эрме» шарф для Меган. Он принялся искать его и вскоре нашел в уголке чемодана. Берни решил, что сам доставит подарок прямо на дом. Добравшись до Сент-Элены, он остановил машину возле викторианского домика, в котором она жила и работала. Напарник Меган сказал Берни, что ее нет на месте, и

Берни попросил его передать ей коричневую коробочку, в которую он вложил короткую записку: «Прямо из Парижа для Меган. С наилучшими пожеланиями, Берни».

Вечером Меган позвонила ему, чтобы поблагодарить за подарок, который очень ей понравился, и, услышав ее слова, Берни обрадовался. Он выбрал сине-красно-золотистый шарф, потому что эти цвета напомнили ему о Мег, одетой в джинсы, желтый плащ и красные резиновые сапоги.

— Я только что вернулась домой и нашла его на письменном столе, куда его положил Патрик. Он очень красивый, Берни, просто чудо.

— Я рад, что он пришелся вам по вкусу. В марте мы открываем отдел, который будет торговать вещами фирмы «Эрме».

— Замечательно. Они мне очень нравятся.

— Как и всем на свете. Думаю, наш магазин многое от этого выиграет. — Он рассказал ей о других сделках, которые заключил в Европе, чем произвел на нее большое впечатление.

— А мне за последние три недели удалось всего лишь поставить ряд диагнозов: три отита, семь простуд, один бронхит в начальной стадии и острый аппендицит, а помимо этого — миллион царапин, заноз, шишек на голове и один сломанный палец. — Она говорила об этом как о пустяке, но Берни с ней не согласился.

— По-моему, это гораздо важней того, чем занимался я. Жизнь человека никак не зависит от итальянских сумок и чемоданов или от новых моделей французской обуви. Ваша работа имеет глубочайший смысл и очень важна.

— Да, наверное. — Но настроение у нее было не из лучших. На прошлой неделе жена Патрика родила ребенка, девочку, и Меган опять затосковала. Но она не стала говорить об этом Берни, ведь они еще совсем мало знакомы, а к тому же, не дай бог, он решит, будто у нее завелся пунктик насчет чужих детей. — Вам не сообщили, когда вы сможете переехать обратно в Нью-Йорк?

— Нет еще. На этот раз некогда было даже завести

речь об этом. Столько всяких событий внутри фирмы. Зато не скучно. Может, поедим где-нибудь завтра днем? — Он хотел предложить ей встретиться в кофейне в Сент-Элене.

— К сожалению, ничего не выйдет. У жены Патрика совсем недавно родился ребенок, и мне приходится подменять его. Но я могла бы заехать к вам домой по дороге в больницу. Или Джейн сильно расстроится из-за этого?

— Не знаю, с чего бы ей вдруг расстраиваться. — Он не догадался о том, что сразу поняла Меган, или не вполне догадался.

— По-моему, ей не по вкусу, когда в дом приходят женщины. — Когда они приходят к ее отцу, подумала Меган, но умолчала об этом.

— Ей не о чем тревожиться.

У Меган сложилось впечатление, что Берни не понимает, что происходит. Девочка считает неприкосновенным то место, которое занимала в их жизни ее мать, и это естественно. И Меган считала, что не стоит попусту волновать ее.

— Мне не хотелось бы никому доставлять огорчений.

— Вы огорчите меня, если не зайдете к нам. Кроме того, вам пора познакомиться с няней Пип. В нашей семье лучше нее никого нет. В какое время вы могли бы заехать?

— Если можно, около девяти; или это слишком рано?

— Нет-нет. Тогда мы вместе позавтракаем.

— Ну что ж, до завтра. — При мысли о том, что он снова ее увидит, у него чуть сильней забилось сердце. Он попытался убедить себя, что причиной тому — огромный интерес, который она вызывает у него как личность. Усилием воли он отмахнулся от воспоминаний о блестящих черных волосах и о странных ощущениях, возникавших где-то под ложечкой, когда он думал о ней.

В то утро он накрыл стол для завтрака, рассчитывая и на Меган. Когда он положил лишнюю салфетку, Джейн удивленно посмотрела на него.

— А это для кого?

— Для доктора Джонс. — Он постарался говорить как ни в чем не бывало и притворился, будто увлечен чтением «Нью-Йорк таймс». Но глаза у няни были зоркие. И у Джейн тоже. Как у ястреба.

— Разве у нас кто-нибудь заболел? — продолжала упорствовать Джейн.

— Нет. Она просто решила заскочить к нам на чашку кофе.

— Зачем? А кто ее сюда позвал?

Берни обернулся и посмотрел на нее.

— Солнышко, ну что ты так разволновалась? Она очень славная женщина. Пей-ка лучше свой сок.

— А у меня нету никакого сока. — Джейн как раз ела в это время клубнику. Берни растерянно улыбнулся.

— Все равно пей.

Джейн тоже улыбнулась, хотя сообщение Берни насторожило ее. Ей не хотелось, чтобы в их жизни появлялись какие-то новые люди. Им и так вполне хорошо. У нее есть папа, Алекс и няня Пип. Алекс первым назвал так миссис Пиппин, считая, что говорить «няня Пиппин» слишком долго, и все стали звать ее так же.

Вскоре приехала приветливо улыбающаяся Меган. Она принесла огромный букет желтых цветов. Берни познакомил их с няней Пип, и та, сияя, пожала руку Меган, которая явно понравилась ей с первого же взгляда.

— Доктор, как восхитительно. Мистер Файн рассказывал, что вы проявили доброту и внимание к бедняжке Алексу, когда у него болело ушко. — Они с Меган весело принялись болтать о том о сем, и, судя по тому, как заботливо миссис Пиппин угощала Меган, она произвела на няню весьма положительное впечатление. Няня накормила ее оладьями, яичницей с беконом и сосисками, то и дело подливала ей кофе, а потом поставила перед ней большую миску с клубникой. Но Джейн смотрела на Меган с неприкрытой ненавистью. Она разозлилась на нее за то, что Меган успела подружиться с Берни, а теперь еще явилась к ним в дом.

— Не понимаю, зачем папа попросил вас зайти, — громко сказала она, перебив Меган, которая в этот мо-

мент с улыбкой благодарила всех за чудесное угощение. — У нас никто не болен. — Берни опешил от такой грубости, а няня тут же зашикала на Джейн.

Но Меган, казалось, ничуть не задели эти слова, и
она спокойно ответила:

— Я стараюсь время от времени навещать своих пациентов, даже если они здоровы. Иногда, — невозмутимо объясняла она, не обращая внимания на враж-
дебные взгляды девочки, — человека гораздо легче вылечить, если ты его хоть немного знаешь.

— Но у нас есть свой доктор в Сан-Франциско.

— Джейн. — Берни рассердился и решил ее остановить. Он с извиняющимся видом обернулся к Меган,
но в это время к ней подбежал Александр.

— Лучки, — сказал он, — азьми меня на лучки. —
Его речь напоминала неуклюжий перевод с греческого
на английский, но Меган отлично его поняла, тут же
усадила к себе на колени и дала ему ягоду, которую он
целиком запихал в рот. Меган склонила голову, улыбаясь малышу. А Берни вдруг заметил, что она надела
шарф, который он завез ей накануне. Ему стало очень
приятно, но в тот же самый момент шарф попался на
глаза и Джейн. Накануне она заметила коробку у него
на столе и спросила, что в ней. Берни объяснил, что
это купленный в подарок шарф, и теперь Джейн мгновенно сообразила, что к чему. Она вспомнила, как он
привозил раньше шарфы фирмы «Эрме» для Лиз. А в
этот раз он прихватил сине-бело-золотой шарф для
няни Пиппин, который прекрасно подходил к ее фор-
менным платьям, синему пальто и ботинкам-броганам.
А еще он купил ей шляпку, которая придавала ей полнейшее сходство с Мэри Поппинс.

— Откуда у вас такой шарф? — Джейн спросила об
этом так, будто Меган его украла, и эта милая женщина на миг опешила, но тут же пришла в себя. Джейн
чуть было не застала ее врасплох.

— Какой... этот? Много лет назад мне подарил его
один друг. Тогда я жила во Франции.

Интуиция помогла ей выбрать нужный ответ, и Берни проникся к ней благодарностью. Как будто они, не

сговариваясь, затеяли нелегкое секретное дело и вдруг стали партнерами.

— Во Франции? — Джейн удивилась. Она полагала, что фирма «Эрме» не известна никому на свете, кроме Берни.

— Да. — Меган успокоилась, и слова ее звучали крайне убедительно. — Я целый год провела в Провансе. А ты уже ездила в Париж вместе с папой? — спросила она как бы невзначай, и Берни с трудом удалось скрыть улыбку. Она хорошо умеет обращаться с детьми. Да что там хорошо, просто замечательно. Алекс с довольным видом приткнулся к ней, радостно бурча и похмыкивая. Он уже управился с клубникой, а потом отъел у нее кусочек яичницы и бекона.

— Нет, я пока не была в Париже. Зато я побывала в Нью-Йорке. — Джейн почувствовала себя важной персоной.

— Вот здорово. А что тебе там больше всего понравилось?

— Мюзик-холл «Радио-Сити». — Сама того не подозревая, Джейн увлеклась разговором. Но затем с подозрением взглянула на Меган, вспомнив о том, что эта женщина ей не нравится, после чего стала отвечать на ее вопросы крайне односложно, и это продолжалось до тех пор, пока Меган не собралась уходить.

Берни проводил ее до машины и по пути извинился:

— Мне ужасно неловко. Она никогда так безобразно себя не вела. Наверное, это своего рода ревность. — Он искренне переживал, но Меган покачала головой и улыбнулась. Он совсем не разбирается в вещах, которые близки и понятны ей самой. Болячки и проблемы детей.

— Перестаньте беспокоиться. Все абсолютно нормально. У нее нет никого, кроме вас с Алексом. Она защищала свое достояние. — Она говорила очень мягко, не желая причинить ему боль излишней откровенностью. Она понимала, что любая мелочь может нарушить его душевное равновесие. — Она отстаивает неприкосновенность памяти о матери. Ей невыносимо видеть женщину рядом с вами, даже если она не таит в себе угрозы. — Она улыбнулась. — Просто не водите домой пышных блондинок, а не то она постарается подсыпать им яду. — Они оба рассмеялись, и Берни открыл дверцу машины.

— Я приму к сведению ваш совет. Мег, вы чудесно с ней справились.

— Не забывайте, это тоже входит в область моих профессиональных навыков. Вы умеете продавать хлеб. Я умею обращаться с детьми. Более или менее. — Он засмеялся и склонился над ней, собираясь поцеловать ее, и тут же отпрянул, с ужасом осознав, что ему захотелось сделать.

— Это я тоже учту на будущее. Надеюсь, мы скоро увидимся. — И тут он вспомнил, что собирался пригласить ее. До Дня благодарения осталось всего две недели, а до тех пор они не появятся в Напе.

— Вы не сможете прийти к нам на обед в День благодарения? — Он задумал позвать ее в гости, еще когда летел из Нью-Йорка в Сан-Франциско.

Она задумалась.

— А вам не кажется, что Джейн еще не готова к этому? Не стоит слишком торопить ее.

— И что же мне теперь делать? Сидеть в одиночестве дома до скончания дней? — спросил он тоном обиженного ребенка. — У меня тоже могут быть друзья, разве нет?

— Могут. Просто дайте ей перевести дух. Давайте, я приду только к десерту. По-моему, это удачный компромисс.

— У вас есть еще какие-то планы? — Ему захотелось узнать, где она бывает и с кем видится. Такое впечатление, будто она все время занята. Как-то не верится, что работа отнимает у нее столько времени, хотя похоже, так оно и есть.

— Я обещала помочь Джессике, жене Патрика. К ним в гости приедут родственники, и ей не управиться со стряпней в одиночку. Все получается очень удачно: мы с ней приготовим обед, а потом я отправлюсь к вам.

— А у вас больше нет никаких планов на праздники? Может, по дороге надо кому-нибудь завезти кислородную подушку? — Эта женщина всякий раз приводила его в изумление. Она почти все время заботится об окружающих, а о себе самой — крайне редко.

— По-моему, в этом нет ничего страшного. — Меган удивилась. Она никогда об этом не задумывалась. Ей казалось естественным все, что она делает, и эта черта ее характера казалась Берни особенно привлекательной.

— У меня создалось впечатление, будто вы печетесь обо всех вокруг, забывая о себе, — сказал Берни, обеспокоенно глядя на нее.

— Вероятно, это доставляет мне удовольствие. Мне самой почти ничего не нужно. — По крайней мере так было до сих пор. Но в последнее время она начала сомневаться. Ей стало казаться, что в ее жизни чего-то недостает. Она отчетливо поняла это, когда Александр попросился к ней на руки. И, как ни странно, когда Джейн принялась бросать на нее сердитые взгляды. Внезапно Меган почувствовала, как ей надоело общение с детьми, которое сводится к проверке рефлексов, осматриванию ушей и горла.

— Ну хорошо, увидимся в День благодарения. Приходите хотя бы на десерт. — Но он все еще досадовал на то, что Меган не сможет провести с ними целый день. Он считал, что в этом виновата Джейн, и вернулся в дом, продолжая сердиться на нее. А когда Джейн стала нелестно отзываться о Меган, разозлился еще сильней.

— До чего же она уродлива, верно, папа? — Джейн с вызовом посмотрела на отца и увидела, как помрачнело у него лицо.

— Я не согласен с тобой, Джейн. По-моему, она очень привлекательная девушка. — Берни решил во что бы то ни стало стоять на своем.

— Девушка? Да ей на вид лет этак четыреста.

Берни стиснул зубы и попытался говорить ровным тоном:

— За что ты так ее возненавидела?

— За то, что она тупица.

— Нет, — Берни покачал головой, — она вовсе не

тупица. Она умница. Глупые люди не становятся врачами.

— Ну и пусть, все равно она мне не нравится. — На глазах у Джейн вдруг выступили слезы, а тарелка, которую она держала в руках, упала на пол и разбилась. Джейн помогала няне Пип мыть посуду.

Берни неторопливо подошел к дочке.

— Солнышко, мы ведь просто дружим с ней. Что же тут такого? — Меган оказалась права. Джейн боится, как бы в его жизни не появилась другая женщина. Теперь он и сам это понял. — Я очень тебя люблю.

— Тогда не приглашай ее сюда больше. — Джейн расплакалась. Александр смотрел на них с интересом и легкой тревогой, не понимая, о чем они спорят.

— Почему?

— Потому что она никому тут не нужна. — Джейн выбежала из кухни, и Берни услышал, как за ней с громким стуком захлопнулась дверь спальни. Он хотел было кинуться следом за дочкой, но няня Пип взглядом остановила его.

— Не стоит сейчас ее трогать, мистер Файн. Она придет в себя. Ей нужно время, а потом она поймет, что вы не будете всю жизнь жить отшельником. — Она мягко улыбнулась. — По крайней мере, я на это надеюсь. Одиночество не идет на пользу ни вам, ни Джейн. А доктор мне очень нравится. — Она опять заговорила с сильным шотландским акцентом.

— Мне тоже. — Берни обрадовался такой поддержке. — Она очень славный человек и добрый друг. Мне обидно, что Джейн взъелась на нее ни с того ни с сего.

— Она боится потерять вас. — То же самое сказала и Меган.

— Этого никогда не произойдет.

— Постарайтесь как можно чаще говорить ей об этом. А что до остального — она привыкнет. Не торопите события... и все уладится.

— Какие события? — Кажется, он вообще ничего не затевал. Ни с Меган, ни с кем-либо другим.

Берни сказал очень серьезным тоном:

— Няня Пип, ничего особенного не происходит. Именно это я и пытался втолковать Джейн.

— Заранее никогда не известно. — Он почувствовал на себе открытый взгляд няни. — Возможно, ваша жизнь станет богаче, чем теперь, и вы имеете на это право. Вы ведете не самый здоровый образ жизни. — Миссис Пиппин знала о том, что он хранит целомудрие. От нее не укрылось и то, как они с Джейн порой подходят к шкафу, притворяясь, будто ищут что-то. Она считала, что пора убрать оттуда вещи Лиз, но понимала, что Берни еще не в состоянии этого сделать.

Глава 39

Меган сдержала обещание и в День благодарения пришла к десерту, пообедав вместе с Патриком и Джессикой. Она испекла сладкий пирог и принесла его с собой. Няня похвалила пирог, но Джейн сказала, что уже наелась, а Берни попробовал кусочек и отметил, что тесто на редкость вкусное.

— Редчайший случай в моей практике, — призналась растроганная похвалами Меган. По случаю праздника она надела красное платье, купленное в «Вольфе» в тот самый день, когда они с Берни ходили в «Этуаль». — На свете не найти человека, который готовил бы хуже меня. Сварить яйцо для меня изрядная проблема, а приготовленный мною кофе отчаянно смахивает на яд. Мой брат запретил мне переступать порог его кухни.

— Он явно своеобразный человек.

— Но в данном случае он абсолютно прав. — Джейн невольно улыбнулась, а Александр подбежал к Меган и на этот раз забрался к ней на колени, даже не спрашивая ее согласия. Меган дала ему кусочек пирога, но малыш тут же его выплюнул. — Видите, Александр сразу во всем разобрался. Да? — Он закивал с серьезным видом, и все рассмеялись.

— А моя мама потрясающе готовила, правда, папа? — В голосе Джейн одновременно прозвучали вызов и тоска.

— Да, солнышко, именно так.

— Она очень часто что-нибудь пекла. — Ей вспомнились кексы в форме сердечка, которые Лиз принесла в школу в последний день занятий, и она, чуть не плача, грустно взглянула на Меган.

— Это замечательный талант, который вызывает у меня восхищение.

Джейн кивнула.

— А еще она была красивая. — Взгляд ее стал совсем печальным, и Берни догадался, что она уже не пытается уязвить этими сравнениями Меган, а просто вспоминает вслух. У него защемило сердце, но он понимал, что Джейн необходимо выговориться. — Светловолосая, невысокая и довольно худенькая.

Меган улыбнулась. Значит, Берни привлекло в ней отнюдь не сходство с его покойной женой. Судя по всему, они с ней не похожи, как день и ночь, и это обрадовало Меган. Нередко, понеся утрату, люди пытаются найти чуть ли не двойника любимого или любимой, чем только усложняют положение. Солнце все время движется по небу, и невозможно укрыться в тени, стоя на одном месте. Меган ласково посмотрела на Джейн.

— Ты, наверное, не поверишь мне, но моя мама тоже маленького роста, светловолосая и худенькая. И мой брат такой же.

Джейн даже рассмеялась.

— Правда?

— Правда. Мама мне примерно вот посюда. — Меган показала рукой на плечо. — А я пошла в папу. — Что совсем неплохо, ведь они оба весьма привлекательны.

— А ваш брат такой же невысокий, как и мама? — Джейн вдруг увлеклась, и Берни улыбнулся. Все-таки можно надеяться, что когда-нибудь Джейн образумится.

— Да. Я называю его карликом.

— Наверное, он жутко на это обижается. — Джейн захихикала, и Меган ухмыльнулась.

— Да уж, конечно. Видимо, он стал психиатром, чтобы найти этому научное обоснование. — Все дружно рассмеялись, а няня налила Меган чаю, и женщины с пониманием посмотрели друг на друга. Вскоре няня повела Александра купаться, а Меган помогла Берни и Джейн убрать со стола. Они соскребли остатки еды с тарелок в мусорное ведро, убрали продукты в холодильник, загрузили посуду в моечную машину, и к тому времени, когда няня вернулась, все уже было готово. Она чуть было не сказала, мол, как приятно, когда в доме появляется женщина, но вовремя удержалась, сочтя такое высказывание недипломатичным, и просто поблагодарила всех за помощь.

Меган провела с ними еще около часа. Все расселись возле камина и принялись болтать о том о сем. Когда послышался сигнал вызова, Меган разрешила Джейн набрать вместо нее номер диспетчера и послушать, о чем они будут разговаривать. Чей-то ребенок подавился костью индейки. К счастью, ее удалось вытащить, но малыш сильно поцарапал горло. Как только Меган повесила трубку, снова зазвучал сигнал вызова. Девочка поранила руку кухонным ножом, и ей нужно наложить швы.

— Бр-р-р. — Джейн скорчила гримасу. — Просто ужас.

— Порой случаются очень неприятные вещи. Но, я думаю, с девочкой все будет в порядке. По крайней мере, пальцы на месте, а руку мы зашьем. — Она с улыбкой взглянула на Берни. — Боюсь, мне пора идти.

— Может, вы потом еще вернетесь? — с надеждой спросил Берни, но Меган сочла, что необходимо проявить деликатность по отношению к Джейн.

— Думаю, потом будет слишком поздно. Как правило, в таких случаях приходится задержаться дольше, чем рассчитываешь. Вы ведь не очень-то обрадуетесь, если я постучусь к вам часов в десять вечера. — Берни подумал, что вовсе в этом не уверен, и все огорчились из-за того, что Меган ушла так рано, даже Джейн, а особенно Александр. После купания он вернулся в гос-

тиную и, обнаружив, что Меган уже нет, горько заплакал.

Это напомнило Берни о том, чего лишены его дети,
и в мозгу его всплыл вопрос: что, если няня права и в
будущем жизнь их изменится? Но представить себе такого он не мог, какие могут быть перемены? Разве что
переезд из Сан-Франциско в Нью-Йорк, который теперь редко занимал его мысли. Он вполне свыкся с
жизнью в Калифорнии.

Они улетели в Нью-Йорк на Рождество, так и не по-
видавшись за это время с Меган. На Берни обрушилась
лавина дел, связанных с магазином, у детей появилась
масса занятий в городе, и они ни разу не выбрались в
долину Напа. В сопровождении миссис Пиппин Александр и Джейн посмотрели «Щелкунчика» и побывали
на детском концерте в филармонии. И, конечно же, на
елке в магазине «Вольф». Алекс с замиранием сердца
ждал встречи с Санта-Клаусом. Джейн было почти десять лет, и она уже не верила в его существование, но
пошла вместе с Алексом на елку, чтобы доставить ему
удовольствие.

Перед отъездом Берни позвонил Меган.

— Желаю вам отлично провести праздники, — выразительно сказал он. Меган столько трудится на протяжении всего года, она как никто заслужила право на
отдых и развлечения.

— И вам того же. Передайте привет Джейн. — Меган послала ей теплую розовую шапочку и шарфик,
чтобы девочка смогла надеть их в поездку, и игрушеч-
ного Санта-Клауса Алексу, но им еще не доставили по-
сылку.

— Жаль, что мы не успеем повидаться с вами до
праздников. — Он жалел об этом сильней, чем можно
было предположить. В последние несколько недель он
часто вспоминал о ней.

— Возможно, мы с вами встретимся в Нью-Йорке, — задумчиво ответила она.

— Я думал, вы отправитесь к родным в Бостон.

— Так оно и есть. Но мой сумасшедший брат и его
жена собираются в Нью-Йорк и упорно зовут меня с

собой. Один из наших аристократических родственников женится и устраивает пышную свадьбу в клубе Колони. Я не уверена, что мне по вкусу подобное мероприятие, но им хочется, чтобы я поехала с ними, и я обещала, что подумаю.

На самом деле она уже согласилась, надеясь, что заодно повидается в Нью-Йорке с Берни, но не решилась признаться ему в этом. Берни очень оживился и обрадовался.

— Вы позвоните мне, если надумаете ехать?

— Конечно. По приезде я выясню, что у нас в программе, а потом сразу же дам вам знать. — В надежде на удачное стечение обстоятельств Берни продиктовал ей номер телефона родителей в Скарсдейле.

В тот же вечер по возвращении домой он увидел огромную коробку с подарками, которые прислала Меган. В ней лежали шапочка с шарфиком для Джейн, Санта-Клаус для Алекса, свитер фирмы «Прингл» для няни, который очень ей понравился, и красивая книга в кожаном переплете для Берни. Он сразу же заметил, что книга старая, и догадался, что это раритет. Меган вложила записку, в которой сообщала, что книга принадлежала ее деду и помогла ей пережить трудные времена. Она выразила надежду, что эта книга станет источником утешения и для Берни, а еще пожелала им веселого Рождества и всяческого счастья в новом году. Читая записку, Берни загрустил по Меган. Ему стало обидно, что они не смогут провести праздники в одном и том же городе, и он посетовал на жизнь, которая порой бывает чересчур сложной. С приближением Рождества он стал острее воспринимать свое одиночество, все чаще вспоминая о Лиз и думая о годовщине их свадьбы. Во время полета он совсем притих, и няня решила, что это не к добру. Лицо его стало совсем печальным, и она догадалась, что он думает о Лиз и по-прежнему отчаянно тоскует о ней.

А мысли сидевшей в другом самолете Меган занимали Марк и Берни. Она попыталась сравнить этих столь непохожих друг на друга мужчин, которые вызывали у нее глубокое уважение. Но в эту минуту ей недоставало именно Берни, и вечером она позвонила ему просто затем, чтобы поговорить. Звонок раздался вскоре после того, как они добрались до дому, когда няня укладывала детей в постель, и Руфь переполошилась. Меган представилась как доктор Джонс, и Руфь продолжала стоять у телефона, пока Берни не замахал на нее руками и не прогнал ее. Она решила, что кто-то заболел, и Берни чуть ли не со смехом отобрал у нее трубку. Он понимал, что потом мать потребует у него объяснений, но ему хотелось сначала поговорить с Меган. Ему не терпелось услышать ее голос.

— Меган? — спросил он, сияя, как рождественская елка. — Как вы долетели?

— Неплохо. — Похоже, ей тоже очень хотелось услышать голос Берни, хотя звонить первой было неловко. Но она решила побороть свою застенчивость. Вновь оказавшись в Бостоне, Меган так сильно заскучала по Берни, что желание немедленно набрать его номер пересилило все сомнения. — Когда я возвращаюсь домой, я всякий раз чувствую себя очень странно. Родители словно забывают, что мы уже выросли, и начинают командовать нами, как в детстве. Но почему-то об этом забываешь до тех пор, пока снова их не увидишь.

Берни рассмеялся: это ощущение было ему прекрасно знакомо. И ему вспомнилось, как неловко они с Лиз чувствовали себя, ночуя в его бывшей комнате. Как будто им опять по четырнадцать лет, и секс является чем-то запретным. Куда проще останавливаться в гостинице, но теперь он приехал с детьми, а им лучше пожить у бабушки с дедушкой, ведь они хотели вместе провести праздники. Рядом с ними он менее остро воспринимал свое одиночество и поэтому не стал заказывать номер в гостинице. Но Меган, безусловно, права.

— Я отлично понимаю, о чем вы говорите. Как будто время пошло вспять, и вдруг выяснилось, что они во всем были правы. И тебе опять четырнадцать лет, и на этот раз ты последуешь их мудрым советам... но оказывается, что это не так. И через некоторое время все начинают на тебя злиться.

Меган расхохоталась. В Бостоне злиться уже начали. Примерно через час после того, как она переступила порог родного дома, ее отца вызвали принимать роды, а она отказалась поехать с ним, поскольку устала с дороги, и он ушел один, явно досадуя на нее. Ей пришлось выслушать нарекания матери по поводу того, что она взяла с собой не самые теплые сапоги и не так уложила чемодан. Немного погодя мать принялась ругать ее за беспорядок в комнате. После восемнадцати лет самостоятельной жизни это кажется утомительным, мягко говоря.

— Брат пообещал вызволить меня вечером. Он устраивает вечеринку у себя дома.

— В лучших традициях чопорного Бостона или там будет полнейшее безобразие?

— Если учесть, что они с женой за люди, нас ждет и то, и другое. Вероятно, он напьется до бесчувствия, а кто-нибудь из психоаналитиков школы Юнга, наклюкавшись пунша, от которого можно и ноги протянуть, примется раздеваться у всех на виду. Он любит устраивать такие гулянки.

— Смотрите, не попадитесь кому-нибудь в руки. — Берни никак не мог представить себе Меган в подобном окружении, и ему стало одиноко. Он вдруг почувствовал, как ему тоскливо без нее, но не решился заговорить об этом. Они всего лишь друзья, и такие признания совсем не к месту. Впрочем, их отношения подразумевают собой нечто большее, и многое еще впереди. — А вы прилетите в Нью-Йорк на свадьбу ваших родственников? — Он умолчал о том, что сильно надеется на это.

— Брат с женой полетят в любом случае. Не знаю, что скажут мои родители, ведь я вроде бы собиралась погостить у них. Но я заведу разговор на эту тему и посмотрю, что будет.

— Надеюсь, они все-таки отпустят вас. — Он заговорил как подросток, и они оба рассмеялись. Все тот же синдром вернувшегося детства.

— Теперь вы понимаете, на что я жалуюсь?

— Меган, прилетайте хоть на денек, было бы так приятно повидаться с вами.

Меган и самой хотелось встретиться с ним, и она не

стала спорить. Уже не одну неделю подряд она постоянно думала о Берни, жалея о том, что им ни разу не удалось увидеться друг с другом до праздников, но у них обоих было множество дел и обязанностей. Возможно, встреча в Нью-Йорке — совсем неплохая идея.

— Я постараюсь, мне бы самой очень этого хотелось. — И тут ей в голову пришла еще более удачная мысль: — А может быть, мы могли бы вместе пойти на свадьбу? — по-детски нерешительно спросила она. Чем дольше она об этом думала, тем больше ей нравилась эта идея. — Вы прихватили с собой смокинг?

— Нет, но я знаю отличный магазин, где они продаются. — Они дружно рассмеялись. — А вы уверены, что это удобно? Ведь я незнаком ни с женихом, ни с невестой. — Ему казалось, что свадьба в клубе Колони должна быть крайне внушительным мероприятием, и он несколько оробел, но в ответ услышал смех Меган.

— Все так отчаянно напьются, что никого вообще не заинтересует, чей вы знакомый. А мы могли бы вскоре сбежать оттуда и отправиться в какое-нибудь другое место... например, в «Карлайл», послушать Бобби Шорта. — Услышав ее предложение, Берни не сразу нашелся с ответом. Когда он жил в Нью-Йорке, это было одним из его самых любимых развлечений, и он подружился с Бобби еще в те времена, став его поклонником на всю оставшуюся жизнь.

— Это было бы замечательно. — В голосе Берни появилась легкая хрипотца. Думая о Меган, он вновь чувствовал себя молодым человеком, для которого жизнь еще только начинается, а вовсе не закончилась трагедией чуть менее двух лет тому назад. — Постарайтесь выбраться сюда, Мег.

— Хорошо. — Им обоим не терпелось увидеть друг друга, это желание стало таким сильным, что Мег слегка испугалась, но решила не отказываться от своей затеи. До тех пор, пока они вернутся в Напу, пройдет слишком много времени. — Я приложу все силы. А вы отметьте в календаре двадцать шестое число. Я прилечу утром и остановлюсь в «Карлайле». Мой безумный братец всегда там останавливается.

— А я куплю смокинг на этой неделе. — Похоже,

они славно проведут время. Хотя Берни немного побаивался идти на свадьбу. Через три дня, будь все иначе, они с Лиз смогли бы отпраздновать четвертую годовщину своей собственной. Но он решил, что не будет думать об этом. Нельзя же отмечать несуществующие праздники. Внезапно ему захотелось оказаться рядом с Меган, чтобы воспоминания перестали его тревожить, и в голосе его зазвучали странные нотки. Меган забеспокоилась. Ей показалось, будто они знакомы гораздо ближе, чем на самом деле. Им так легко общаться друг с другом, и они оба успели это заметить.

— С вами все в порядке? — негромко спросила она. Берни устало улыбнулся и кивнул.

— Все нормально. Просто порой мне являются призраки... а в это время года такое случается особенно часто.

— Да, это тяжело. — Ей пришлось пережить то же самое, но теперь это осталось далеко позади, и к тому же она проводила рождественские праздники с каким-нибудь мужчиной, или дежурила в больнице, или же мчалась куда-нибудь к заболевшему ребенку. Все-таки ей приходилось легче, чем Берни. Хорошо, если родители сумеют поддержать его. Эти праздничные дни могут показаться тягостными и ему, и детям или, по крайней мере, Джейн. — Как ваша дочка?

— Она рада, что мы здесь. Их с бабушкой водой не разольешь. У них уже появилась масса планов на ближайшие три недели, и няня останется с ними в Нью-Йорке, когда я уеду. Мне нужно успеть к тридцатому числу на собрание в Сан-Франциско, а занятия в школе начнутся только десятого, так что им предстоит провести тут две недели без меня, и все от этого в восторге.

Меган подумала, что Берни будет одиноко без детей.

— А вы не заедете в это время в Напу?

— Может быть.

Оба надолго замолчали, думая об одном и том же, стараясь отмахнуться от навязчивых мыслей.

Меган пообещала позвонить Берни в конце недели, чтобы сообщить о своих планах. Но вышло так, что он позвонил ей раньше этого. С тех пор, как он прилетел в Нью-Йорк, прошло два дня и наступил праздник

Рождества. К телефону подошел отец Меган, и Берни отметил, какой звучный у него голос. Отец позвал Меган и попросил ее поторапливаться.

Послышались ее быстрые шаги, и по дыханию Меган Берни понял, что она запыхалась. Стоило ему услышать ее голос, как на лице его появилась улыбка.

— Желаю вам веселого Рождества, Мег.

Меган тоже улыбнулась, услышав, как Берни назвал ее. Только самая лучшая подружка называла ее так, когда они обе были совсем маленькими, и теперь у нее вдруг потеплело на душе.

— Я тоже желаю вам веселого Рождества. — Она обрадовалась его звонку, но в комнате, из которой она говорила, стоял шум, и кто-то несколько раз окликнул ее.

— Я выбрал неудачное время?

— Нет-нет. Но мы как раз уходим в церковь. Давайте, я перезвоню вам попозже.

Так она и сделала, и снова представилась его матери, как доктор Джонс. Они завели долгую приятную беседу, а когда Берни повесил трубку, Руфь с любопытством поглядела на него. Дети играли у себя в комнате, рассматривая подарки вместе с няней Пип. Они получали большую часть подарков от бабушки с дедушкой на праздник Ханука, но Руфь не смогла полностью обойти вниманием Рождество, боясь разочаровать детей, поэтому теперь Санта-Клаус стал заглядывать и к ней в дом, что показалось Берни крайне забавным. Если бы ему в детстве захотелось отпраздновать Рождество, родители пришли бы в ужас. Но ради внуков они были готовы на все. С годами они стали намного терпимее. Но не вполне.

— Кто это звонил? — Руфь постаралась, чтобы вопрос прозвучал как можно более невинно, но ей это не удалось.

— Одна знакомая. — Эта игра была ему знакома с давних лет, но они уже долгое время не играли в нее, и Берни почувствовал, что вот-вот рассмеется.

— А я ее видела?

— По-моему, нет.

— А как ее зовут?

Обычно этот вопрос вызывал у него раздражение,

но не на этот раз. Берни решил, что ему нечего скрывать, даже от матери.

— Меган Джонс.

Руфь посмотрела на Берни. С одной стороны, ее порадовало, что ему позвонила женщина, а с другой — досадно, что ее не зовут Рэчел Шварц.

— Опять одна из этих. — Но втайне Руфь приободрилась. Ее сын снова ожил. Что-то новое появилось в его взгляде, и в сердце матери затеплилась надежда. Когда Берни только-только прилетел, она упомянула об этом в разговоре с Лу, только Лу сказал, что он не заметил в нем никаких перемен. А Руфь заметила. И теперь убедилась в своей правоте. — Почему же ты никогда не знакомишься с еврейками? — Она заговорила жалобным тоном, и Берни улыбнулся в ответ.

— Наверное, потому, что я больше не хожу в синагогу.

Она кивнула, и ей подумалось: уж не рассердился ли он на бога из-за смерти Лиз, но, к счастью, поняла, что не стоит спрашивать его об этом.

— А к какой церкви она принадлежит? — спросила она, помолчав немного. Берни ухмыльнулся.

— К англиканской. — Им обоим припомнилась сцена, которую она устроила в ресторане «Берег басков».

— Ой! — На этот раз она ограничилась коротеньким восклицанием, которое отнюдь не предвещало сердечного приступа. — К англиканской. У вас с ней все всерьез?

Берни тут же замотал головой, но Руфь усомнилась в его правдивости.

— Нет, мы просто друзья.

— Она часто тебе звонит.

— Да, целых два раза. — Руфь знала, что он и сам ей звонил, но промолчала об этом.

— Она симпатичная? А детей она любит? — Вопросы уже посыпались один за другим, и Берни решил кое-что рассказать ей о Меган, чтобы мать прониклась к ней должным почтением.

— Она — детский врач, раз уж тебе так хочется все знать. — Это был удачный ход с его стороны. Сто очков в пользу Меган Джонс! Он постарался сдержать улыбку, когда заметил, какое выражение появилось на лице у матери.

— Врач?.. Ну да, конечно... Доктор Джонс... Почему ты мне раньше не сказал?

— Ты не спрашивала. — Опять все те же слова и эта старая игра. Словно песня, которую они исполняли дуэтом многие годы. Теперь она уже звучит как колыбельная.

— Извини, как ее зовут? — Берни сообразил, что теперь Руфь заставит мужа хорошенько выяснить все об этой женщине.

— Меган Джонс. Она обучалась в Гарварде, а потом в Стэнфордском медицинском колледже и закончила аспирантуру при Калифорнийском университете. Можешь не заставлять папу наводить справки. Пусть он лучше побережет свои глаза.

— Не груби. — Руфь сделала вид, будто рассердилась, но на самом деле ей очень все понравилось. Конечно, было бы куда лучше, если бы она работала в магазине «Вольф», а Берни лечил бы больных, ну да ладно, нельзя же иметь все сразу. Она свыклась с этой мыслью за долгие годы. — А какая она из себя?

— У нее кривые зубы и куча бородавок.

На этот раз Руфь рассмеялась. Потребовалось сорок лет для того, чтобы она научилась смеяться вместе с ним.

— А ты когда-нибудь представишь мне эту красотку с кривыми зубами, кучей бородавок и блестящим образованием?

— Представлю, если она не исчезнет из моего поля зрения.

— У вас это всерьез? — прищурив глаза, снова спросила Руфь, но Берни уклонился от разговора на эту тему. Ему понравилось играть с ней в старую игру, но время для серьезного обсуждения еще не настало. Они с Меган всего лишь друзья, и неважно, как часто они разговаривают друг с другом по телефону.

— Нет.

За прошедшие годы Руфь научилась многому. И теперь, заметив, какое у него выражение лица, сразу же оставила его в покое. И не сказала ни слова до тех пор, пока Меган опять не позвонила. Это случилось в тот же вечер. Она сообщила, что назавтра уже поселится в «Карлайле» и будет ждать там Берни, чтобы вместе с ним отправиться на свадьбу. Он уже успел обзавестись смокингом, который безукоризненно сидел на нем. Руфь испытала приятное потрясение, когда увидела сына на следующий день. И даже впала в легкую оторопь, заметив, что на улице его дожидается черный лимузин.

— Это ее машина? — тихонько спросила Руфь, широко раскрыв глаза от изумления. Что же она за врач такой? Лу не может себе позволить приобрести лимузин, а ведь он уже сорок лет практикует в Нью-Йорке, и приемная у него не где-нибудь, а на Парк-авеню. Конечно, им с мужем лимузин ни к чему, но...

Берни улыбнулся:

— Нет, мама, моя. Я взял ее напрокат.

— А-а. — Руфь немного сникла, но совсем чуть-чуть. Стоя за занавесками, она увидела, как сын сел в автомобиль и укатил прочь, и почувствовала, что очень гордится им. Потом она тихонько вздохнула, отошла от окна и заметила на себе взгляд няни Пиппин.

— Я... мне просто... хотелось убедиться, что с ним все в порядке... Сегодня так скользко. — Как будто кто-то потребовал у нее объяснений.

— Он очень хороший человек, миссис Файн. — По тону няни Руфь догадалась, что она тоже гордится Берни, и ее слова тронули сердце матери.

Руфь Файн огляделась по сторонам, проверяя, не может ли их кто-нибудь подслушать, а затем попыталась осторожно порасспросить няню Пип. За прошедший год они не успели подружиться, но миссис Пиппин вызывала у Руфь уважение, и она явно относилась к ней с симпатией. И Руфь ничуть не сомневалась в том, что няне известно обо всех событиях в жизни Берни.

— Что за человек эта доктор? — едва слышным голосом спросила она, и няня улыбнулась.

— Она — хорошая женщина. И очень умная.

— А она красива?

— Весьма привлекательна. — Из них с Берни получилась бы прекрасная пара, но няня сочла, что говорить об этом преждевременно. Она была бы очень рада, если бы отношения между Берни и Меган приняли серьезный оборот, они очень подходят друг другу, но пока надеяться на это еще рано. — Она — славная женщина, миссис Файн. Возможно, со временем их дружба перерастет в нечто большее.

Но она не сказала ничего более конкретного, и Руфь молча кивнула, пытаясь представить себе, как ее сын едет сейчас где-то в центре города на взятом напрокат лимузине. Каким славным он был в детстве... да и вырос очень хорошим... Да, пожалуй, няня права. Она смахнула набежавшую слезу, выключила свет в гостиной и пошла ложиться спать, от души желая ему всяческой удачи.

Глава 40

На мостовых и тротуарах лежал снег, и поэтому поездка в центр города заняла более долгое время, чем обычно. Берни сидел, привалившись к спинке заднего сиденья и думая о Мег. Ему казалось, что с тех пор, как они виделись в Напе, прошла целая вечность. Он пребывал в приподнятом настроении, предвкушая новую встречу с ней, да еще в такой обстановке, праздничной и совсем непохожей на обыденную. Берни нравился ее размеренный незамысловатый образ жизни, ее преданность своему делу и увлеченность работой. Но он понял, что в жизни Меган есть многое другое: родственники из Бостона, «безумный» брат, о котором она говорила с такой любовью, аристократическая родня, в том числе те люди, чья свадьба состоится сегодня, которые казались ей забавными. А еще для него становились важными чувства, которые он испытывал к ней. Уважение, восхищение, все более и более теплая привязанность. И не только это. Он ощущал физическое влечение, и уже никак не мог этого отрицать, хоть и чувствовал себя виноватым. Оно есть и с каждым днем становится все сильней. Он вспомнил, до чего она привлекательна, а к этому времени Мэдисон-авеню, где посыпанный солью снег уже растаял, осталась позади, и они свернули на Семьдесят шестую улицу.

Машина остановилась, и Берни вошел в элегантно обставленный вестибюль «Карлайля». Он обратился к дежурному, одетому в визитку, с белой гвоздикой в петлице, и тот, справившись с книгой данных, торжественно сообщил ему:

— Доктор Джонс остановилась в четыреста двенадцатом номере.

Берни поднялся на лифте на четвертый этаж и, следуя указаниям дежурного, свернул направо. Нажав кнопку звонка, он почувствовал, что у него перехватило дыхание. Он весь горел от нетерпения. Но вот дверь наконец открылась, и он увидел Меган в синем вечернем платье из шелка, увидел ее блестящие черные волосы и синие глаза и замер на месте. Меган надела удивительной красоты колье с сапфирами и такие же серьги, принадлежавшие ее бабушке, но Берни поразили отнюдь не драгоценности, а ее лицо и глаза: он потянулся к Меган и обнял ее, и им обоим показалось, что они как бы вернулись домой. За очень короткое время они успели отчаянно соскучиться друг по другу. Однако не успели они обменяться и парой слов, как в комнату вошел ее брат. На ходу он насвистывал фривольную французскую песенку и выглядел точь-в-точь таким, как описывала его сестра. Сэмюэл Джонс походил на пригожего светловолосого жокея, родившегося в аристократическом семействе. Он унаследовал от матери изящество, изысканность манер и маленький рост. Непомерными оказались лишь громкость его голоса, любовь к двусмысленным шуточкам и, как уверял он сам, пристрастие к сексуальным забавам. Он пожал Берни руку, сказал, чтобы тот поостерегся есть блюда, приготовленные его сестрой, или танцевать с ней, и налил ему двойную порцию шотландского виски со льдом. Берни слегка перевел дух и попытался заговорить с Меган, но спустя минуту к ним присоединилась ее невестка. Ее зеленое шелковое платье развевалось на ходу, как и рыжие волосы, а украшавшие ее изумруды отличались огромными размерами. От веселого хохотка, французских словечек и частых восклицаний невестки Берни показалось, будто его подхватил и закружил какой-то вихрь, и только когда они с Меган оказались вдвоем в лимузине, который повез их в церковь, у них выдалась свободная минутка, чтобы спокойно посидеть и посмотреть друг на друга.

— Вы совершенно блестяще выглядите, Меган.

— И вы тоже.

Ему невероятно шел смокинг. И как все это не похоже на джинсы и непромокаемые плащи.

Берни решил поделиться с ней своими чувствами:

— Я скучал по вас. Приехав в Нью-Йорк, я вдруг совершенно растерялся. Мне все время хотелось снова очутиться в Напе, поговорить с вами, сходить куда-нибудь погулять... или поесть гамбургеров в баре «Олив ойлз».

— Несмотря на все это великолепие? — чуть насмешливо спросила Меган, указывая на лимузин и их роскошные наряды.

— Кажется, незатейливая жизнь в долине Напа мне больше по душе. — Он улыбнулся, вспомнив о тамошних привычках. — Похоже, вы правильно поступили, уехав из Бостона. — Он даже начал жалеть о том, что ему придется вернуться в Нью-Йорк. Этот город уже не казался ему таким привлекательным, как прежде. Ему хотелось одного: вновь оказаться в Калифорнии, где погода куда приятнее, а люди вежливей, где можно встретить Мег, одетую в джинсы и белый накрахмаленный халат. Он ощущал своеобразную тоску по дому.

— Я всегда чувствую здесь то же самое.

Меган отлично его понимала. Ей предстояло провести в Нью-Йорке еще четыре дня, но уже не терпелось как можно скорей вернуться в долину Напа. Они с Патриком договорились: Патрик работает в рождественские праздники, а Мег — в новогодние, и дружно решили, что им необходим третий компаньон. Впрочем, до этого еще далеко. Машина остановилась возле церкви Сент-Джеймс на углу Мэдисон-авеню и Семьдесят первой улицы, и Берни взял Меган за руку. Она выглядела, как никогда, прекрасно, и он гордился тем, что у него такая спутница. Сочетание внутренней силы со спокойной изысканностью манер поразило его, и, стоя рядом с ней в церкви, он думал о том, как ему повезло. Потом он познакомился с ее родственниками и провел некоторое время за разговорами с Сэмюэлом и его женой, с удивлением заметив, что они очень нравятся ему. Берни задумался о том, насколько несхожи Лиз и Меган, которая сильно привязана к своей семье и любит родных. А у бедняжки Лиз не было никого на свете, кроме Берни, Джейн и Александра.

Берни довелось потанцевать с невесткой Мег и, что показалось ему куда важней, с ней самой. Танцы продолжались до двух часов утра, а затем они нашли уютное местечко в баре «Бемельманз» при отеле «Карлайл» и просидели там до половины пятого утра, рассказывая друг другу о том о сем, делясь заветными желаниями, открывая в собеседнике все больше и больше нового. Берни вернулся в Скарсдейл лишь к шести часам утра.

А на следующий день они встретились снова. Берни не выспался после бурной ночи, ведь ему пришлось явиться к девяти утра в «Вольф» на совещание, но он чувствовал себя невероятно счастливым. Он заехал за Меган, она надела ярко-красное шерстяное пальто, и они отправились в «21». Там им повстречался брат Меган, который валял дурака, громко жалуясь на похмелье и делая вид, будто «клеит» свою собственную жену. Похлопывая ее по ягодицам, он заказал официанту ленч, а Берни не выдержал и расхохотался. Сэмюэл несносен, как проказливый мальчишка, но все же он совершенно очарователен. Спустя некоторое время они с женой ушли, и Берни остался вдвоем с Меган, не зная о том, что утром за завтраком, состоявшим из бифштекса и нескольких порций «Кровавой Мэри», Сэмюэл успел сообщить сестре, что ей крайне повезло с поклонником, он — потрясающий человек, как раз то, что ей нужно, у него есть вкус, ум, да и мужчина он хоть куда. Но Сэм забыл о самом главном. У Берни золотое сердце, и именно это больше всего привлекало в нем Меган. Сидя за ленчем в баре «21», они заговорили о долине Напа. Им обоим очень хотелось поскорей там оказаться.

— Берни, почему бы вам все же не открыть там магазин? — Ей очень понравилась его идея и то, как светились его глаза, когда он говорил об этом.

— Не получится, Мег. У меня просто не хватит времени.

— Хватит, если вы найдете для него хороших работников. А когда дело сдвинется с мертвой точки, вы сможете руководить всем, живя в Сан-Франциско или даже в Нью-Йорке.

Он покачал головой и улыбнулся. Меган не отличается осведомленностью по части таких предприятий и не отдает себе отчета, какое количество сил и времени они требуют.

— Из этого ничего не выйдет.

— А вы все равно попробуйте. Кто вам мешает?

Общаясь с Меган, он всегда оживлялся и теперь почувствовал, как в душе его блеснула искорка надежды.

— Я подумаю.

Но мысли его занимали сейчас их совместные планы на новогоднюю ночь. Они решили провести ее вместе, даже если Меган придется дежурить. Берни пообещал ей приехать тридцатого декабря в Оуквилль, как только у него закончится рабочий день в магазине. Это помогло ему примириться с мыслью о том, что сегодня они расстанутся — ведь после ленча Меган предстояло вернуться за вещами в «Карлайл», а потом вылететь в Бостон. А Берни ждала встреча с Полом Берманом. Он провел еще два дня с родителями, дочкой и сыном и даже не заметил, как промчалось время и пришла пора отправляться в Сан-Франциско.

Он прилетел накануне того дня, когда должен был выехать в Оуквилль, и ему не терпелось услышать голос Меган. Берни знал, что она уже в Напе, но, когда он набрал номер ее телефона, выяснилось, что Мег в больнице, так как поступил срочный вызов от родителей ребенка с острым аппендицитом. Только оказавшись дома наедине с самим собой, Берни почувствовал, как в нем пусто, как одиноко и тоскливо у него на душе. Он уже плохо понимал, по кому именно он скучает, то ли по Лиз, то ли по Меган, и у него возникло чувство смутной вины. В одиннадцать часов вечера, услышав звонок телефона, он ужасно обрадовался, а когда в трубке раздался голос Меган, чуть не заплакал, но сдержался.

— Берни, у вас все в порядке? — Она часто задавала ему этот вопрос, за что Берни был глубоко ей признателен.

— Сейчас уже да. — Он не стал ничего от нее скрывать. — В доме так пусто, когда в нем нет ни Джейн, ни Алекса... Ни Лиз... ни вас... — Он отмахнулся от чувства вины и решил, что будет думать только о Меган.

Она рассказала ему о том, какие медицинские журналы лежат у нее на столе, он невольно вспомнил о своем отце и улыбнулся. А потом рассказал ей о предмете завтрашних совещаний, и Меган опять напомнила ему о магазине, который он мечтал открыть. Она сказала, что у нее есть подруга, из которой получился бы отличный управляющий и заместитель для Берни.

— Ее зовут Винтертерн. Она вам очень понравится. — Меган явно увлеклась этой идеей, и Берни был приятен ее энтузиазм. Такое впечатление, будто в голове у нее постоянно клубится рой новых задумок.

— Боже милостивый, ну и фамилия.

Меган рассмеялась.

— Да уж. Но она очень подходит Филиппе. Она рано поседела, у нее зеленые глаза, к тому же она обладает редкостным вкусом и чутьем. Я случайно встретила ее сегодня в Юнтвилле. Берни, она — само совершенство. В свое время она работала в Нью-Йорке в редакции журнала «Женские наряды» и в фирме «Бендель». Сейчас она свободна, и ей нет равных. Если вы не против, я вас познакомлю. — Меган очень хотелось, чтобы он открыл свой магазин. Она понимала, что это должно принести ему огромную радость.

— Хорошо. Я подумаю об этом. — Но в данный момент его занимали мысли о другом. В частности, о новогодней ночи.

Они договорились, что на следующий день пообедают дома у Берни. Меган сказала, что купит продукты, а потом они вместе приготовят еду. Если им повезет, до полуночи вызовов не будет. Берни очень хотелось поскорей увидеть Меган. Повесив трубку, он остановился посреди комнаты, глядя на шкаф, в котором висели платья Лиз, но даже не притронулся к дверце, не говоря уже о том, чтобы открыть ее.

Он потихоньку начал отдаляться от Лиз, он знал, что это необходимо, даже если при этом ему будет очень больно.

Глава 41

В шесть часов вечера Берни уже добрался до долины Напа. Он заехал к себе переодеться. Ему хотелось скинуть с себя одежду, в которой он ходил в городе. Он надел фланелевые брюки, мягкие и удобные, а к ним — клетчатую рубашку и толстый ирландский свитер, а потом сел в машину и отправился за Меган. Стоя у входа в ее приемную, он почувствовал, как сильно бьется у него от нетерпения сердце. Она открыла дверь, и Берни, повинуясь безотчетному порыву, обнял ее и крепко прижал к себе.

— Доктор Джонс, а вы не забыли, что вы еще на работе? — спросил ее напарник, с улыбкой глядя на них. Он заметил, что в последнее время Меган повеселела, и теперь понял, почему. Он также догадался, что они с Берни виделись в Нью-Йорке, хотя Меган ни словом не обмолвилась об этом.

Все втроем они направились к выходу. Берни донес продукты до машины, а Меган рассказала ему, как прошел день. Берни решил чуть-чуть ее поддразнить и с укором сказал, что она маловато потрудилась, ведь у нее на приеме побывало всего сорок пациентов.

Вернувшись домой к Берни, они приготовили салат и бифштекс, но едва успели управиться с едой, как зазвучал сигнал вызова, и Меган с извиняющимся видом подняла глаза на Берни.

— Мне очень жаль. Я знала, что именно так и будет.
— Я тоже. Вы не забыли о том, что я — ваш друг?

Все нормально. — Меган пошла к телефону, а Берни поставил на плиту кофе. Через минуту она вернулась, и Берни увидел, как она посерьезнела.

— Один из моих подростков напился и заперся в ванной. — Меган со вздохом опустилась на стул, а Берни протянул ей чашку кофе, которую Мег приняла с благодарной улыбкой.

— Может, родителям следовало скорее позвонить не вам, а пожарным?

— Они так и сделали. Мальчишка упал в обморок и стукнулся головой. Они хотят выяснить, нет ли у него сотрясения мозга. А кроме того, им кажется, что он сломал себе нос.

— О господи. — Берни улыбнулся. — Можно, я сегодня поработаю вашим шофером? — Ему не хотелось, чтобы Меган ездила одна в новогоднюю ночь; ее тронула эта его забота.

— Берни, это было бы чудесно.

— Допивайте кофе, а я быстренько сложу все в раковину.

Спустя несколько минут они выехали на «БМВ» в город Напа.

— Как тут тепло и мягко, — негромко и радостно сказала Меган. Всю дорогу они слушали приятную музыку, и, несмотря на то, что ей пришлось работать, настроение у обоих оставалось праздничным. — А я часто радуюсь тому, что в моем «Остине» протекает крыша. В нем всегда холодно и сквозняк ужасный, но если бы не это, я давно бы уже врезалась где-нибудь в дерево, задремав ночью по дороге из больницы. А когда зуб на зуб не попадает, в сон совсем не клонит.

У Берни кошки заскребли на сердце из-за того, что Меган так часто приходится мерзнуть и подвергаться опасности, но в то же время он порадовался, что хоть в эту ночь, когда на дорогах полным-полно пьяных, он сам сидит за рулем. Оба решили, что, когда Меган освободится, они поедут обратно и посидят за десертом и кофе. Она предупредила, что не станет пить шампанского, пока дежурство не закончится.

Как только они добрались до больницы, ее срочно вызвали в бокс по системе пейджерной связи, а Берни устроился в кресле и принялся листать журналы. Меган пообещала вернуться сразу, как освободится, и примерно через полчаса она подходила к Берни.

— Уже все?

Она кивнула и направилась вместе с ним к дверям, снимая на ходу белый халат, в котором выглядела весьма по-деловому.

— Обошлось легким испугом. Бедный парень отключился, но нос у него не сломан и сотрясения мозга тоже нет. Зато есть огромная шишка, и завтра утром ему будет очень плохо. Потихоньку от родителей он выпил целую пинту рома.

— Бр-р-р. Я проделал то же самое, когда учился в колледже, только еще смешал ром с текилой. Когда я потом проснулся, мне показалось, будто у меня в мозгу выросла опухоль.

Меган рассмеялась.

— У меня было такое же ощущение, когда я напилась «Маргариты». Кто-то из моих соучеников по Гарварду устроил вечеринку в мексиканском стиле, и я отчаянно наклюкалась, сама того не заметив. Я училась тогда на втором курсе, и этот случай мне потом вспоминали еще не один год. Чего я только не вытворяла, разве что не бегала голой по улицам и не лаяла по-собачьи. — Эти воспоминания вызвали у нее смех, и Берни посмеялся вместе с ней. — Когда мне на память приходят подобные истории из моей жизни, начинает казаться, будто мне никак не меньше ста лет. — Она доверчиво посмотрела на Берни и увидела, что взгляд его дышит теплом.

— Но вы никак не выглядите на сто лет, что уже приятно. — На вид ей можно было дать лет тридцать, хотя ей на шесть лет больше. А Берни на будущий год исполнится сорок, и он всякий раз думал об этом с глубоким изумлением. Непонятно, когда только успело пройти столько времени.

После полуторачасового отсутствия они вернулись к Берни, и он принялся разводить огонь в камине в гостиной, а Меган взялась варить кофе. Спустя несколько минут он пришел к ней на кухню и с улыбкой посмотрел на нее. Да, они празднуют Новый год довольно-таки необычным образом, но зато оба при этом счастливы. Меган уютно устроилась возле огня, закинув ногу на ногу, а Берни принес чашки с горячим кофе и перехватил ее радостный взгляд.

— Как хорошо, что вам удалось приехать сюда, Берни. Мне было необходимо увидеть вас.

Ее слова согрели душу, да ведь и он чувствовал то же самое.

— Мне тоже. Сидеть в одиночку дома в Сан-Франциско просто невыносимо, а так мы очень мило встретим Новый год. — Он выбирал слова с осторожностью, и Меган прекрасно его понимала. — Я решил пожить тут недельку до тех пор, пока дети не вернутся. Я вполне могу ездить отсюда на работу. — Когда он сообщил об этом, у Меган от радости засветилось лицо.

— Вот и чудесно. — Но тут вновь раздался сигнал вызова, и она сникла. Впрочем, оказалось, что у пятилетней девочки слегка подскочила температура, и ехать никуда не надо. Меган дала ее родителям все обычные указания, пообещала утром осмотреть девочку и велела им позвонить снова, если температура сильно поднимется.

— И так каждую ночь? Как вы только ухитряетесь держаться на ногах? — Однако Берни знал, что Меган очень любит свое дело. — Вы отдаете работе все свое время и силы.

— Почему бы нет, ведь мне больше не на что их тратить. — Она говорила об этом без грусти. Они уже не раз обсуждали этот вопрос, и он знал, что пациенты отчасти заменяют ей семью. Но, посмотрев в лицо Меган, Берни почувствовал, что с ним происходит нечто странное, и он не в силах удержаться в пределах рамок, которые сам себе поставил. В один из тех моментов, когда они позволили себе по-дружески обняться, в Берни зародилось желание, не покидавшее его с тех пор. И теперь, нимало не задумываясь, он потянулся к Меган и положил руки ей на плечи. Их поцелуй был очень долгим, как будто Берни пытался вспомнить, как это делается, находя это занятие все более и более приятным. Оторвавшись друг от друга, они почувствовали, что у обоих перехватило дыхание.

— Берни?..

Меган не понимала толком, что с ними происходит и почему. Она была уверена лишь в том, что любит его.

— Мне следует извиниться? — Он пристально посмотрел ей в глаза, но не увидел в них ничего, кроме нежности, и, не дожидаясь ответа, снова поцеловал ее.

— За что же тут извиняться?

У нее закружилась голова, а он улыбнулся и поцеловал ее еще раз, крепко прижимая к себе. Он уже не мог остановиться, ведь влечение к ней возникло в нем давным-давно, когда он сам еще не осознавал этого, и теперь подспудное желание вырвалось наружу, сметая все преграды. Внезапно Берни отстранился от нее и поднялся на ноги. Он со смущением понял, что брюки уже ничего не скрывают...

— Прости меня, Мег. — Он тяжело вздохнул и подошел к окну, пытаясь хоть на мгновение вспомнить Лиз, но не смог, и отчаянно испугался. На лице у него появилось по-детски растерянное выражение. Меган тихонько подошла к нему, и он повернулся к ней.

— Ничего страшного, Берни... никто не станет делать тебе больно, — сказала она. И тогда он снова обнял ее, и по щекам его потекли слезы, и некоторое время они стояли, прижавшись друг к другу, словно ища тепла и утешения. Когда он поднял на нее глаза, его ресницы еще оставались мокрыми, но он заговорил уверенным звучным голосом:

— Мег, я не знаю, какие еще чувства скрываются в моей душе, но в одном я уверен: я люблю тебя.

— Я тоже тебя люблю... и мы с тобой друзья...

Он не сомневался в том, что это правда. Его руки прикоснулись к ее груди, затем скользнули по упругому животу, за пояс джинсов, и желание вспыхнуло в нем с такой силой, что он едва не задохнулся. Он расстегнул «молнию» на ее джинсах и ласково провел рукой по ее коже. У Меган закрылись глаза, и она тихонько застонала. Он взял ее на руки и понес к дивану. Лежа на нем возле пылающего огня в камине, они принялись по-новому познавать друг друга. Он увидел, какая светлая и переливчатая у нее кожа, как будто на ней играют лунные блики, какие маленькие и крепкие у нее груди. Он притронулся к соскам и почувствовал, как они напряглись, а она осторожно расстегнула ему брюки и прикоснулась к нему, ощущая невероятный прилив желания. Он смел ненужную одежду на пол и прижался к ней. Она вскрикнула, а затем их крики слились воедино, и в них звучали тоска и страсть, и радость, и наконец она приникла к нему, а ему показалось, будто вся его прежняя жизнь осталась позади, и он взмыл рядом с ней в небеса, а потом они вместе плавно опустились на землю.

Они долгое время лежали молча. Берни прикрыл глаза и нежно прикасался пальцами к ее коже, а Меган глядела на язычки пламени, думая о том, как велика ее любовь к нему.

— Спасибо, — донесся до нее тихий шепот Берни. Он понимал, сколь многое она дала ему и как отчаянно он в этом нуждался. Ее любовь, тепло и помощь стали необходимы ему. Он начал отдаляться от Лиз, испытывая при этом такую же боль, как в момент ее смерти, а может быть, и более сильную, потому что этот процесс мучителен и необратим.

— Не говори так... я люблю тебя.

Он открыл глаза и, увидев ее лицо, поверил ее словам.

— А мне казалось, что я больше никому не смогу этого сказать. — Ему стало легко, как никогда прежде. Он ощущал покой, зная, что ничего плохого не случится, потому что она рядом.

— Я люблю тебя, — шепотом повторил он.

Она улыбнулась и прижала его к себе, как усталого ребенка, и он заснул, лежа в ее объятиях.

Глава 42

Наутро, когда они проснулись, у них обоих затекли руки и ноги, а Меган замерзла. Они обменялись боязливыми взглядами и, увидев, что тревожиться не о чем, радостно улыбнулись. Наступил новый год. Берни принялся дразнить Меган по поводу того, каким образом она его встретила, чем вызвал у нее веселый смех.

Он отправился готовить кофе, а Меган, позаимствовав у него старый халат, вскоре тоже пришла на кухню. Ее густые, длинные черные волосы разметались по плечам, и она показалась ему еще красивей, чем прежде, когда он увидел, как она сидит на стуле, положив локти на кухонный стол и держа в руках чашку.

— Знаешь, ты восхитительный мужчина.

Ни один из любовников никогда не вызывал у нее такого восторга, как Берни. Но она понимала, что тут-то и кроется опасность. У нее немало шансов остаться потом одной и с разбитым сердцем. Этот человек еще не оправился после смерти жены, а через несколько месяцев он переедет в Нью-Йорк. Он сам предупредил ее об этом. А Меган обладала изрядным опытом и знала, что именно честные люди способны причинить другим сильную боль.

— О чем ты задумалась, красавица? У тебя очень серьезный вид.

— Я думала о том, как будет жалко, когда тебе придется перебраться в Нью-Йорк. — Она решила быть с ним откровенной. Это необходимо. За многие годы ей пришлось пережить немало разочарований, которые оставили неизгладимые шрамы.

— Самое забавное заключается в том, что мне уже не хочется туда возвращаться. На протяжении первых двух лет, проведенных здесь, я только об этом и мечтал. — Он пожал плечами и передал ей чашку с отчаянно горячим черным кофе. Мег призналась ему как-то, что любит именно такой. — А теперь жалею, что не смогу остаться здесь. Может, нам лучше пока не думать об этом?

— Думай не думай, легче не станет. — Она посмотрела на него, философски улыбаясь. — Но ради тебя я готова даже на это.

— Спасибо тебе за эти слова. — Он тоже мог бы многим поступиться ради нее. Он даже удивился, ощутив, насколько сильно он ее любит.

— Ты ужасно мне понравился еще в ту ночь, когда привез Алекса в больницу. Я даже призналась в этом медсестре... но подумала, что ты женат. И по дороге домой прочитала самой себе нравоучительную лекцию на тему о том, что не стоит перевозбуждаться при виде папаш моих пациентов. — Он засмеялся, а Меган с улыбкой добавила: — Правда, прочла. Честное слово.

— Ладно-ладно, не рассказывай. После сегодняшней ночи трудно поверить, что ты навеки справилась с возбуждением. — Меган покраснела, а он подошел к ней, чувствуя, как желание проснулось в нем с новой силой, и ему показалось, что оно не пройдет никогда. Внезапно они оказались в волшебной стране любви. Он не мог отвести от нее глаз и осторожно потянул за поясок халата, который она так старательно завязала лишь несколько минут назад, а когда халат соскользнул у нее с плеч и упал на пол, он повел ее к себе в спальню. Расположившись у него в постели, они долго с наслаждением занимались любовью, но в конце концов Мег отправилась в душ. Она сказала, что ей пора поехать в больницу, чтобы вместе с Патриком сделать обход пациентов.

— Я поеду с тобой.

Она тряхнула еще мокрыми волосами, обернулась и тепло посмотрела на него. Глаза Берни сияли от счастья.

— Ты действительно хочешь поехать вместе со мной? — Ей очень это понравилось. Как замечательно, когда он рядом, и они все делают вместе. Но она понимала, что эта радость может обернуться горем. Ведь рано или поздно им придется расстаться.

— Я не в силах разлучиться с тобой, Мег. — Он говорил правду. Как будто, утратив однажды любимую женщину и наконец полюбив другую, он боялся расстаться с ней даже на час.

— Хорошо.

Все эти выходные они провели, не расставаясь друг с другом ни на минуту, они вместе ели, вместе спали, вместе выходили погулять или побегать, вместе смеялись и занимались любовью по три-четыре раза на дню. Берни словно изголодался по любви, по сексу, по теплу и никак не мог насытиться. В течение всей недели он старался приезжать в долину Напа пораньше, чтобы встретить Мег по окончании приема. Он всякий раз привозил с собой замечательные подарки и что-нибудь вкусное. Ему казалось, что вернулись первые дни их знакомства с Лиз, но на самом деле все было иначе. И он, и Меган знали, что эта идиллия не затянется надолго. В один прекрасный день ему придется вернуться в Нью-Йорк, и тогда все кончится. Впрочем, это произойдет далеко не сразу, им отпущено ровно столько времени, сколько потребуется Полу Берману, чтобы найти замену Берни.

В последнюю ночь перед тем, как должны были прилететь дети, он открыл бутылку шампанского «Луи Редерер», а Меган приготовила обед. В ту ночь по вызовам дежурил Патрик, и они смогли целиком посвятить ее любовным утехам, не выпуская друг друга из объятий до самого утра.

Берни взял выходной, чтобы побыть с Меган и днем, но самолет должен был прилететь в шесть часов, и в четыре ему пришлось отправиться в город.

— Мне очень не хочется уезжать. — Предыдущие десять дней они почти полностью провели бок о бок друг с другом, и мысль о предстоящей разлуке угнетала его. Их жизнь неминуемо изменится с появлением в доме детей, особенно Джейн. Она уже совсем большая и очень наблюдательна, ее не обманешь, а значит, они не смогут открыто ночевать под одной крышей, не оскорбив ее чувств и не нарушив правил, в неприкосновенность которых свято верили сами. Им придется куда-то уезжать, чтобы заняться любовью друг с другом или же Берни надо будет ночевать у Меган, возвращаясь спозаранку домой, прежде чем дети проснутся утром. — Я буду ужасно скучать по тебе, Мег, — сказал он, чуть не плача, и она поцеловала его.

— Я же никуда не денусь. Я остаюсь здесь и буду ждать тебя. — Берни растрогали ее слова. Но она знала, что благодаря ему заполнился уголок ее души, пустовавший долгие годы; знала, что любит его так сильно, что никогда не сможет выразить этого словами; знала, что при этом он должен чувствовать себя свободным. Она не имела права цепляться за него и дала себе слово никогда этого не делать. — Наступят выходные, любимый, и мы снова увидимся. — Но все уже будет иначе, и они оба понимали это. Берни пообещал позвонить ей вечером, когда дети уснут. Однако, стоя в аэропорту среди встречающих, он вдруг почувствовал, что лишился того, что было ему очень дорого, и ему захотелось помчаться обратно и убедиться в том, что Меган по-прежнему на месте. Но до конца понять, что с ним произошло, ему пришлось только тогда, когда он вместе с няней Пип и детьми вернулся домой и ему понадобилось открыть шкаф с вещами Лиз. Он искал коробку с фотографиями бабушки и дедушки, поскольку Джейн уверяла Берни, что фотографии должны быть у него, а ей захотелось собрать их в альбом и сделать старикам подарок. Берни открыл шкаф, и внезапно ему почудилось, будто она стоит там, упрекая его за связь с Меган. Чувствуя себя предателем, он с шумом захлопнул дверцу, так и не отыскав фотографий, и пошел прочь из комнаты, едва дыша. Ему было невыносимо видеть вещи умершей жены.

— У меня их нет. — Борода отчасти скрывала бледность его лица. Что он наделал? Как он только мог? Неужели он забыл Лиз? Он согрешил. Он совершил тяжкий грех и не сомневался, что бог накажет его. Он предал Лиз.

— Да нет же, они у тебя, — продолжала настаивать Джейн. — И бабушка сказала то же самое.

— Нет! У меня их нету! — закричал он, войдя в кухню. — Она сама куда-то их задевала и забыла!

— Что случилось? — Джейн слегка опешила, хотя очень хорошо знала характер отца.

— Ничего.

— Да уж какое там ничего. Папа, тебе нездоровится? — Он повернулся лицом к дочке, и она заметила, что в глазах у него стоят слезы. Испугавшись, она кинулась к нему и обвила руками его шею.

— Прости меня, малышка. Просто я так скучал по тебе, что совсем уже выжил из ума. — Он плохо понимал, у кого просит прощения, у Джейн или у Лиз... Но когда дети улеглись спать, он все равно позвонил Меган. Желание видеть ее, слышать ее голос, быть рядом с ней пересилило все остальные чувства.

— У тебя все в порядке, милый? — Похоже, она догадалась, в чем дело: в его голосе промелькнули странные нотки. Она знала, что возвращение в тот дом, где они жили вместе с Лиз, окажется для него болезненным. Особенно теперь, если учесть, что он за человек. Его наверняка мучает совесть.

— Да, вполне. — Его ответ прозвучал неубедительно.

— Если это не так, тоже ничего страшного. — Она так быстро научилась понимать его. Берни вздохнул. С одной стороны, это хорошо, а с другой — неловко. Его смущали собственная растерянность и угрызения совести, но он ничего не мог с собой поделать.

— Ты говоришь совсем как моя мама.

— Ой-ей-ей. — Меган улыбнулась, а Берни засмеялся. Но, в отличие от Руфь, она не стала ни о чем расспрашивать.

— Ну ладно. — Он решил честно рассказать обо всем, и в конце концов его признание только сблизило их еще тесней. — Я чувствую себя ужасно виноватым. Я открыл шкаф, и мне показалось, будто она стоит там... — Он не знал, как толком все объяснить, но Меган догадалась сама:

— Ты по-прежнему хранишь там ее вещи?

Берни опять смутился.

— Да. Наверно, я...

— Это естественно. Берни, тебе нечего стесняться. Это твоя жизнь, и ты имеешь право сам решать, когда и что тебе делать. — Меган оказалась первым человеком, сказавшим ему такие слова, и от этого она стала ему еще дороже.

— Я люблю тебя. Ты подарила мне редчайшее счастье, и я надеюсь, что у тебя еще не идет голова кругом из-за меня.

— Идет. Но по совсем иной причине. — Она слегка покраснела. — И это очень приятно.

Берни улыбнулся. Он почувствовал, что впервые за очень долгое время ему невероятно повезло.

— Как бы нам побыть вместе на выходных?

Они договорились, что проведут у нее ночь с пятницы на субботу, а рано утром он отправится домой. Это прекрасно им удалось, и они проделали то же самое и в следующую ночь. Потом ему пришло в голову сказать Джейн, будто он едет в Лос-Анджелес по делам, и это позволило ему провести вне дома ночь со среды на четверг.

Он стал пользоваться этим предлогом каждую неделю, а однажды им удалось улучить даже пару дней. Правду знала только няня Пип. Он решил сообщить ей, где находится, на случай, если с кем-нибудь из детей что-нибудь приключится. Он не сказал ей, где ночует, а просто дал номер телефона и попросил звонить, только если возникнет экстренная ситуация, чувствуя себя при этом крайне неловко. Но няня даже глазом не моргнула и вроде бы приняла это как нечто само собой разумеющееся. Берни подозревал, что ей известно, где он ночует. Всякий раз, когда он уезжал, она с улыбкой выходила проводить его до машины и ласково трепала по плечу.

А по выходным они все вместе отправлялись в долину Напа. Меган бывала у них в гостях. Она показала Джейн, как смастерить гнездо для птенца, который свалился с росшего неподалеку от дома дерева, и помогла вылечить ему сломанную ножку. Она брала с собой Алекса, когда ездила по округе, и всякий раз, едва завидев ее, малыш начинал пищать от восторга. Даже Джейн постепенно смягчилась.

— Папа, почему она так тебе нравится? — спросила она однажды, складывая вместе с ним грязную посуду в раковину.

— Потому что она хорошая. Она умна, добра и с большим теплом относится к людям. Найти женщину, которая обладала бы всеми этими качествами, не так-то легко. — А он нашел. Да еще дважды. Все-таки ему везет в жизни. И он сможет наслаждаться счастьем до тех пор, пока не придет время перебраться в Нью-Йорк. Но в последнее время он все чаще думал, не отказаться ли ему от этой затеи.

— Ты ее любишь?

Он замер, затаив дыхание, не зная, как ей ответить. Ему не хотелось лгать дочке, и в то же время он боялся обидеть ее.

— Может быть.

Джейн изумленно посмотрела на него.

— Правда? Так же сильно, как ты любил маму? —

Его ответ ошарашил Джейн, и она внезапно рассердилась.

— Нет. Для этого еще слишком рано. Я знаю ее совсем короткое время.

Джейн кивнула. Значит, все это всерьез. Но она уже не могла испытывать ненависть по отношению к Меган, даже при всем своем желании. Меган замечательно обращалась с детьми, и те не могли не испытывать к ней симпатии. Настал апрель, и Берни пришла пора совершить поездку в Европу, и тогда Джейн спросила, нельзя ли ей провести выходные у Меган, пока его не будет. Это означало грандиозную победу, и Берни чуть не расплакался от радости, услышав ее слова.

— Ты вправду не против, если они побудут с тобой? — Он пообещал Джейн спросить у Меган разрешения. — Я могу отправить няню вместе с ними.

— Я буду счастлива. — Меган жила в крохотном домике, но решила, что прекрасно сможет поспать на диване, разместив няню у себя в спальне, а детей в кабинете. Им ужасно понравилось у нее. Каждую пятницу после окончания школьных занятий они выезжали в Сент-Элену. Берни вернулся как раз ко дню рождения Александра, которому исполнилось три года. Они все вместе отпраздновали это событие, а потом Берни вышел прогуляться с Меган.

— Что-нибудь случилось, пока ты был в Нью-Йорке? — встревоженно спросила она. — Ты какой-то не очень веселый.

— Кажется, Берман вот-вот подыщет мне замену. Он предложил это место женщине, которая работает в другом магазине. Они никак не сговорятся насчет оплаты, но, как правило, Берман одерживает верх в такого рода спорах. Что мне делать, Мег? — Он с тоской поглядел на нее, и Меган стало жаль его. — Я не хочу с тобой расставаться. — Во время поездки в Европу он скучал по ней куда сильней, чем можно было ожидать.

— Мы будем решать эту проблему, когда вплотную столкнемся с ней. — В ту ночь они так неистово предавались любовным ласкам, как будто назавтра им грозила вечная разлука.

Спустя две недели Берни специально приехал к ней

из города, чтобы сообщить: у Бермана ничего не получилось. Той женщине чуть ли не в два раза повысили зарплату, и она осталась работать на прежнем месте. Оба почувствовали облегчение, но Берни понимал, что судьба не может и дальше так их выручать.

— Ура! Ура! — Он привез с собой шампанского, а вечером они отправились обедать в «Оберж дю солей» и прекрасно провели время. Он собирался выехать в город в восемь часов на следующее утро, но Меган сказала, что непременно должна ему сначала кое-что показать. Берни отправился следом за ее «Остин-Хили» на своей машине. Они остановились неподалеку от замечательного викторианского домика, расположенного за виноградниками чуть в стороне от шоссе.

— Какой красивый. Чей это дом? — Он бросил на него взгляд, каким смотрят на чужую жену, которая вызывает лишь восхищение, но не стремление заполучить ее в собственное владение. А Меган улыбнулась, как будто приготовила для него сюрприз.

— Он свободен. Этот дом принадлежал миссис Мозес, но она умерла, пока ты был в Европе, ей шел уже девяносто второй год. А дом в отличном состоянии.

— Ты хочешь купить его? — Меган явно потрудилась навести справки, и Берни стало любопытно.

— Нет, у меня есть идея получше.

— Какая? — Берни посмотрел на часы. Он торопился на совещание.

— Почему бы тебе прямо сейчас не открыть свой магазин? Я не хотела заговаривать об этом, пока не выяснится, надо тебе уезжать или нет. Но если ты проведешь здесь еще хоть пару месяцев, это можно рассматривать как крайне выгодное вложение денег. — Она говорила, волнуясь, как девчонка, и Берни растрогался. Но он знал, что этому не бывать, ведь совершенно неизвестно, как скоро ему придется покинуть Сан-Франциско.

— Ох, Мег... это невозможно.

— Почему? Дай мне хотя бы познакомить вас с Филиппой.

— Детка... — Берни не хотелось разочаровывать Меган, но она не имела ни малейшего понятия, скольких трудов стоит открытие магазина. — Мне понадобится не только менеджер. Тут нужен архитектор, подрядчик... — Он запнулся.

— Зачем? Ты же сам прекрасно во всем разбираешься. А уж архитекторов в округе полным-полно. Ну же, Берни, хотя бы подумай на эту тему. — Она заметила, что Берни оживился, но лишь чуть-чуть, и она подосадовала на судьбу.

— Хорошо, подумаю, но сейчас мне пора. В субботу я буду здесь. — То есть через два дня. Им постоянно приходилось видеть друг друга лишь урывками.

— Можно, я приглашу Филиппу на ленч?

— Хорошо, пригласи. — Он рассмеялся, ущипнул ее за бок, сел в машину, махнул рукой на прощание и уехал. А Меган, улыбаясь, отправилась в больницу. Она все же надеялась, что он согласится. Меган знала, что Берни очень хочется открыть свой магазин, и ей казалось, что никаких препятствий тому нет. Она решила, что всеми силами будет помогать ему. Мечты таких замечательных людей должны сбываться. И возможно, если им выпадет удача, он останется в Калифорнии.

Глава 43

Фамилия Филиппы — Винтертерн — показалась Берни одной из самых забавных на свете, а ее лицо — одним из самых привлекательных. Эта симпатичная седовласая женщина имела колоссальный опыт работы: в свое время она заведовала магазином в Палм-Бич, затем сетью магазинов на Лонг-Айленде, она сотрудничала с журналами «Вог» и «Женские наряды», а также занималась моделированием детской одежды. Ни одно событие в мире моды и торговли за прошедшие тридцать лет не обошлось без ее участия, и вдобавок ко всему прочему она обучалась в колледже Парсонса.

Слушая их разговор, Меган не смогла не улыбнуться. Потом ей пришлось отлучиться: в приемную привезли восьмилетнего ребенка, который сломал руку. Когда она вернулась, Берни и Филиппа по-прежнему говорили не смолкая. Когда ленч подошел к концу, глаза у Берни сияли от восторга. Филиппа прекрасно знала, что ей нужно, и затея Берни пришлась ей по душе. У нее самой не было капитала для такого проекта, но Берни не сомневался, что с этой стороной дела он справится, взяв ссуду в банке и, может быть, призаняв некоторую сумму у родителей.

И все же он сомневался, уместно ли браться за такое дело, ведь рано или поздно ему придется переехать в Нью-Йорк. Впрочем, после разговора с Филиппой ему уже никак не удавалось махнуть рукой на все эти идеи.

Несколько раз ему случилось проехать мимо дома, который нашла Меган. Его так и подмывало оформить покупку, но зачем ему приобретать недвижимость в Калифорнии? Разве чтобы вложить деньги...

Всякий раз, разговаривая с Полом по телефону, Берни впадал в рассеянность и отвечал невпопад. Внезапно его снова начали преследовать призраки прошлого. Он стал очень часто вспоминать о Лиз, и тогда в душе у него появлялось раздражение против Меган.

Берни провел все лето, работая в магазине в Сан-Франциско. Но мысли его постоянно витали где-то далеко. Он думал о долине Напа, о Меган, о доме, который ему хотелось купить, и о своем магазине, который хотелось открыть. Душа его разрывалась на части, он чувствовал себя виноватым, но Меган поняла, что с ним творится. Она держалась очень спокойно, старалась поддержать его и не спрашивала о планах на будущее, за что Берни был глубоко ей благодарен. Она вела себя просто замечательно, но и от этого ему становилось все более и более не по себе.

Они прожили семь месяцев, стараясь не принимать никаких решений, но ведь рано или поздно это придется сделать. И к тому же такая жизнь мучительна. Ему очень нравилось бывать с Меган, подолгу гулять с ней, вести разговоры по вечерам и заезжать к ней в больницу, когда она дежурила. Она отлично ладила с детьми. Александр души в ней не чаял, и миссис Пиппин полюбила ее, и даже Джейн. Она прекрасно подходила ему по всем статьям... но его смущали воспоминания о Лиз. Он старался не сравнивать их друг с другом, ведь они совершенно разные, а когда Джейн заводила разговор на эту тему, Меган всякий раз ее останавливала.

— Твоя мама была особенным человеком, других таких больше нет, — говорила она; с ее словами невозможно было не согласиться, и Джейн было приятно это слышать. Меган очень хорошо понимала и детей, и Берни. Ему разонравилось жить в городском доме, его угнетала тамошняя обстановка. Счастливые дни, проведенные в нем, как-то не приходили на память, его донимали воспоминания о том, как Лиз болела перед смертью, отчаянно цепляясь за жизнь, продолжая работать в школе и вести хозяйство и слабея с каждым днем. Мысли об этом сделались ему ненавистны. С тех пор как ее не стало, прошло два года, и ему хотелось думать о другом. Но он не мог забыть о том времени, когда Лиз доживала последние месяцы и дни, отпущенные ей перед смертью.

В августе родители Берни приехали навестить его и внуков. Он вывез детей на лето в долину Напа, все шло как и в прошлом году, и бабушка с дедушкой снова взяли Джейн с собой в поездку. А когда все они вернулись, Берни познакомил их с Меган. Они без труда догадались, кто она такая, зная о ней по рассказам сына. Руфь окинула ее внимательным испытующим взглядом, и Меган произвела на нее благоприятное впечатление. Она сумела понравиться всем, даже матери Берни.

— Значит, вы врач, — в голосе матери послышался оттенок гордости. Она поцеловала Меган, и у той на глазах выступили слезы.

На следующий день Меган заехала за ними, когда освободилась от работы, и повезла показывать достопримечательные места. Отец Берни смог провести с ними лишь несколько дней, пока в Сан-Диего не начался медицинский конгресс. Руфь решила погостить подольше. Она по-прежнему сильно тревожилась за сына, чувствуя, что, несмотря на привязанность к Меган, он еще тоскует по Лиз. Сидя в ресторане «Сент-Джордж», Руфь завела разговор на эту тему. Она сочла, что с этой молодой женщиной, которая пришлась ей по душе, можно откровенно говорить обо всем.

— Он совсем не такой, как прежде, — пожаловалась она, думая, что, возможно, ее сын изменился навсегда. С какой-то стороны это даже к лучшему, он стал более зрелым и деликатным, но после смерти Лиз он утратил способность радоваться жизни.

— Ему потребуется еще некоторое время, миссис Файн.

Прошло уже два года, а он только-только начал приходить в себя. А сейчас он оказался перед необходимостью принять ряд решений, и ему трудно сделать выбор между Меган и воспоминаниями о Лиз, между Сан-Франциско и Нью-Йорком, между собственным магазином и фирмой «Вольф» и Полом Берманом, которым он многим был обязан. Он разрывался на части, и Меган понимала это.

— Уж больно он какой-то тихий. — Руфь обратилась к Меган как к давнишнему другу, и та улыбалась в ответ. Такая улыбка облегчает боль, когда у тебя сломан палец, или воспалено ухо, или непорядок с животом, и Руфь тоже стало полегче. Она убедилась, что рядом с этой женщиной ее сын сможет жить счастливо.

— У него сейчас трудное время. По-моему, он столкнулся с вопросом: не пора ли ему отрешиться. А это крайне нелегкий шаг.

— Отрешиться от чего? — в недоумении спросила Руфь.

— От памяти о жене, от иллюзорной веры в то, что она вернется. Примерно то же самое происходит и с Джейн. Отталкивая меня, она пытается сохранить надежду на то, что ее мама в один прекрасный день окажется рядом с ней.

— Это нездоровые иллюзии, — нахмурившись, сказала Руфь.

— Но вполне естественные. — Меган не стала рассказывать ей о том, что Берни мечтает открыть магазин в долине Напа, чтобы не расстраивать ее еще сильнее. — Мне кажется, Берни стоит на пороге принятия крайне сложных для него решений. Ему станет лучше, когда этот момент останется позади.

— Надеюсь. — Руфь не стала спрашивать, входит ли женитьба на Меган в число вопросов, которые предстоит решить ее сыну. Они поговорили за едой о том о сем, а когда Меган завезла ее домой и уехала, помахав на прощание рукой, у Руфь отлегло от сердца.

— Мне нравится эта женщина, — заявила она вечером Берни. — Она умна, добра и деликатна. — Немного помолчав, Руфь добавила: — И она любит тебя. — Впервые за все время она побоялась, как бы ее слова не рассердили сына. Берни улыбнулся. — Она потрясающий человек.

Берни согласился с ней.

— А ты не хочешь ничего предпринять?

Он долго не отвечал, а потом со вздохом посмотрел матери в глаза.

— Мама, у нее здесь своя практика, а фирма «Вольф» рано или поздно отзовет меня обратно в Нью-Йорк. — По его лицу нетрудно было понять, что он переживает, и Руфь стало больно за него.

— Бернард, жена важней, чем работа в фирме. — Она произнесла эти слова очень мягко, махнув рукой на собственные интересы, решив, что счастье сына превыше всего.

— Я уже думал об этом.

— И что?

Он опять вздохнул:

— Я стольким обязан Полу Берману.

На секунду Руфь вышла из себя.

— Обязан, но не до такой степени, чтобы ради него отказаться от жизни, от собственного счастья и благополучия детей. И по-моему, ты принес столько прибыли этой фирме, что скорей он обязан тебе, а не наоборот.

— Мама, все далеко не так просто. — Вид у Берни был измученный, и у Руфь сжалось сердце.

— Возможно, ты слишком все усложняешь, дорогой. Попробуй подумать об этом.

— Попробую. — Он наконец улыбнулся и поцеловал мать в щеку, а потом прошептал: — Спасибо.

Через три дня Руфь пришлось улететь к мужу в Сан-Диего, и Берни искренне опечалился ее отъезду. За прошедшие годы им удалось стать друзьями. Даже Меган поняла, что будет скучать по ней.

— Берни, у тебя замечательная мама.

Он улыбнулся женщине, которую полюбил так беззаветно. В ту ночь у них впервые за все это время появилась возможность побыть вдвоем, полежать рядом в постели, и Берни чувствовал себя счастливым.

— Она точно так же отозвалась о тебе, Мег.

— Она вызвала у меня глубочайшее уважение. И она очень любит тебя. — Берни улыбнулся, радуясь тому, что они понравились друг другу. А Меган чувствовала себя на седьмом небе, потому что они снова оказались вместе. Общество Берни никогда не надоедало ей, они могли проводить друг с другом долгое время, разговаривая или занимаясь любовью. Порой они не смыкали глаз всю ночь напролет, лишь бы не расставаться ни на миг.

— У меня такое ощущение, как будто мы не виделись несколько недель подряд, — прошептал он, уткнувшись носом в плечо Меган. Он истосковался по теплу ее тела, ему хотелось все время прикасаться к ней, чувствовать, что она рядом, обнимая и лаская ее.

Берни изумляла сила, с которой они испытывали влечение друг к другу. Они стали любовниками восемь месяцев назад, но по-прежнему занимались любовью с таким же пылом, как и в первые дни.

Внезапно зазвонил телефон, и Меган, все еще тяжело дыша, потянулась за ним, виновато улыбнувшись Берни. В ту ночь она дежурила по вызовам.

Берни не хотелось отпускать ее, он прижался к ней, лаская сосок ее груди.

— Милый, я не могу.

— Ну один-единственный раз... если ты не ответишь, они позвонят Патрику.

— А вдруг они его не застанут? — Несмотря на всю свою любовь к Берни, Меган не могла махнуть рукой на обязанности. Она отстранилась от него, хоть и с неохотой, и сняла трубку после четвертого звонка, продолжая ощущать аромат его тела и тепло его руки на своем бедре. — Доктор Джонс слушает, — сказала она обычным рабочим тоном и, как всегда, стала слушать. — Когда? Как давно? Сколько? Как часто? Поместите ее в отделение интенсивной терапии и позвоните Фортгэнгу. — Взгляд у Меган стал напряженным, она уже позабыла о любовных утехах и принялась натягивать джинсы. — И вызовите хорошего анестезиолога. Я выезжаю. — Повесив трубку, Меган повернулась к Берни. Придется сказать ему сразу, деликатничать некогда.

— Что случилось?

Боже мой. Ей никогда не приходилось сообщать таких ужасных новостей.

— Берни... любимый... — Она заплакала, сетуя на себя за то, что не смогла удержаться от слез, и он понял: с кем-то из дорогих ему людей случилось нечто страшное. — Это Джейн, — сказала Меган, а внутри у Берни все сжалось. — Она каталась на велосипеде, и ее сбила машина.

Все это время она продолжала одеваться, а Берни застыл, глядя на нее. Меган протянула руки и прикоснулась к его лицу. Казалось, он не понял, о чем она говорит. Или понял, но не смог в это поверить. Бог не может быть таким жестоким, чтобы дважды в жизни нанести человеку подобный удар.

— Что произошло? Черт возьми, Меган, скажи, что с ней! — Он сорвался на крик, но Меган хотелось поскорей поехать в больницу к Джейн.

— Пока еще не знаю. Она ударилась головой, кроме того, они вызвали хирурга-ортопеда...

— Что у нее сломано?

Придется сказать ему прямо сейчас. Времени нет ни минуты.

— Нога, рука, сложный перелом тазобедренного сустава и не исключено, что задет позвоночник. Точно еще неизвестно.

— О боже мой. — Берни закрыл лицо руками, а Меган сунула ему джинсы и побежала за ботинками. Она обулась сама и помогла ему.

— Только не падай духом. Поедем к ней, скорее. Может, все не так уж и страшно. — Но даже ей, врачу, показалось, что хуже быть не может. Вполне вероятно, что Джейн никогда не сможет ходить. А если поврежден и мозг, последствия могут оказаться катастрофическими.

Берни схватил ее за руку.

— А может, страшнее некуда, верно? Что, если она умрет... или останется калекой, или на всю жизнь потеряет рассудок?

— Нет. — Меган смахнула слезы с глаз и потащила его к выходу. — Нет, я ни за что в это не поверю... давай скорей. — Она завела двигатель и, включив задний ход, почти мгновенно выбралась на шоссе. По дороге она попыталась разговорить его, но он сидел, уставясь прямо перед собой. — Берни, не молчи.

— Знаешь, почему это случилось? — Ему казалось, будто внутри у него все выжжено, и Меган догадалась об этом по его лицу.

— Почему? — Надо же хоть как-то разговаривать. Меган гнала машину на скорости около ста миль в час, надеясь, что полиция не увяжется за ней. Медсестра сообщила ей, какое у Джейн давление. Девочка на грани гибели, и они уже включили реанимационную аппаратуру.

— Потому что мы спутались друг с другом. А бог решил меня наказать.

Меган почувствовала, как слезы обожгли ей глаза, и еще сильней нажала на педаль газа.

— Мы полюбили друг друга. И бог вовсе не хочет тебя наказать.

— Нет, хочет. Я предал Лиз... и... — Он замолчал, его душили рыдания, но Меган продолжала всю дорогу говорить, обращаясь к нему, чтобы хоть как-то ему помочь.

Выезжая на стоянку, Меган предупредила его:

— Как только мы остановимся, я выскочу из машины. Поставь ее на место и отправляйся в здание. Клянусь тебе, если будут новости, я сразу сообщу тебе. — Остановив машину, Меган бросила взгляд на Берни. —

Молись за нее, Берни, просто молись, и все. Я люблю тебя. — Затем она убежала, а через двадцать минут вышла к нему, уже переодетая в зеленый хирургический костюм с шапочкой и маской, в бумажных тапочках поверх кроссовок.

— Сейчас Джейн занимается ортопед, он должен определить, насколько сильно она пострадала. Из Сан-Франциско сюда уже вылетел вертолет с двумя специалистами по детской хирургии. — Меган сама их вызвала, и Берни тут же догадался, что означают ее слова.

— Мег, она не выживет? — Ему едва удалось выдавить из себя этот вопрос. Чуть раньше он позвонил няне, чтобы сообщить ей о случившемся, но при этом так плакал, что няня лишь с трудом поняла, что он говорит. Няня велела Берни взять себя в руки и сказала, что будет сидеть у телефона, ожидая его звонка. Ей не хотелось пугать Александра, и она решила, что не поедет с ним в больницу и вообще ничего ему не скажет. — Она не...? — Берни продолжал настаивать, и Меган заметила, какой виноватый у него взгляд. Ей хотелось растолковать ему, что никакой вины за ним нет, что никто не пытался наказать его за измену Лиз, но придется подождать с этим. Сейчас не время и не место.

— Она выживет, а если удача нам улыбнется, она сможет ходить. Думай только об этом.

«А что, если нет?» Эта мысль постоянно крутилась у него в голове. Меган опять убежала, а он бессильно рухнул в кресло. Медсестра принесла ему воды, но он не стал ее пить. Глядя на этот стаканчик, он вспомнил, как Йохансен сообщил ему, что Лиз больна раком.

Через двадцать минут приземлился вертолет, и мимо него пробежали хирурги. Для них все уже подготовили, а здешний ортопед и Меган выступили в роли ассистентов. На всякий случай с ними прислали еще и нейрохирурга, но травма головы оказалась не такой серьезной, как они опасались. Основной удар пришелся по тазобедренному суставу и низу позвоночника, и это тревожило их сильней всего. Переломы руки и ноги оказались несложными. И в каком-то смысле Джейн повезло. Окажись трещина в позвоночнике хотя бы на два миллиметра глубже, нижняя часть ее тела навсегда осталась бы парализованной.

Операция продолжалась четыре часа, и Берни чуть не забился в истерике, когда Меган наконец вышла к нему. Но, по крайней мере, ожидание закончилось, и он, всхлипывая, прижался к ее плечу.

— С ней все в порядке, милый, все в порядке.

А на следующий день выяснилось, что Джейн снова сможет ходить. Для этого потребуется немало времени и правильное лечение, но она сможет играть, бегать и танцевать. Когда Берни сказали об этом, он заплакал, нисколько не стыдясь своих слез. Он стоял, глядя на спящую дочку, и все плакал и плакал. А когда Джейн проснулась, она тут же улыбнулась отцу, а потом посмотрела на Меган.

— Ну как ты, солнышко? — ласково спросила Меган.

— У меня все болит, — пожаловалась Джейн.

— Придется немного потерпеть. Но скоро ты поправишься и снова сможешь играть.

На лице Джейн появилась бледная улыбка. Она глядела на Меган с надеждой, словно взывая к ней о помощи. И тогда Берни, нисколько не стесняясь, взял за руку и дочку, и Меган.

Берни и Меган вместе позвонили его родителям. Те пришли в ужас. Но Меган посвятила Лу в детали дела, и он приободрился.

— Джейн повезло, — сказал он, испытывая изумление и огромное облегчение. Меган согласилась с ним. — Похоже, вы все сделали правильно.

— Благодарю вас, сэр. — Такая похвала была для нее очень ценной.

Затем они с Берни пошли поесть и, сидя за гамбургерами, обсудили перспективы на ближайшие месяцы. Джейн придется пролежать в больнице не меньше шести недель, а потом еще несколько месяцев передвигаться при помощи кресла на колесиках. В городском доме такая лестница, что няня даже не сможет вывезти ее на улицу и поднять обратно. Им придется остаться в Напе, и эта идея отнюдь не показалась Берни такой уж неприятной.

— Почему бы вам не пожить здесь? Тут не будет никаких проблем с лестницей. В школу она ходить не сможет, но почему бы не нанять ей учителя? — Меган вопросительно посмотрела на него, и он улыбнулся. Многое вдруг стало ему совершенно ясно и понятно, но тут он вдруг вспомнил, что сказал Меган, когда узнал о несчастье, приключившемся с Джейн.

— Меган, прости меня, пожалуйста. — Он с нежностью взглянул на нее, как будто только что увидел ее впервые. — Меня так мучило сознание вины, еще задолго до того... но я был не прав и теперь понимаю это.

— Ничего страшного, — шепнула она в ответ. Она знала, что с ним происходило.

— Иногда мне становится стыдно за то, что я так сильно тебя люблю... как будто я не имею на это права... как будто я должен хранить ей верность... Но ее больше нет... а я люблю тебя.

— Я знаю об этом, и о том, что тебя мучает чувство вины. Но со временем это пройдет.

И как ни странно, Берни вдруг ощутил, что это уже прошло. То ли накануне, то ли днем раньше. Внезапно он перестал стыдиться своей любви к Меган. И неважно, как долго он хранил вещи Лиз в шкафу, неважно, как сильно он любил ее когда-то. Потому что Лиз ушла из его жизни.

Глава 44

Полиция провела расследование и даже взяла кровь женщины, сидевшей за рулем, на обследование. Но оказалось, что это действительно был несчастный случай, и женщина сказала, что никогда не оправится от потрясения. На самом деле происшествие случилось по вине Джейн, но это было слабым утешением для женщины, потому что девочка лежала в больнице после операции, и теперь ей предстояло провести не один месяц в кресле на колесиках и еще долго-долго лечиться.

— Почему мы не можем вернуться в Сан-Франциско? — Джейн досадовала на то, что не может ходить в школу и встречаться с друзьями. Они предполагали, что Александр начнет посещать детский сад, но теперь все их планы полетели вверх тормашками.

— Потому что тебе не одолеть лестницу, солнышко. И няне тоже не втащить кресло наверх. А здесь ты сможешь бывать на улице. И мы наймем тебе учителя. — Джейн ужасно огорчилась. Она сказала, что теперь для нее испорчено все лето. А Берни радовался тому, что этот случай не испортил ей всю жизнь.

— А бабушка Руфь приедет сюда?

— Обещала приехать, если ты захочешь. — Никто еще не успел ни о чем наверняка договориться.

Джейн тихо улыбнулась. Меган стала проводить с ней почти все свободное от работы время, они коротали его за долгими разговорами, которые тесно сблизили их друг с другом. Словно в тот момент, когда чувство вины перестало терзать Берни, у Джейн пропала всякая охота задираться. Некоторое время они прожили очень спокойно, но однажды Берни позвонил Пол Берман и ошарашил его своими известиями.

— Поздравляю тебя, Бернард. — За этими словами последовала зловещая пауза, и Берни затаил дыхание, ожидая, что сейчас ему сообщат нечто ужасное. — У меня есть для тебя новость. Точнее говоря, целых три. — Он немедленно перешел к сути дела: — Через месяц я ухожу на пенсию, и члены совета решили назначить на это место тебя. И мы только что подписали контракт с Джоан Мэдисон из Сакса, которая заменит тебя в Сан-Франциско. Она прилетит туда через две недели. Ты сможешь подготовиться за такой срок к переезду? — У Берни замерло сердце. Две недели? Еще две недели, и ему придется распрощаться с Меган? Разве это возможно? Да и Джейн в таком состоянии, что переезд никак нельзя затевать раньше, чем через несколько месяцев. Но дело даже не в этом, а совсем в другом, и придется признаться в этом Берману. Сколько можно тянуть время?

— Пол. — Берни почувствовал, как у него сжалось сердце, и подумал, что его вот-вот хватит удар. Что значительно упростило бы положение. Но такая перспектива отнюдь его не привлекала, он оставил попытки найти легкое решение, осознав, чего хочет на самом деле. — Мне следовало сказать тебе об этом давным-давно, и, знай я, что ты собираешься на пенсию, я бы так и сделал. Я не могу принять твое предложение.

— Не можешь? — Пол Берман пришел в ужас. — То есть как это? Ты потратил двадцать лет жизни, добиваясь именно этого.

— Да, знаю. Но с тех пор как умерла Лиз, многое изменилось. Я не могу покинуть Калифорнию. — Не могу отказаться от Меган, от мечты, которая зародилась и окрепла благодаря ей.

Берман испугался.

— Тебе предложили работу в другой фирме? У Неймана — Маркуса? У И. Маньина? — Ему не верилось, что Берни мог переметнуться к другим нанимателям, но что, если они сделали ему предложение, перед которым невозможно устоять?

Однако Берни тут же успокоил его:

— Я не стал бы так подводить тебя, Пол. Тебе известно, как велика моя преданность фирме и тебе лично. Это решение связано с другими вопросами, которые поставила передо мной жизнь. Я хочу кое-что предпринять, но для этого я непременно должен остаться здесь.

— Боже милостивый, да что же это за предприятие? Ведь Нью-Йорк — деловой центр страны.

— Пол, я хочу открыть собственное дело. — Почувствовав, что Берман онемел от изумления, Берни тихонько улыбнулся.

— Какое дело?

— Магазин. Маленький специализированный магазинчик в долине Напа. — Говоря об этом, Берни наконец почувствовал, что он свободен, что напряжение, в котором он находился уже несколько месяцев, внезапно спало и оставило его насовсем. — Я не смогу конкурировать с вами, но надеюсь сделать нечто весьма своеобразное.

— Ты уже предпринял что-то?

— Нет. Сначала мне нужно было решить вопрос взаимоотношений с фирмой «Вольф».

— Почему бы тебе не заняться и тем, и другим? — Берни понял, что Пол пришел в отчаяние. — Открой свой магазин и найми хорошего менеджера. Тогда ты сможешь вернуться в Нью-Йорк и занять пост в фирме «Вольф», ты по праву заслужил это.

— Пол, я много лет мечтал об этом, но теперь все изменилось. Я должен остаться здесь, и любое другое решение будет неправильным, я точно знаю.

— Твой отказ сильно обескуражит членов правления.

— Мне очень жаль, Пол. Я не хотел ни подводить тебя, ни ставить в неловкое положение. — Берни добавил с улыбкой: — Похоже, тебе не удастся уйти на пенсию. Да и глупо так поступать в столь молодом возрасте.

— Судя по моему состоянию, особенно теперешнему, ты несколько заблуждаешься на этот счет.

— Прости меня, Пол. — Берни жалел о том, что все так получилось, но в то же самое время чувствовал себя счастливым. После разговора с Берманом он еще долго сидел у себя в кабинете, наслаждаясь покоем и тишиной. Он долгие годы работал на фирму «Вольф», но через две недели приедет человек, который заменит его, а он окажется совсем свободным и сможет открыть собственный магазин... Впрочем, сначала ему необходимо сделать кое-что другое. И когда настало время обеденного перерыва, он торопливо покинул кабинет и поехал домой.

Берни повернул ключ в замке и вошел внутрь. В доме стояла мертвая тишина, которая неизменно встречала его с тех пор, как умерла Лиз, причиняя ему невыносимую боль. Он все еще надеялся застать ее дома и увидеть ее веселое красивое лицо, когда она вдруг выйдет из кухни, поправляя пряди длинных светлых волос и вытирая руки об передник. Но нет, никого и ничего. И так уже два года. Все кончено, и прежние надежды никогда не сбудутся. Пришло время для новой жизни, новых мечтаний. Собравшись с силами, Берни затащил коробки сначала в прихожую, а потом в спальню. Он на минутку присел на кровать, но тут же встал. Необходимо сделать это, пока воспоминания не нахлынули на него, пока он не успел слишком глубоко вдохнуть аромат далекого прошлого.

Он не стал снимать платья с вешалок, а просто пачками доставал их из шкафа, как поступают кладовщики в магазинах, и укладывал их в коробки вместе со свитерами, сумками и обувью. Он оставил только два ее платья: свадебное и вечернее для выходов в оперу, решив, что Джейн захочет их сохранить. Час спустя в прихожей уже стояли шесть огромных коробок с вещами. Ему потребовалось еще полчаса, чтобы вынести их на улицу и загрузить в машину, а затем он в последний раз переступил порог дома. Его придется продать, потому что без Лиз он перестал что-либо значить для него. Дом потерял былое очарование, ведь основой его было присутствие Лиз...

Берни осторожно закрыл дверцы шкафа, в котором теперь висели лишь два платья, упакованные в полиэтиленовые чехлы из «Вольфа». Шкаф опустел. Ей больше не понадобятся никакие вещи. Она будет жить в уголке его сердца, и там он всегда сможет отыскать ее образ. Бросив последний взгляд на погруженный в тишину дом, Берни отправился к дверям и вышел на залитую солнечным светом улицу.

Магазин подержанной одежды, куда Лиз в свое время сдавала вещи, которые уже не могли пригодиться Джейн, находился неподалеку. Лиз считала, что нехорошо выбрасывать вещи, которые вполне еще могут послужить кому-нибудь другому. Женщина, стоявшая за прилавком, оказалась приветливой и разговорчивой. Она долго пыталась уговорить Берни принять деньги за столь «щедрый дар», но он отказался и, печально улыбнувшись ей, вышел на улицу, сел в машину и не спеша поехал обратно на работу.

Поднимаясь на эскалаторе на пятый этаж, он вдруг осознал, что его отношение к магазину «Вольф» изменилось. Ведь он принадлежит не ему, а другим людям. Полу Берману и членам правления из Нью-Йорка. Он знал, что ему будет нелегко насовсем уйти отсюда, и в то же время понимал, что готов сделать этот шаг.

Глава 45

В тот день Берни рано ушел с работы, потому что его ждало множество дел. Покончив с ними и ощутив прилив радостного волнения, он поехал по направлению к мосту Золотые Ворота. Он условился встретиться с сотрудницей агентства по торговле недвижимостью в шесть часов. Он все же опоздал на двадцать минут из-за дорожной пробки в Сан-Рафаэле, но работница агентства все еще сидела на месте, поджидая его. И дом, который Меган показала ему несколько месяцев тому назад, по-прежнему предлагался на продажу.

— Вы намерены поселиться в нем с семьей? — спросила его женщина, заполняя бланки предварительного контракта. Берни уже выписал ей чек на сумму, предназначавшуюся в задаток, и теперь ему не терпелось приняться за дела, которые позволят внести все деньги полностью.

— Да нет. — Ему еще только предстояло получить разрешение на использование дома в коммерческих целях, поэтому он решил не вдаваться в объяснения прежде времени.

— Если над ним немного потрудиться, вы сможете с успехом сдавать его в аренду.

— Я такого же мнения, — с улыбкой ответил Берни. К семи часам они оформили все документы по заключению сделки. Берни нашел телефон-автомат и набрал номер Меган, надеясь, что дежурит она, а не Патрик. Спустя минуту он услышал голос диспетчера и попросил связать его с доктором Джонс. Ему сообщили, что она выехала по вызову в больницу, но, если он сообщит свое имя, имя и возраст ребенка и объяснит, что случилось, они свяжутся с ней через пейджер. Берни сказал, что его зовут мистер Смит и его девятилетний сын Джордж сломал руку. «Мы не могли бы приехать к ней прямо в больницу? Мальчику очень больно». Берни было немного стыдно использовать такой предлог, но дело того стоило. Диспетчер пообещал предупредить доктора Джонс о его приезде. «Спасибо», — сказал он, стараясь скрыть свою радость, а затем отправился к машине и поехал в больницу к Меган. Неслышно переступив порог, он увидел, что она стоит спиной к нему около стола, и почувствовал, как по всему его телу разлилось блаженство. Он весь день ждал момента, когда сможет увидеть эти блестящие черные волосы, эту высокую изящную женщину. Он подкрался к ней и легонько шлепнул по бедру. Она вздрогнула, а потом заулыбалась, тщетно пытаясь сделать вид, будто недовольна им.

— Привет. Я как раз ждала пациента.

— Держу пари, мне известно, кого именно.

— Нет, не может быть. Это кто-то из новых. Я сама еще ни разу его не видела.

Берни потянулся к ней и шепнул ей на ухо:

— Мистера Смита?

— Да... я... как ты... — Внезапно Меган залилась румянцем. — Берни! Ты что, решил меня разыграть? — Меган пришла в изумление, но не рассердилась. Раньше он никогда так не поступал.

— Речь шла о мальчике по имени Джордж, который сломал руку?

— Берни! — Она погрозила ему пальцем, а он взял Мег за руку и повел в бокс, слушая ее увещевания. — Ну разве можно так делать? Помнишь, что случилось с мальчиком, который кричал: «Помогите! Волк!» — и попусту гонял людей?

— На сей раз дело не в волке, а в «Вольфе», но я там больше не работаю.

— Что? — Меган совсем оторопела и ошеломленно уставилась на него. — Что?

— Я сегодня уволился, — радостно сообщил Берни и расплылся в улыбке. В этот момент он как нельзя более сильно походил на выдуманного им самим мальчишку.

— Почему? Что-нибудь случилось?

— Да. — Он рассмеялся. — Пол Берман решил уйти на пенсию и предложил мне занять его должность.

— Ты не шутишь? Почему же ты отказался? Разве ты не стремился к этому всю свою жизнь?

— Вот-вот. Берман сказал мне то же самое. — Берни
принялся искать что-то в кармане, с невероятным удовольствием взирая на удивленное лицо Меган.

— Но почему? Почему ты не...

Берни посмотрел ей прямо в глаза.

— Я сказал ему, что хочу открыть свой собственный
магазин. В долине Напа.

Казалось бы, способности удивляться есть предел,
но слова Берни повергли Меган в еще большее изумление. А он стоял, глядя на нее и сияя от гордости.

— Берни Файн, ты сошел с ума или все это всерьез?

— И то, и другое. Но это мы обсудим чуть позже.
Сначала я должен кое-что тебе показать. — Он не стал
рассказывать ей о том, что купил дом, в котором будет
помещаться их магазин. Прежде всего она должна
взглянуть на приобретение, которое он сделал после
работы. Он долго и тщательно его выбирал. Берни вручил ей маленькую коробочку, упакованную в подароч-
ную бумагу, и Меган посмотрела на нее с изрядным
подозрением.

— Что в ней?

— Крохотный черный ядовитый паучок. Смотри,
будь поосторожнее. — Он веселился как мальчишка, а
Меган дрожащими руками сняла обертку и обнаружила
под ней черный бархатный футляр знаменитой между-
народной фирмы ювелирных изделий.

— Берни, что это?

Он подошел к ней почти вплотную, ласково провел
рукой по черным шелковистым волосам и сказал так
тихо, что, кроме Меган, никому не удалось бы его рас-
слышать:

— Это начало целой жизни, любовь моя.

Щелкнув застежкой, он открыл футляр, и у Меган
перехватило дыхание: она увидела красивое кольцо с
изумрудом, обрамленным маленькими бриллиантовы-
ми багетками. Берни пришлось по вкусу и кольцо, и
камень, и он решил, что изумруд — как раз то, что
нужно Меган. Ему не хотелось покупать ей такое же
кольцо, какое было у Лиз. Ведь они начинают жизнь
заново. И он готов к этому. Он увидел, как слезы мед-

ленно потекли по ее щекам. Она все еще плакала, когда он надел кольцо ей на палец и поцеловал ее.

— Я люблю тебя, Мег. Ты согласишься стать моей женой?

— Почему ты все это делаешь? Ты уволился с работы, просишь меня выйти за тебя замуж, ты собрался открыть свой магазин. Нельзя же в один день принять столько важных решений, это безумие.

— Я шел к этому не один месяц, ты же знаешь. Просто мне потребовалось немало времени, чтобы решиться, но теперь это уже произошло.

Она ответила ему радостным и слегка испуганным взглядом. Он прекрасный человек, и она не напрасно ждала его все это время, хотя ожидание далось ей нелегко.

— А как быть с Джейн?

— В каком смысле? — Берни оторопело взглянул на Меган.

— Тебе не кажется, что сначала надо с ней посоветоваться?

Берни слегка встревожился, но Меган стояла на своем.

— Ей придется пойти навстречу нашим пожеланиям.

— По-моему, нам не следует ставить ее перед свершившимся фактом. — Десять минут ушло на споры, но затем Берни согласился зайти в палату к Джейн и обсудить все с ней, хоть и боялся, что она не готова к разговору на эту тему.

— Привет, — сказал он, войдя в палату, и растерянно улыбнулся. Джейн тут же заподозрила что-то неладное, особенно когда заметила мокрые от слез ресницы Меган.

— Что-нибудь случилось? — обеспокоенно спросила она, но Меган тут же замотала головой.

— Нет-нет. Нам просто нужен твой совет. — Она спрятала руку в карман белого халата, чтобы девочка не смогла сразу обратить внимание на кольцо.

— Насчет чего? — Ее слова заинтриговали Джейн, и к тому же она вдруг почувствовала себя очень важной персоной. И не зря, ведь ее мнение действительно имело огромное значение для них обоих.

Меган бросила взгляд на Берни. Тогда он подошел к кровати, на которой лежала Джейн, и взял ее за руку.

— Мы с Меган хотели бы пожениться, солнышко, и нам необходимо знать, что ты думаешь по этому поводу.

В палате надолго воцарилась напряженная тишина. Берни ждал затаив дыхание. Джейн лежала, опираясь на подушки и глядя на них обоих. А потом вдруг расплылась в улыбке.

— И вы решили сначала посоветоваться со мной? — Они закивали, и улыбка на лице Джейн стала еще шире. Она пришла в восторг. «Ух ты, вот здорово». Даже мама в свое время не посоветовалась с ней, но Джейн не стала говорить об этом Берни.

— Ну, так что же ты скажешь?

— По-моему, все нормально... — Она с улыбкой посмотрела на Меган. — То есть нет, по-моему, это просто замечательно. — Меган и Берни тоже заулыбались, а Джейн даже захихикала.

— Папа, а ты подаришь ей колечко?

— Только что подарил. — Он потянулся к Меган, и та вынула руку из кармана. — Но она сказала, что не сможет мне ответить, пока ты не согласишься. — Судя по взгляду, который Джейн бросила на Меган, этот поступок должен был послужить зароком их вечной дружбы.

— А мы устроим пышную свадьбу? — спросила Джейн, и Меган рассмеялась.

— Мы еще не успели об этом подумать. Столько всего произошло за сегодняшний день.

— Что да, то да. — Берни сообщил Джейн, что уходит из фирмы «Вольф», а потом рассказал им обеим, что купил дом, в котором будет помещаться его собственный магазин. Это известие потрясло и Джейн, и Меган.

— Папа, ты вправду это сделаешь? Откроешь магазин, и мы переедем в долину Напа, и все такое прочее? — От радости Джейн захлопала в ладоши.

— Несомненно. — Он с улыбкой поглядел на свою

дочку и невесту и сел на один из стульев, предназначенных для посетителей. — Я даже придумал для него название, пока ехал сюда.

Обе его дамы с любопытством смотрели на него.

— Я думал о вас обеих, об Александре и обо всем хорошем, что случилось с нами за последнее время... о счастливых мгновениях нашей жизни. И тогда меня осенило. — Меган тихонько взяла его за руку, и он порадовался, вспомнив о кольце, когда почувствовал прикосновение изумруда к пальцам. Он улыбнулся ей и дочке. — Я назову его «Все только хорошее». Что вы на это скажете?

— Мне очень нравится. — Лицо Меган осветилось счастливой улыбкой, а Джейн заверещала от восторга. Она даже перестала жаловаться на то, как ей надоело лежать в больнице, ведь в их жизни происходит столько замечательного.

— Меган, а можно, я буду подружкой невесты? Ты разрешишь мне подержать твой букет или нести за тобой фату?

На глазах у Меган выступили слезы, и она с улыбкой кивнула в ответ, а Берни потянулся и поцеловал свою невесту.

— Меган Джонс, я люблю тебя.

— А я люблю всех вас, всех троих, — прошептала она, взглянув по очереди на Берни и на Джейн и думая об Александре. — И ты придумал отличное название для магазина... «Все только хорошее»... — Ведь эти слова как нельзя более точно определяли события, происшедшие в их жизни с тех пор, как они повстречали друг друга.

Литературно-художественное издание

Даниэла Стил
ВСЕ ТОЛЬКО ХОРОШЕЕ

Редактор *А. Карлин*
Художественный редактор *Е. Савченко*
Технические редакторы *Н. Носова, Г. Павлова*
Корректор *Е. Сахарова*

Подписано в печать с готовых монтажей 16.09.2003.
Формат 84x108$^1/_{32}$. Гарнитура «Таймс».
Печать офсетная. Усл. печ. л. 21,84. Уч.-изд. л.20,6.
Доп. тираж 3000 экз. Заказ № 1426.

ООО «Издательство «Эксмо».
127299, Москва, ул. Клары Цеткин, д. 18, корп. 5. Тел.: 411-68-86, 956-39-21.
Интернет/Home page — www.eksmo.ru
Электронная почта (E-mail) — info@eksmo.ru

По вопросам размещения рекламы в книгах издательства «Эксмо»
обращаться в рекламное агентство «Эксмо». Тел. 234-38-00.

Оптовая торговля:
109472, Москва, ул. Академика Скрябина, д. 21, этаж 2.
Тел./факс: (095) 378-84-74, 378-82-61, 745-89-16.
Многоканальный тел. 411-50-74. E-mail: reception@eksmo-sale.ru

Мелкооптовая торговля:
117192, Москва, Мичуринский пр-т, д. 12/1. Тел./факс: (095) 411-50-76.

Книжные магазины издательства «Эксмо»:
Супермаркет «Книжная страна». Страстной бульвар, д. 8а. Тел. 783-47-96.
Москва, ул. Маршала Бирюзова, 17 (рядом с м. «Октябрьское Поле»). Тел. 194-97-86.
Москва, Пролетарский пр-т, 20 (м. «Кантемировская»). Тел. 325-47-29.
Москва, Комсомольский пр-т, 28 (в здании МДМ, м. «Фрунзенская»). Тел. 782-88-26.
Москва, ул. Сходненская, д. 52 (м. «Сходненская»). Тел. 492-97-85.
Москва, ул. Митинская, д. 48 (м. «Тушинская»). Тел. 751-70-54.
Москва, Волгоградский пр-т, 78 (м. «Кузьминки»). Тел. 177-22-11.

Северо-Западная Компания представляет весь ассортимент книг издательства «Эксмо».
Санкт-Петербург, пр-т Обуховской Обороны, д. 84Е.
Тел. отдела реализации (812) 265-44-80/81/82.

Сеть книжных магазинов «БУКВОЕД». Крупнейшие магазины сети:
Книжный супермаркет на Загородном, д. 35. Тел. (812) 312-67-34
и Магазин на Невском, д. 13. Тел. (812) 310-22-44.

Сеть магазинов «Книжный клуб «СНАРК» представляет самый широкий ассортимент книг
издательства «Эксмо». Информация о магазинах и книгах в Санкт-Петербурге по тел. 050.

Всегда в ассортименте новинки издательства «Эксмо»:
ТД «Библио-Глобус», ТД «Москва», ТД «Молодая гвардия»,
«Московский дом книги», «Дом книги в Медведково», «Дом книги на Соколе».

Весь ассортимент продукции издательства «Эксмо»
в Нижнем Новгороде и Челябинске:
ООО «Пароль НН», г. Н. Новгород, ул. Деревообделочная, д. 8. Тел. (8312) 77-87-95.
ООО «ИКЦ «ДИС», г. Челябинск, ул. Братская, д. 2а. Тел. (8512) 62-22-18.
ООО «ИнтерСервис ЛТД», г. Челябинск, Свердловский тракт, д. 14. Тел. (3512) 21-35-16.

Книги «Эксмо» в Европе — фирма «Атлант». Тел. + 49 (0) 721-1831212.

ОАО «Тверской полиграфический комбинат».
170024, г. Тверь, пр-т Ленина, 5.

Смотрите
осенью

CTC

многосерийный фильм

**Евлампия Романова.
Следствие ведет дилетант**

по романам
Дарьи Донцовой

В главной роли:
Алла Клюка

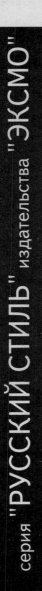